L'AMI SPIRITUEL

DU MÊME AUTEUR

LE MESSAGE DES TIBÉTAINS

ASHRAMS

YOGA ET SPIRITUALITÉ

LES CHEMINS DE LA SAGESSE
(tomes I, II, III)

MONDE MODERNE ET SAGESSE ANCIENNE

À LA RECHERCHE DU SOI

LE VEDANTA ET L'INCONSCIENT
(A la recherche du Soi II)

AU-DELÀ DU MOI
(A la recherche du Soi III)

TU ES CELA
(A la recherche du Soi IV)

UN GRAIN DE SAGESSE

POUR UNE MORT SANS PEUR

POUR UNE VIE RÉUSSIE

L'AUDACE DE VIVRE

APPROCHES DE LA MÉDITATION

LA VOIE DU CŒUR

EN RELISANT LES ÉVANGILES

LA VOIE ET SES PIÈGES

ZEN ET VÉDANTA

ARNAUD DESJARDINS
VÉRONIQUE LOISELEUR

L'AMI SPIRITUEL

LA TABLE RONDE
7, rue Corneille, Paris 6e

ISBN 2-7103-0732-4.

AVANT-PROPOS

Pour tous les Occidentaux qui ont eu l'opportunité de séjourner en Asie et d'entrer en contact avec les milieux spirituels hindous et bouddhistes, notamment tibétains, le mot sanscrit *guru* est un des plus sacrés qui soient. Il se trouve que ce terme a pris aujourd'hui en Occident la connotation la plus négative qui puisse être. Traiter qui que ce soit de gourou, c'est porter contre lui une grave accusation. Il est vrai que ce terme a été abondamment discrédité et ridiculisé par des « maîtres » qui étaient à tous égards l'opposé de ce que la tradition considère comme un authentique guide spirituel. Mais parce qu'un prêtre égaré a un jour commis un crime ou qu'un médecin et un chirurgien sans scrupules se sont enrichis en prescrivant des opérations inutiles, serait-il légitime que le terme même de prêtre ou de médecin devienne synonyme d'escroc ?

En vérité, la fonction de maître spirituel est parfaitement indépendante des modes actuelles et de ce qu'on appelle le New-Age. En effet, sous l'appellation de directeur de conscience ou de père spirituel pour les chrétiens et de *staretz* pour la tradition orthodoxe russe, de *rabbi* ou de *tsadik* pour les juifs, de *pir* ou *cheikh* pour les soufis, de *roshi* ou de *sensei* pour les moines *zen,* de *guru* pour les hindous et les bouddhistes tibétains, l'histoire montre que les maîtres ont existé à toutes les époques et au cœur de toutes les religions, y compris les religions antiques. L'exemple le plus célèbre en est Socrate. Mais Diogène, Pyrrhon, Zénon, Epicure et Epictète, pour ne citer qu'eux, ont rempli la même fonction. Dans un ouvrage qui n'est certes pas sujet à caution pour les catholiques, la célèbre *Introduction à la Vie dévote* de saint François de Sales, le chapitre IV porte pour titre « De la nécessité d'un conducteur pour entrer et faire progrès en la dévotion » et nous y lisons : « Cherchez quelque homme de bien qui vous guide et conduise, c'est ici l'avertissement des avertissements », et quelques lignes plus loin cette citation, suivie du commentaire de saint François : « *L'ami fidèle, dit l'Ecriture Sainte, est une forte protection. Celui qui l'a trouvé a trouvé un trésor. L'ami fidèle est un médicament de vie et d'immortalité.* Il faut sur toute chose avoir cet ami fidèle qui guide nos actions par ses avis et ses conseils, et par ce moyen nous garantit des embûches et tromperies du malin. Il nous sera comme un trésor de sapience en nos afflictions, tristesse et chutes ; il nous servira de médicament pour alléger et consoler nos cœurs et maladies spirituelles. [...] Ne vous confiez pas en celui-ci ni en son savoir humain mais en Dieu lequel vous favorisera et parlera par l'entremise de cet homme... ; vous devez l'écouter comme un ange qui descend du ciel pour vous y mener. Traitez avec lui à cœur ouvert en toute sincérité et fidélité lui manifestant clairement votre bien et votre mal sans feintise ni dissimulation. Ayez en lui une extrême confiance mêlée d'une sacrée révérence. [...] Il le faut plein de charité, de science et de prudence. Si l'une de ces trois parties lui manque, il y a du danger. Mais je vous le dis derechef : demandez-le à Dieu et l'ayant obtenu, bénissez Sa Divine Majesté, demeurez ferme et n'en cherchez point d'autres, mais allez simplement, humblement et confidemment, car vous ferez un très heureux voyage. » Il n'y a pas un disciple hindou qui, lisant ces lignes, n'aurait l'impression d'entendre faire l'éloge de son bien-aimé *guru.*

L'ouvrage que voici n'est en rien une étude systématique du thème « maîtres et disciples à travers l'histoire ou dans les différentes traditions » ni une enquête sociologique sur le phénomène actuel des sectes. Je précise au passage que le terme New-Age impliquant la nouveauté s'applique bien mal à une institution comme celle du maître et du disciple dont on trouve des traces historiques depuis quelque quatre mille ans. Il est un fait que l'institution du maître spirituel est demeurée, malgré saint François de Sales et d'autres auteurs, plus vivante en Asie qu'en Occident et que de nombreux Occidentaux, y compris des chrétiens convaincus et même des prêtres et des religieux, ont trouvé bénéfice à approcher des sages, hommes ou femmes, appartenant à d'autres traditions que la leur. C'est d'autant plus aisé que la plupart de ces sages, notamment en Inde, s'affirment infiniment tolérants et font leur la célèbre réponse « je vous convertirai à votre propre religion ».

Sans m'être donc jamais converti moi-même ni à l'hindouisme, ni au bouddhisme, ni à l'islam, les circonstances de mon existence m'ont permis, en dehors de mes retraites dans une abbaye cistercienne, de passer un certain nombre d'années en Inde et en Afghanistan, d'y rencontrer de nombreux sages reconnus comme tels par leurs coreligionnaires et d'être plus précisément guidé par un maître bengali du nom de Swâmi Prajnanpad. Depuis trente ans, j'ai d'abord témoigné de cette recherche et de ces rencontres à travers des émissions de télévision qui passaient à l'époque en début de soirée. La projection de films tournés en Asie était complétée par des entretiens en direct avec le producteur André Voisin, m'amenant à dire ce qu'en tant qu'Occidental j'avais trouvé de précieux dans ces contextes exotiques. A l'époque, ces émissions avaient été bien accueillies par l'ensemble de la presse et personne n'avait trouvé à redire à l'institution des *gurus* et des disciples. Puis j'ai publié les trois tomes des *Chemins de la Sagesse,* une sorte de chronique de ce que je découvrais peu à peu auprès de Swâmi Prajnanpad. A la demande d'un certain nombre de lecteurs et avec l'accord et les directives de Swâmi Prajnanpad j'ai, il y a vingt ans maintenant, abandonné mon activité de producteur et réalisateur à la Télévision française (ORTF) et accepté de partager avec d'autres ma propre expérience. J'exerce donc – si j'ose employer une expression aussi surprenante – la profession de gourou, aussi décrié que soit devenu ce terme sous la plume de la plupart des journalistes. Parmi ceux pour qui je joue le rôle d'ami spirituel, il y a des hommes et des femmes de toutes conditions, y compris des chrétiens convaincus et même des prêtres qui me rencontrent non pas en cachette, mais avec l'accord de leur vicaire épiscopal. Sur ce que je transmets, une série d'ouvrages publiés aux Editions de La Table Ronde – tous composés à partir de causeries intimes enregistrées et dactylographiées – donne maintenant un aperçu assez complet.

Comme les précédents, ce livre a été parlé avant d'être écrit. Les propos tenus répondaient le plus souvent à des questions, à des doutes ou tentaient de dissiper des confusions et des malentendus. La croissance de la conscience lucide, l'érosion progressive de nos limitations, le véritable processus de transformation ou de métamorphose n'est pas une entreprise anodine. Il faut s'y consacrer avec conviction et persévérance. Il faut surtout accepter de s'ouvrir à des idées nouvelles, souvent inattendues, parfois surprenantes ou même choquantes au premier abord, et être disponible pour de profonds changements intérieurs dans notre manière de percevoir et de concevoir la réalité, même la réalité la plus familière. Une part de ce processus est comparable à ce qui peut se produire au cours d'une psychothérapie mais une part seulement car les prétentions de la vie spirituelle vont beaucoup plus loin qu'un fonctionnement harmonieux dans l'activité professionnelle et sexuelle.

Il se peut que ma manière de présenter des vérités traditionnelles soit par moment originale mais les idées elles-mêmes ne prétendent à aucune originalité, bien au contraire. Elles sont anciennes et confirmées à travers les siècles par des générations de maîtres et de disciples, de contemplatifs et de mystiques. Dans la confusion actuelle concernant la recherche spirituelle hors du cadre strict d'un monastère cistercien ou bouddhiste, puissent les pages qui vont suivre éclairer au moins quelque peu ceux qui les liront. J'aborde là un thème grave mais aussi précieux, infiniment précieux : y a-t-il un sens ultime à l'existence humaine ou, pour employer les termes du Bouddha, un but différent des buts ordinaires des hommes ? Quel est ce but ? Comment s'en rapprocher ? Quelles sont les erreurs à éviter ? Comment bénéficier de l'expérience des anciens qui nous ont précédés sur cette voie ? Ce pour quoi je témoigne est en marge non seulement des gourous criminels et des sectes aberrantes, mais en marge même des grands mouvements mondialement célèbres dont la presse et les médias se sont aussi emparés, telle la Méditation Transcendantale. Il s'agit d'un travail humble, obscur même, persévérant, qui ne peut s'accomplir que dans la sobriété et la discrétion, un travail pour lequel une aide s'avère en effet précieuse, une aide qui nous conduise à l'autonomie et non à la dépendance, à la tolérance et non au fanatisme, à la compassion et non à l'orgueil, à l'ouverture aux autres, tous les autres, et non au repliement sur soi-même dans la conviction de faire partie d'une minorité d'élus. En vérité très exactement l'opposé de l'idée que le public se fait aujourd'hui des gourous et de ceux qui les entourent.

Encore faut-il admettre que la « spiritualité », la « voie », ne sont pas de pures illusions ou des compensations névrotiques. A cet égard, tous nos contemporains ne sont certes pas convaincus que la recherche de Dieu ou, plus simplement, la sagesse sont le but essentiel, le sens même, d'une existence humaine. Je peux donc comprendre que, pour beaucoup, tous les « maîtres », même les plus intègres, soient sujets à caution et que la relation même de « maître » à « disciple » soit récusée. A partir de ce sujet, la confusion s'établit – et s'exprime – plus facilement entre une fonction bien ancienne, partout reconnue autrefois, et les extravagances modernes les plus pitoyables ou les plus scandaleuses. Aussi cher que soit le mot gourou au cœur des hindous et des Tibétains, quel que soit l'intense sentiment de gratitude qu'il éveille au cœur de beaucoup d'entre nous, le malaise ou l'indignation qu'il fait naître chez la plupart de nos contemporains est un fait. J'ai donc décidé de suivre l'exemple de la belle revue *Terre du Ciel* et de l'orthographier *guru* selon la translittération internationale du sanscrit. Les termes sanscrits ont souvent une double étymologie. Celles de *guru* indiquent « celui (ou celle) qui a du poids » et « celui qui apporte la lumière ». Mais aussi célèbre que soit ce terme – pour le meilleur et pour le pire – il ne concerne que les traditions hindoue et tibétaine. La fonction du maître, du guide, étant universelle, parmi tous les titres donnés à celui-ci, j'ai choisi : « l'ami spirituel » pour ce livre. Un tel ami est infiniment précieux. Il nous accompagne tout au long d'une étonnante et merveilleuse aventure.

*

Cet ouvrage a été scindé en deux parties, la première étant plus précisément centrée sur le maître, la seconde sur le disciple, mais en maints endroits il n'a bien évidemment pas été possible de parler d'un terme de la relation sans évoquer l'autre.

Par ailleurs, chaque chapitre formant un tout en lui-même, certains thèmes sont abordés dans plusieurs chapitres sous différents angles.

PREMIÈRE PARTIE

LE MAÎTRE

CHAPITRE PREMIER

TOUR D'HORIZON

Un thème essentiel et difficilement compris en Occident, je m'en aperçois année après année, c'est celui du maître spirituel, du *guru* comme on dit en sanscrit – et on ne peut pas parler des maîtres sans parler aussi des disciples auxquels le maître transmet un enseignement vivant.

Depuis les nombreux scandales liés aux sectes ou à certains mouvements pseudo-spirituels que les médias ont révélés, le mot gourou est aujourd'hui utilisé dans un sens péjoratif : il est devenu synonyme de charlatan dangereux alors que, dans tout l'Orient, cette institution du maître et des disciples ne pose aucun problème, pas plus que de parler d'un médecin et de ses patients en France.

Le maître est celui qui nous conduit pas à pas sur le chemin de notre propre transformation intérieure, avec un amour et une patience inlassables, et nous permet d'émerger des conflits et des souffrances dans lesquels nous nous débattons pour accéder à un monde de sagesse, de sérénité et d'amour. On peut donc déplorer que l'usurpation de cette fonction par des personnes non qualifiées dont les motivations égoïstes ont conduit à l'exploitation d'autrui ait rendu cette fonction presque maudite. Il ne serait pas juste cependant de tomber dans l'excès inverse en « jetant le bébé avec l'eau du bain » et de se priver ainsi de la relation privilégiée d'instructeur à élève que les traditions spirituelles ont connue à toutes les époques.

Il n'y a aucun doute que, dans le christianisme, la relation de maître à disciple existe aussi sous la forme du directeur de conscience, du père spirituel, du maître ou de la maîtresse des novices. En hébreu, le mot *rabbi* est celui que les disciples utilisaient pour s'adresser à Jésus. Les textes chrétiens d'autrefois mentionnent couramment les « anciens » qui possèdent l'expérience et la maturité sur la voie spirituelle et les transmettent à ceux qui viennent les consulter. Mais ce rôle du maître a été peu à peu perdu, oublié en Occident alors que dans toute l'Asie il demeure le pivot de toutes les ascèses. Vous savez que *lama* correspond à peu près à la traduction du mot *guru,* sinon par l'étymologie du moins par le sens. Dans l'islam, chez les soufis, le maître est appelé *cheikh* ou, en Iran, en Afghanistan, *pir,* mot qui signifie simplement vieux, âgé – le terme le plus respectueux qui soit. Aujourd'hui encore, aussi bien dans l'hindouisme, le bouddhisme que le soufisme, le maître fait partie des données culturelles admises par toute la société.

Vous devinez que, personnellement, je suis convaincu de la nécessité d'un maître sur la Voie. Comme on le dit si bien, l'exception confirme la règle : si de temps en temps un être humain, ici ou là, atteint l'éveil, la sagesse, par lui-même, cela demeure tout à fait exceptionnel dans l'ensemble des traditions. Si nous voulons apprendre à bien jouer d'un instrument de musique, nous nous adressons à un professeur qualifié. C'est vrai dans tous les secteurs d'activité, dans tous les domaines de l'existence. Comment cela pourrait-il ne plus être vrai quand il s'agit de la démarche la plus importante et la plus délicate qui soit, celle de notre propre transformation qui doit nous amener peu à peu dans un monde nouveau, inconnu, dont nous n'avons aucune idée au départ ?

Qu'affirment, d'une manière ou d'une autre, les différents enseignements spirituels – y compris le christianisme ? Ces enseignements tiennent en quelque sorte un double langage qu'il ne nous est pas toujours aisé d'entendre. Le premier aspect est une espérance presque incroyable, la promesse d'une réalisation qui, si elle n'est pas purement un mensonge ou un leurre, est en elle-même tout à fait extraordinaire : la fin des souffrances, la découverte en nous d'une réalité indestructible, illimitée – que vous l'appeliez la béatitude du Soi, l'*atman*, avec les hindous, ou la vie éternelle, le Royaume des Cieux, le Christ en vous avec les chrétiens. Il est vraiment question, pour chacun de nous en tant qu'être humain, d'une perspective fantastique, transcendant tout ce dont nous pouvons avoir l'expérience. Et pour pointer vers cette réalisation possible dans cette vie – pas seulement après la mort – on a utilisé non seulement des mots tels que « divin », « infini », « illimité » mais aussi des symboles, des allégories, des mythes ou même un langage paradoxal. Il s'agit en effet d'un accomplissement que nous ne pouvons pas nous représenter et qui, surtout, dépasse complètement les normes habituelles de notre pensée. Et si c'était vrai ? Si tous les grands maîtres spirituels et les sages avaient dit la vérité en nous donnant une telle espérance ? L'autre aspect est exactement l'inverse : ce sont des propos très sévères sur la condition humaine ordinaire, non transformée, non régénérée. Les chrétiens disent que l'homme ne peut pas ne pas d'abord vivre dans le péché, en donnant à ce terme le sens d'une certaine erreur fondamentale. Les hindous, les bouddhistes, vous le savez, utilisent des mots comme « aveuglement », « ignorance », « illusion », « sommeil »...

Est-ce que nous prenons au sérieux ces deux pôles, celui de l'incroyable espérance et celui de l'évocation extrêmement critique de notre condition habituelle ? Si vraiment nous sommes appelés à cet éveil et si, d'autre part, nous sommes à ce point plongés dans l'erreur, comment n'aurions-nous pas besoin d'une aide concrète, fondée sur une réelle expérience et non pas sur des connaissances intellectuelles que tout érudit peut transmettre mais qui n'auront pas le pouvoir de nous transformer ? Donner cette aide indispensable est le rôle du maître.

De même que ce ne sont pas les plus grands virtuoses de

piano ou de violon qui sont les meilleurs professeurs, le maître, homme ou femme, n'est pas forcément le sage dont l'accomplissement personnel est le plus éblouissant. Dans ce siècle, par exemple, l'hindouisme a compté quelques figures exceptionnelles telles que Ramana Maharshi (que je n'ai pas approché de son vivant) ou Mâ Anandamayi auprès de qui j'ai pu séjourner longtemps à plusieurs reprises. Se trouver en présence d'un homme ou d'une femme à ce point surhumain, supra-humain, est certainement une expérience inoubliable, probablement la plus grande de toute l'existence. Mais, si ce n'est pas forcément le plus célèbre virtuose qui fait le meilleur enseignant, encore faut-il que l'enseignant en question possède les qualifications requises pour instruire un élève. Personne ne peut légitimement s'improviser maître spirituel : en Inde, *self-appointed guru* désigne celui qui s'est un beau jour auto-proclamé *guru* sans aucune formation autre que ses dons et peut-être une certaine naïveté.

Du fait qu'elle n'appartient plus à notre culture, la notion de maître suscite en Occident beaucoup de doutes et de suspicions, sans parler de toutes les illusions qu'elle engendre. Si nous approchons un maître avec notre mentalité d'Occidentaux, qu'il soit *lama, sensei,* swâmi ou *cheikh,* que sa notoriété soit importante ou qu'il ne soit connu que d'un petit nombre de disciples, nous nous posons inévitablement la question : « N'y a-t-il pas là un culte de la personnalité ? Devenir disciple, n'est-ce pas aliéner sa liberté entre les mains de quelqu'un d'autre ? » Comment admettre cet asservissement devant un homme ou une femme – notamment dans le contexte hindou ou bouddhiste où l'on se prosterne front au sol devant le maître (chez les soufis, on embrasse la main du maître ou on embrasse une portion de son vêtement) ? Vous devinez que depuis l'âge de vingt-cinq ans où j'ai découvert qu'il existait des maîtres donnant à des disciples des enseignements de transformation jusqu'à l'époque où je faisais de nombreuses conférences et où j'animais des émissions sur ce thème à la télévision, j'ai souvent été interpellé directement ou par courrier à ce sujet : comment peut-on se soumettre ainsi à un autre être humain ? Or ce thème de la soumission au maître est fondamental. Dans l'anglais de l'Inde, on emploie même un terme très fort, *surrender*, qui signifie à peu près « capitulation ». Pour comprendre ce qu'il en est, il nous faut donc aller pas à pas, sans tout de suite réagir, sans nous enthousiasmer ni nous indigner trop vite.

Je suis d'accord qu'il est plus que légitime de se poser des questions. Les soufis par exemple utilisent un terme, *fana*, qu'on traduit généralement par « extinction » et qui est plus ou moins l'équivalent du terme *nirvana* en sanscrit. Il s'agit de l'extinction de l'ego individualisé, l'extinction de la conscience ordinaire, pour que se révèle une autre conscience supra-individuelle. Et les soufis distinguent trois niveaux d'extinction : l'extinction dans le maître, l'extinction dans le Prophète et l'extinction en Dieu. C'est dire à quel point la relation entre le maître et le disciple revêt un caractère exceptionnel. En Inde, pourvu qu'un enseignant se rattache à la grande tradition sanscrite, on emploiera le mot *guru* aussi bien pour désigner un professeur de flûte ou de chant parce que ces activités, parmi d'autres, sont considérées comme sacrées et constituent sinon un yoga complet, du moins une part d'un yoga.

En évoquant ce thème traditionnel de la relation du disciple au maître qui se perpétue depuis trois millénaires en Asie, il faut qu'une vérité demeure présente à notre esprit car, si elle est oubliée, les plus sévères critiques à l'égard de cette institution du *guru* sont justifiées. Cette vérité, c'est que le *guru* est avant tout lui-même un disciple, pour toujours – pour l'éternité, si je puis dire – disciple de son propre *guru,* lequel était lui-même disciple. Et le maître est avant tout un serviteur. Si on considère le maître simplement comme un homme livré à lui-même et ne pouvant compter que sur ses propres dons et ses propres capacités, même s'il se montre par ailleurs généreux, bon psychologue et plein de compassion, on se trompe complètement. Le maître est un instrument et il n'est maître que parce qu'il a d'abord été élève, qu'il s'est lui-même incliné devant le représentant de la sagesse qui a été son propre *guru* – ou devant d'autres sages : ne soyons pas étroits d'esprit et reconnaissons qu'il y a bien d'autres maîtres que le nôtre, y compris dans d'autres traditions, et que leur rencontre peut être une bénédiction pour nous.

Du point de vue de l'expérience des siècles, du point de vue de ce que l'on appelle « la tradition », c'est-à-dire ce qui a été transmis depuis l'origine, que cette origine remonte au Bouddha, au Christ ou aux grands *rishis* qui ont donné au monde les *Upanishads*, cette insertion du maître dans un ensemble, cette permanente soumission du maître devant son propre *guru*, devant la tradition représentée par celui-ci et devant ce qui est commun à toutes les formes traditionnelles – car la réalité c'est la réalité –, est fondamentale. Or l'observation m'a montré que cette vérité était presque toujours oubliée. On voit le maître comme un être humain plus ou moins prestigieux et dont l'apparence nous impressionne – car certains maîtres font en effet preuve d'un réel charisme – mais on oublie ce sur quoi repose tout l'édifice de la relation de maître à disciple, à savoir que le maître lui-même n'est qu'un instrument impersonnel de la Vérité. On pourrait employer cette image même si elle est très approximative : pour regarder un programme de télévision, il faut un poste récepteur ; mais si le programme est de qualité, ce n'est pas le poste lui-même qui doit être remercié. Le maître est indispensable, comme un poste de télévision est indispensable pour avoir accès au programme, mais le « programme » ce n'est pas le maître. L'ensemble des connaissances vivantes dont il est le détenteur momentané existait avant lui, il existera longtemps après sa mort et il dépasse complètement l'individualité qui en est l'agent, le transmetteur et – j'insiste – le serviteur.

La notion de maître ne soulève aucun problème dans un contexte traditionnel où l'on sait très bien à quelle filiation un maître se rattache et quelle est la tradition, l'enseignement, dont il est l'expression. Mais elle pose question en Occident aujourd'hui, où beaucoup de personnes sont considérées plus ou moins comme des maîtres spirituels, mais qui ne s'appuient que sur leurs propres capacités, leurs propres dons. Et on peut se demander : cet homme, cette femme, devant qui s'est-il incliné autrefois ? Et devant qui continue-t-il ou continue-t-elle à se prosterner au cœur de son cœur ?

Quand nous sommes en présence d'un sage, en admettant que celui-ci soit qualifié, au premier abord nous ne voyons qu'un homme ou une femme. Mais si nous avions vraiment des yeux pour voir, nous verrions ce dans quoi il baigne, tout ce par quoi il est porté, soutenu, c'est-à-dire d'abord la réalité en elle-même, et ensuite toute la tradition – la sienne mais également les autres, surtout aujourd'hui où des rencontres se font de plus en plus nombreuses entre représentants de différentes cultures. Nous pouvons parler non seulement d'une sagesse hindoue, d'une sagesse bouddhiste, d'une sagesse soufie mais de la Sagesse en elle-même sous ces différentes formes. Les catholiques utilisent l'expression « la communion des Saints », pourquoi ne pourrions-nous pas utiliser une autre expression « la communion des Sages », de tous ceux qui sont ou ont été les témoins de cette voie et avec lesquels nous pouvons nous sentir de plus en plus profondément reliés.

*

Premier point donc : toutes les traditions sont unanimes, un maître est indispensable car il est beaucoup trop risqué de vouloir s'engager seul sur la « Voie ». Deuxième point : s'il n'y avait que Ramana Maharshi, Mâ Anandamayi, Nisargadatta Maharaj, et deux ou trois *rinpochés* tibétains sublimes par siècle, comment l'enseignement spirituel aurait-il pu se transmettre de génération en génération jusqu'à nous ? Il y a donc des instructeurs qui, bien que n'ayant pas tous les dons que manifestent les très grands sages, sont qualifiés pour prendre en charge ce processus de transformation chez les disciples. Et troisième point : le *guru* est avant tout un disciple lui-même et le « maître » est avant tout un serviteur. Derrière le maître, il y a l'enseignement qui a fait ses preuves à travers les siècles.

Dans ce domaine, on ne peut pas considérer que s'est effectuée une progression régulière comme celle de la connaissance scientifique ponctuée sans cesse par de nouvelles découvertes. Il peut y avoir un langage inadapté qui tombe en désuétude et donc des manières nouvelles de s'exprimer. Un maître pleinement qualifié pourra prendre sur lui d'introduire une pratique nouvelle qui s'intégrera parfaitement dans l'ensemble de la tradition, tout en s'adaptant à la mentalité actuelle. Cette faculté d'adaptation en demeurant fidèle à l'essence de la voie explique l'implantation réussie des Tibétains dans de nombreux pays et le remarquable essor du bouddhisme dit tibétain à travers le monde. Mais il n'y a pas de progression dans la sagesse elle-même. La connaissance de ce qui nous est nécessaire pour nous transformer, la plénitude de la voie et de l'enseignement existaient déjà du temps du Bouddha ou des grands sages auxquels nous devons les *Upanishads.* Il n'y a pas à chercher – ce qui est si propre à la mentalité moderne – à innover, à faire mieux ou différemment de ce qu'ont fait les anciens. Il y a au contraire, avant tout, à demeurer fidèle à la tradition et, plutôt que de chercher à améliorer l'enseignement, à veiller à ce qu'il ne se dilue pas, ne se dégrade pas, ne s'affadisse pas peu à peu – ce qui est toujours un risque. A l'arrière-plan du maître, il y a non seulement son propre *guru* mais aussi – et surtout – l'enseignement constitué d'un ensemble de connaissances, tout comme derrière un médecin il y a la science médicale.

Le maître enseigne – disciple veut dire élève, cela n'a rien de mystérieux – mais il ne s'agit pas de la transmission d'un savoir comme la philosophie, l'histoire, la géographie. Il s'agit d'un ensemble de connaissances et de méthodes bien particulier qui concerne notre être entier, va permettre notre transformation et nous conduira peu à peu vers ce que l'on appelle éveil ou libération.

Les maîtres apparaissent au cœur d'une religion spécifique ou, comme on dit aujourd'hui, d'un contexte socioculturel. Les maîtres soufis par exemple appartiennent à l'islam ; ils sont à la fois parfaitement, superbement, musulmans et en même temps au-delà de l'islam dans une ouverture d'esprit, une tolérance dont j'ai pu bien souvent être témoin. Les maîtres s'insèrent dans un certain contexte religieux qu'on qualifie d'exotérique – c'est-à-dire accessible à tous – par rapport à l'ésotérisme qui correspond à un engagement plus profond, plus intérieur. Quel que soit l'enseignement, l'aspect culturel existe toujours. Dans le monde de l'islam, c'est la langue du Coran, c'est la mosquée. Il y a le monde du bouddhisme tibétain avec son panthéon de divinités tantriques. Il y a le monde du zen avec son extrême dépouillement. Et il y a le monde chrétien dans lequel nous baignons pour la plupart d'entre nous depuis l'enfance. L'art, l'architecture, le vêtement, la nourriture, la manière de vivre, dans laquelle s'insère l'enseignement intérieur forment une totalité. Et nous, Occidentaux, nous nous trouvons aujourd'hui dans une situation particulière à cet égard.

Certains d'entre nous peuvent s'adapter complètement à une culture différente, s'islamiser ou se tibétaniser. Cela a été une réussite pour quelques Occidentaux décidés à suivre une voie avec laquelle ils se sentaient en affinité, y compris en Inde où pourtant, pour être vraiment hindou, il faut être né sur le sol de l'Inde dans une famille hindoue. Mais la plupart du temps, si nous n'avons pas rencontré dans le christianisme un enseignement qui soit comparable à celui d'un maître soufi ou d'un maître hindou (c'est une constatation que je fais depuis quarante ans et dont j'ai parlé à maintes reprises avec des prêtres et même des moines que cette question préoccupe : pourquoi n'y a-t-il pas plus de maîtres spirituels de ce type dans la chrétienté ?), nous allons nous tourner vers d'autres enseignements et aborder ceux-ci sans embrasser la totalité de la tradition dans laquelle ils s'insèrent. Peu d'entre nous, en effet, sont prêts à apprendre le tibétain et à faire une, deux ou trois retraites de trois ans, ou à apprendre l'arabe pour comprendre l'islam dans toutes les subtilités de sa langue fondatrice. D'autant que les Occidentaux, c'est assez curieux à observer, veulent tout de suite qu'on leur livre l'enseignement « secret ». Par exemple, j'ai connu le monde tibétain dès 1963, à une époque où les grands *rinpochés* n'avaient pas encore voyagé en dehors de l'Inde et où peu d'Occidentaux avaient frappé à leur porte. Les premiers Occidentaux qui ont rencontré des maîtres *nyingmapas* ou *kagyupas* n'étaient intéressés que par le *highest teaching*, l'enseignement le plus mystérieux, le plus transcendant ; accomplir les préliminaires qui nous préparent, qui labourent le terrain avant même de semer et de récolter était très mal ressenti et l'idée d'être d'abord un bon bouddhiste ne leur disait rien du tout. Je me souviens que des maîtres tibétains, après qu'ils eurent découvert l'Occidental typique, m'avaient posé plusieurs questions au sujet de cette impatience. Kalou Rinpoché m'avait donné une image à ce sujet : « Evidemment, nous, depuis toujours, quand nous voulons monter au sommet d'une montagne, nous y allons à pied. Vous, vous vous faites déposer au sommet de la montagne en hélicoptère. Mais sur la voie, il ne peut pas en être ainsi, il n'y a pas d'hélicoptère qui puisse vous déposer au sommet de la sagesse, quelle que soit l'efficacité des techniques d'ascèse. »

La question se pose donc de savoir dans quel contexte

nous allons recevoir l'enseignement intime, profond, celui qui nous correspond, transmis par le maître au disciple ? Dans quelle mesure pouvons-nous nous ouvrir à l'enseignement qui nous touche le plus, dont nous attendons le plus et qui nous demandera beaucoup en efforts et en consécration, s'il est plus ou moins extrait de cet ensemble que forme une tradition dans laquelle nous n'avons pas grandi ? Il faut avoir vécu en Asie (en tout cas l'Asie telle qu'elle était encore il y a trente ans puisqu'elle ne cesse pas de se moderniser) pour savoir dans quel environnement les enfants et les adolescents se développaient, l'air ambiant qu'ils avaient respiré, le climat familial et l'attitude de leurs parents vis-à-vis de la spiritualité. C'était une mentalité très différente de la nôtre. Nous, Occidentaux, nous n'avons en rien la préparation du disciple asiatique désireux de s'engager dans un enseignement traditionnel de védanta, de yoga, de soufisme, de bouddhisme tantrique ou autre. Ces enseignements qui nous attirent – l'enseignement spirituel, intérieur – s'adressaient à des êtres ayant déjà une certaine qualification. Autrefois, les maîtres étaient extrêmement exigeants et ils testaient longtemps les disciples avant de leur donner l'enseignement profond. Mais, nous, nous avons – beaucoup plus que l'Afghan ou le Tibétain moyens tels que je les ai connus – des problèmes psychologiques, nous nous heurtons à des obstacles intérieurs ; la multiplication, en cette fin de XXe siècle, des différentes approches de psychothérapies dans le monde occidental en est une preuve indéniable.

Cela amène une autre question aussi : dans quelle mesure le maître spirituel doit-il être en même temps psychothérapeute ? Bien entendu, on n'a jamais demandé à l'apprenti-disciple d'être déjà au bout du chemin et les méthodes d'ascèse ont toujours compris des connaissances psychologiques très profondes. Toutes les langues utilisées dans ce domaine sont riches de termes qui décrivent les différents aspects du psychisme humain. Dans le vocabulaire sanscrit (avec lequel je suis plus familier), il existe des termes spécifiques pour désigner le conscient, l'inconscient, les émotions, les différents niveaux de fonctionnement affectif, physiologique et intellectuel. Tout cela était parfaitement connu et, en même temps, ces enseignements s'adressaient à des êtres qui avaient grandi dans un contexte bien moins perturbant que le nôtre, qui étaient donc beaucoup plus structurés que nous ne le sommes et qui possédaient dès leurs premiers pas sur la voie toute une préparation naturelle qui nous fait souvent défaut.

Cela peut engendrer un réel malentendu : est-ce que je suis d'emblée qualifié pour les pratiques d'éveil, de méditation, d'accès à des plans de conscience beaucoup plus profonds en moi ? Ou est-ce que les composantes plus ou moins névrotiques de mes difficultés personnelles vont trop gravement interférer ? Il faut y regarder de près pour sentir à quel niveau nous nous situons. En principe, le maître spirituel est comme l'entraîneur qui fait travailler des athlètes déjà très doués pour leur permettre de devenir des super-champions. Si, nous, nous arrivons en titubant, en boitant, en traînant la jambe, pouvons-nous réalistement exiger qu'on nous entraîne tout de suite pour les Jeux olympiques ? Il ne faut pas mélanger tous les plans. Nous devrons sans doute passer par une première étape où le maître jouera avant tout un rôle de thérapeute à notre égard pour nous aider à ne plus être perturbés, divisés comme beaucoup d'entre nous le sont ou l'ont été et à devenir tout simplement normaux, psychologiquement structurés. Car si nos émotions, nos infantilismes, demeurent trop puissants, ils nous empêchent complètement d'entendre l'enseignement, donc de l'assimiler et de le mettre en pratique. Vous connaissez le proverbe « Ventre affamé n'a pas d'oreilles ». Mon propre *guru*, Swâmi Prajnanpad, le citait de temps en temps en complétant : « Cœur affamé n'a pas d'oreilles », pour l'enseignement. Quand les cris du cœur sont trop forts, « Personne ne m'aime, personne ne me comprend, j'ai peur, la vie est trop difficile, je n'y arrive pas... », nous ne sommes pas encore qualifiés pour nous engager sur la voie proprement dite. Une voie préparatoire va donc être nécessaire et justifiée.

Une question se pose certainement : jusqu'où peut aller le rôle du maître dans ce domaine ? Devons-nous d'abord accomplir un travail de psychothérapie avant de nous engager sur la voie ? Dans quelle mesure la voie elle-même pourra-t-elle jouer pour nous ce rôle de structuration ? On ne peut pas trancher en l'occurrence car cela dépend de chaque cas personnel. Mais il est important d'avoir au moins certains repères et certaines idées claires sur ce sujet afin de voir comment nous nous situons nous-mêmes. Il faudra tenir compte du fait que le maître traditionnel qui n'aurait pas une réelle connaissance des Occidentaux devra affronter avec ceux-ci, s'ils s'engagent auprès de lui, des problèmes, des nœuds, des distorsions mentales dont la fréquentation de ses disciples asiatiques ne lui aura pas donné l'expérience.

Cela dit, je le répète, ces enseignements spirituels détiennent tous des connaissances psychologiques qui, m'ont dit plusieurs prêtres, manquent trop souvent aujourd'hui au clergé, surtout depuis que le christianisme a cessé de faire un tout et qu'il a séparé la théologie de la recherche scientifique. Beaucoup de religieux sont parfaitement d'accord sur ce point. La partie doctrinale a subsisté, la partie rituelle a subsisté, l'éthique (pour ne pas employer le mot « morale » qui n'a plus bonne presse) a subsisté mais la compréhension psychologique profonde a été abandonnée : vous êtes baptisés, donc la grâce de Dieu est là pour vous aider et rien ne vous empêche de mettre en pratique les commandements du Christ. L'expérience prouve malheureusement que les choses ne se passent pas aussi facilement, que nous portons en nous des peurs, des contradictions, des désirs intenses, des pulsions que l'on ne peut pas se contenter de qualifier de faiblesses et dont il faut bien tenir compte. A cet égard (c'est un phénomène caractéristique de cette fin de siècle), on voit certains maîtres entrer dans des considérations relevant plus de la psychothérapie telle que nous la comprenons en Occident que des enseignements spirituels proprement dits. Dans ce contexte, l'important est que chacun d'entre nous se demande comment il va pouvoir vraiment changer. Mais nous serons d'accord qu'il y a une ingénuité certaine à vouloir aller loin dans des méditations très évoluées alors que nous pouvons difficilement tenir sur nos propres jambes.

Nous pouvons aussi regarder une vérité en face : tout enseignement spirituel, qu'on le veuille ou non, propose une voie de détachement pour accéder à un état de conscience transcendant la condition ordinaire. Il s'agit d'être de plus en plus détachés, « désattachés », de ce monde auquel tant de liens nous enchaînent – le monde phénoménal changeant que l'on appelle parfois le monde des apparences et qui correspond à la *maya* des hindous – pour nous tourner complètement vers la Réalité Ultime. Les enseignements spirituels, comme leur nom l'indique, concernent l'esprit au sens chrétien du mot, *pneuma*, et pas seulement le psychisme, *psukhê*. Est-ce que nous nous sentons concernés par cet effacement du moi individualisé, par cette mort à un niveau pour vivre à un autre niveau ? Nous sommes appelés à un éveil, à une plénitude de vie, qui apparaît d'un certain point de vue comme une mort – que vous employiez le mot *nirvana* des hindous et des bouddhistes ou le mot *fana* des soufis – en vue d'accéder à une vie sur un tout autre plan, et cette mort se traduit concrètement par un détachement et une liberté radicale vis-à-vis de tout ce qui fait notre existence fondée sur la division, l'opposition, les bipolarités succès-échec, louange-blâme, richesse-pauvreté, amour-trahison... Comme le dit un *sutra* célèbre commun à tout le *mahayana,* la *Prajnaparamita* : « sagesse au-delà du par-delà de l'au-delà ».

Qu'est-ce que nous voulons vraiment ? Nous allons nous trouver très probablement, chacun à des degrés divers, touchés, attirés, par ce que l'on peut appeler la voie ou la spiritualité, sinon nous ne nous intéresserions pas spécialement aux maîtres hindous ou tibétains ni aux grands mystiques de toutes les religions, nous contentant des différentes écoles de psychothérapie. Mais, en même temps, nous risquons, sans nous en rendre compte, de rabaisser l'exigence d'un enseignement spirituel authentique à nos demandes individuelles ; de détourner insidieusement celui-ci au profit de l'ego pour rassurer des peurs, combler des désirs et nous permettre de mieux vivre dans le monde relatif, dans le monde des contradictions et des limitations. J'ai abondamment observé combien il y avait de confusion à cet égard dans l'esprit de nos contemporains. Il faut être clair, ne pas mélanger les approches, bien voir de quoi il s'agit et se demander très honnêtement : « Moi, aujourd'hui, quelle est ma vérité ? Qu'est-ce que je veux ? En quoi consiste la fonction du maître ? Qu'est-il supposé m'enseigner ? A quoi est-il supposé me conduire ? Et surtout, en quoi consiste le fait d'être un disciple ? »

Si nous sommes rigoureux – et cette rigueur ne peut que nous aider – nous devons reconnaître que la voie se situe à un niveau déjà très élevé et qu'être disciple représente une qualité rare de consécration, d'exigence, de réunification.

Etre disciple, cela voudrait dire avoir l'envergure d'un saint Jean de la Croix, d'une Thérèse d'Avila, d'un Milarepa ou de tel ou tel des grands noms de l'histoire de la spiritualité. Pendant longtemps, nous devons reconnaître que nous ne sommes pas encore vraiment disciples parce que nous avons encore trop de demandes autres que l'éveil, autres que Dieu Lui-même. Nous serons donc d'abord un « apprenti » comme dans le Compagnonnage, comme dans la Franc-maçonnerie : je me prépare pour devenir un jour véritablement un disciple.

On se pose beaucoup de questions sur les maîtres, surtout depuis qu'existe en Inde aujourd'hui une surenchère presque généralisée dans les ashrams où rien n'est jamais trop grand, trop beau et trop glorieux si cela rehausse le prestige d'un maître et où le moindre *guru* est appelé *maharaj, mahatma, baghavan, avatar*... par ses disciples. « As-tu rencontré Swâmi Untel ? Qu'est-ce que tu en penses ? – En tout cas, ce n'est pas le niveau de Ramana Maharshi ! » et autres commentaires bien naïfs. Certes, il est juste de s'interroger, de ne pas s'engager à la légère en faisant confiance au premier venu. Vous n'allez pas entreprendre une course difficile en montagne avec un guide amateur qui ne connaît rien à l'alpinisme. Mais il ne faut pas oublier pour autant la seconde donnée du problème, à savoir le disciple. Qu'est-ce que je suis en tant que disciple ? Lorsque j'ai rencontré mon propre *guru*, je rêvais de devenir un sage. Au bout de quelque temps, je n'ai plus rêvé que de devenir un disciple au vrai sens du mot, c'est-à-dire quelqu'un qui est prêt à tout, y compris, comme on dit, à mourir – sinon à mourir physiquement, en tout cas intérieurement – pour revivre à cet autre niveau impersonnel, libre des désirs et des peurs.

*

Un point encore pour achever ce tour d'horizon : il est exact que la relation du disciple et du maître (en n'oubliant jamais que le maître est lui-même le serviteur d'une vérité et d'un enseignement qui dépassent sa personne) est une relation très sacrée dont la profondeur se découvre peu à peu à mesure que nos projections (un mélange d'attirance et de méfiance) sont dépassées. Nous réaliserons peut-être un jour que le maître a été de loin l'être humain le plus important de notre existence – ce qui n'est d'ailleurs pas au détriment de notre femme, de notre mari, de nos enfants, de nos parents, de nos amis... au contraire. Cette relation privilégiée suppose une implication aussi bien de la part du maître qui connaît de plus en plus intimement le disciple et va assumer la responsabilité de le prendre en charge que du disciple qui se confie au maître et accepte de se laisser guider pas à pas. C'est la raison pour laquelle on ne peut avoir qu'un maître. Cela ne veut certes pas dire qu'il faut devenir borné et fanatique : « Hors de mon *guru*, point de salut. » Mais il faut avoir un seul maître donc un rattachement à une voie, sinon on ne sait plus à quel saint se vouer. Prendre un peu de ceci, un peu de cela et faire sa propre voie personnelle c'est la plus sûre garantie que l'ego et le mental ne seront jamais mis en cause, c'est demeurer un egodidacte, selon l'expression du *lama* Denys Teundroup. Dès que la relation avec un maître va devenir un peu intense et que les illusions risquent de s'écrouler, on prend ses distances et on va vers un autre maître. Je peux vous dire, après tant d'années d'observation autour de moi, que certains, à force de rajouter à l'enseignement qu'ils recevaient toutes sortes de pratiques prises auprès d'autres *gurus* ou dans d'autres traditions, ont annihilé la possibilité d'être vraiment guidés par leur maître. La relation avec un sage passe par bien des vicissitudes qu'il faut avoir le courage de traverser, y compris tout un jeu de transferts et de projections qui correspondent exactement à ce que décrivent les psychologues contemporains. Je crois aimer mon maître mais, s'il me heurte, je lui en veux pendant plusieurs jours. Non seulement il faut donner sa chance au maître mais il ne faut pas la lui enlever en prenant ses distances dès que l'illusion, le sommeil, l'erreur, l'aveuglement sont bousculés.

Par contre, on peut avoir plusieurs *upagurus* (*upa* signifiant « secondaire » ou « auxiliaire »). Du point de vue de la tradition hindoue, l'*upaguru* correspond à tout ce qui nous rappelle d'une manière frappante l'enseignement de notre propre maître. Ce n'est pas forcément un être humain, ce n'est pas forcément un *guru* officiel non plus, cela peut être n'importe quel phénomène, n'importe quel événement nous révélant soudain un aspect profond de la vérité qui nous apparaît avec une grande force de conviction.

Nous aurons toujours, dans cette relation de maître à disciple, à nous situer entre deux risques : le sectarisme et la dispersion. D'un côté le respect, la gratitude pour le maître peuvent dévier vers le fanatisme et l'idolâtrie d'un être humain, laquelle conduit à l'imitation servile « Mon *guru*, mon *guru* seulement, et tous ceux qui ne sont pas disciples de mon *guru* ne m'intéressent pas. » Nous tournons alors le dos à la vérité et nous utilisons une apparence de voie pour nous emprisonner de plus en plus. Le maître n'est pas là pour nous conduire à lui mais pour nous conduire à nous-mêmes, le nous-même le plus profond, le plus réel et en fait le plus impersonnel donc le plus universel. L'intolérance et le fanatisme sont une calamité que j'ai pu observer tant et plus durant mes vingt-cinq années de recherche. Mais le syncrétisme et la dispersion sont l'autre écueil possible. A force de grappiller des bribes d'enseignement à droite et à gauche, on ne sait plus qui est le *guru* auquel on se réfère ni l'enseignement que l'on suit, ce qui revient à neutraliser complètement l'aide que pourrait nous apporter un maître, tout en ayant l'illusion que l'on est engagé sur la voie.

On affirme beaucoup en Inde que lorsque le disciple est prêt, le maître se révèle. Cela ne veut pas dire que le maître vient tout d'un coup frapper à notre porte mais que nous trouvons enfin celui que nous avons tant cherché. Si notre demande est forte et unifiée, la rencontre se fait, à condition de nous être mis dans les conditions requises pour attirer cette rencontre, car la relation avec le maître, qui va se déployer dans le temps, n'est pas une affaire facile et bon marché. Nous sommes d'accord qu'il y a une différence entre un mariage, au grand sens du mot, et le fait d'avoir un petit ami ou une petite amie. La rencontre avec le maître n'est pas une sympathique relation de surface, c'est une relation grave parce que l'enjeu est grave, parce que nous sommes prisonniers de nos limitations et que le fait d'en émerger et de nous en libérer représente une grande aventure.

Cela suppose un prix à payer dont certains n'ont aucune idée. Je me souviens d'une lettre reçue à l'époque où j'étais producteur de télévision après que l'on eut diffusé un des films que j'avais tournés sur les maîtres et disciples hindous – c'était une Parisienne qui m'écrivait : « J'ai été bouleversée par votre film, par le rayonnement des sages. Pouvez-vous m'indiquer un véritable maître spirituel sur la Rive droite [souligné] ? » Pendant un instant, j'ai été tenté de répondre : « Je n'ai pas bien compris si c'était la rive droite du Gange ou de la Yamuna ? » Puis je me suis souvenu que je n'avais en aucun cas le droit d'ironiser et je me suis abstenu. Mais la lettre de cette personne illustrait bien le malentendu complet qui règne si souvent dans ce domaine et l'abîme qui sépare le chercheur actuel – même sincère – du véritable disciple prêt à tout. « Il y a des embouteillages à Paris, il faut changer deux fois de métro, donc trouvez-moi un *guru* – pas un professeur de yoga ordinaire mais un vrai maître – qui habite à deux pas ue chez moi. » Récemment encore, quelqu'un m'écrivait : « J'habite Toulouse, on m'a parlé d'une possibilité en Charente. Je trouve cela bien loin. Est-ce que vous ne connaissez pas un maître dans les environs de Toulouse ? » Je ne dis pas qu'il faut impérativement aller chercher un maître taoïste à Hong-Kong, un maître hindou dans un coin perdu du Bengale ou un maître tibétain dans les confins de l'Himalaya. Mais il ne faut pas non plus rabaisser la rencontre la plus précieuse de toute une existence.

« Quand le disciple est prêt, le maître se révèle. » Quand notre demande est forte, intense, vitale – on pourrait même dire viscérale – alors inévitablement la demande attire la réponse et tôt ou tard la rencontre a lieu... mais peut-être pas du tout là où on l'avait imaginé. Peut-être allons-nous d'abord rencontrer des maîtres tibétains, ressentir une grande vénération pour eux sans pour autant que le déclic se produise et que nous nous engagions dans la voie du bouddhisme tantrique. Ou nous participerons à des *sesshins* de zazen qui seront une préparation avant de rencontrer l'enseignant qui deviendra pour nous le maître. Ensuite, c'est une relation qui s'intensifie avec le temps. Autour d'un maître, il y a souvent beaucoup de fidèles. En Inde, on fait une distinction très claire entre le disciple et le *devotee.* Un *devotee* est un admirateur qui respecte le sage, lui fait confiance, est heureux d'avoir sa bénédiction, qui écoute volontiers son enseignement mais sans s'engager vraiment, qui essaie de recevoir sans trop donner. Il se peut que nous soyons d'abord des *devotees* simplement intéressés, puis de plus en plus concernés, jusqu'au jour où l'engagement profond cristallise et où nous devenons sinon disciples, du moins apprentis-disciples. Alors commence vraiment la progression sur la voie.

CHAPITRE II

AU FIL DES SOUVENIRS

Avant de me rendre en Asie, j'ai connu en Europe – en France, en Suisse, en Angleterre – des hommes ou des femmes qui jouissaient d'une grande réputation, qui avaient des disciples, qui m'ont impressionné, que j'ai admirés mais que je ne peux plus considérer aujourd'hui comme des sages au plein sens du terme. Je ne citerai aucun nom propre. Cette conviction qui avait d'abord été la mienne quand j'étais jeune est tombée d'elle-même à partir du moment où j'ai rencontré des maîtres en Orient et où j'ai senti une grande différence, pour ne pas dire un abîme. Quelqu'un peut avoir pratiqué avec acharnement et courage des exercices de concentration, de présence à soi-même, avoir médité et développé une force intérieure qui lui donne un certain ascendant sur les autres, sans posséder pour autant les caractéristiques d'un sage.

Par la suite, au cours des nombreux séjours que j'ai effectués en Inde, dans l'Himalaya, en Afghanistan et au Japon, j'ai souvent tenté de sentir si les hommes ou les femmes qui m'étaient présentés comme des sages emportaient ou non mon adhésion. Chaque fois que quelqu'un me signalait un maître ou un autre – et en Inde il est bien rare qu'un hindou qui a conservé l'esprit traditionnel ne connaisse pas plusieurs sages – je prenais la peine de me déranger et d'aller le rencontrer. J'ai parfois été émerveillé, parfois très déçu. Je ne crois pas m'être leurré dans mes émerveillements mais je me suis peut-être trompé dans mes déceptions, n'ayant pas su percevoir la sagesse d'un swâmi ou d'un autre. Comment savoir ce qu'il en est avec certitude, surtout si nous tenons compte du fait que le mental peut nous aveugler et que nous sommes donc susceptibles d'accorder notre confiance à quelqu'un par qui nous nous sentirons peut-être déçus ou trahis quelques années plus tard ou, à l'inverse, de laisser échapper un être qui a vraiment une réalisation intérieure mais dont l'apparence extérieure n'est pas exceptionnelle ?

Qu'est-ce qui peut vous déconcerter, vous faire douter ou, au contraire, vous convaincre dans le comportement d'un homme ou d'une femme qui reconnaît avoir vécu une transformation que vous n'avez pas encore vécue et être en mesure de vous guider ? Rien qu'en Afghanistan, ce petit pays qui appartenait en 1967 à la catégorie des pays sous-développés, j'ai connu une quinzaine d'hommes qui étaient considérés comme des sages dans leur pays et qui m'ont émerveillé. L'islam mystique ne se limite pas à Djalal Ud Din Rumi. Il y avait en Algérie, au début du siècle, un maître admirable, le cheikh El Alawi qui a même eu quelques disciples étrangers et que l'on venait voir de tout le Bassin méditerranéen. Et puis il y a les *gurus* inconnus – et ils sont nombreux – comme Swâmi Prajnanpad lorsqu'une poignée d'Occidentaux l'ont découvert.

Dans ma jeunesse, j'avais été frappé par une expression que l'on retrouve souvent sous la plume de Jean Herbert, « les grands sages de l'Inde ». Cela signifie-t-il qu'il existe différentes catégories parmi les êtres « réalisés » qui seraient tous des sages mais à des degrés divers ? Cette parole ferait bondir les puristes de l'*advaïta védanta* orthodoxe pour qui il n'existe pas de demi-mesures : ou on est éveillé, ou on ne l'est pas. Il est vrai que certains enseignements sont catégoriques pour affirmer qu'il y a bien une progression graduelle avant l'éveil mais qu'il n'y a aucun degré dans la sagesse : on ne dit pas de quelqu'un qu'il est plus ou moins bachelier ; ou il a son baccalauréat ou il ne l'a pas. Ou un être est un sage éveillé, libéré, ou il ne l'est pas. En ce cas, pourquoi distinguer les sages et les grands sages – et même les très grands sages ?

Personnellement, je suis persuadé qu'il existe bien une démarcation : d'un côté de celle-ci, on n'est pas encore transformé ; de l'autre côté, on est transformé. « Eveillé » paraît peut-être prétentieux mais « réveillé » dit bien ce qu'il veut dire. Mais ensuite, une fois que l'on est passé du « bon côté », il y a encore des accomplissements possibles qui permettraient de distinguer différents degrés de sagesse. Cependant qu'est-ce qui nous permet de décréter que Mâ Anandamayi, Ramdas, Ramana Maharshi étaient de « très grands sages » ? Et qu'en est-il de ces milliers de *gurus* qui existent en Inde avec leurs disciples ? Que faut-il penser aussi des sages célèbres dont la présence nous déroute, nous met même très mal à l'aise ? D'où vient leur réputation de sagesse ? S'agit-il d'une illusion ? Se pourrait-il qu'ils exercent une fascination parce qu'ils sont dotés d'un certain charisme qui n'équivaut pas forcément à la sagesse ?

Tant que le mental subsiste, il sécrète l'incertitude, ce qui d'un certain point de vue peut s'avérer rassurant et nous permettre d'opérer un recul par rapport aux doutes qui nous assaillent dans maints domaines. Une des fonctions du mental (ce mental qui est appelé à disparaître, l'expression sanscrite *manonasha,* destruction du mental, est très précise à cet égard) est de douter. Et la destruction du mental nous établit dans un climat intérieur de certitude, bien que nous puissions bien entendu ignorer encore beaucoup de vérités relatives. Ce n'est pas nécessaire de tout savoir sur tout pour se sentir en paix.

Il est beaucoup plus facile de comparer un champion à un athlète débutant que de comparer un être transformé à un homme ordinaire. En fait, la plupart des êtres humains portent en eux l'archétype du sage. Ce sage n'a pas forcément une longue barbe blanche mais nous nous en faisons une certaine idée. Vous pouvez aborder la question de la manière suivante. On vous présente un pandit célèbre pour ses prédications. Vous passez une heure auprès de lui ou vous participez à un cercle d'études védantiques dirigé par lui et vous sentez : « C'est un homme brillant mais je trouve qu'il est comparable aux autres. Je ne vois pas ce que, dans son être, fondamentalement, il a de différent. » Et, à l'inverse, vous pouvez rencontrer un swâmi à peine connu qui a tout au plus une quinzaine de disciples et une petite audience locale mais aucune voix ne se lève en vous pour affirmer : « Non, ce n'est pas un sage. » Déjà, si cette conviction intime ne surgit pas, il est probable que celui avec qui vous êtes en relation est en effet un sage, même si ce mot reste malaisé à définir.

En Inde les Indiens eux-mêmes emploient beaucoup plus souvent le mot *saint* en anglais que le mot *sage* mais en lui donnant un sens différent du nôtre. Les hindous sont très généreux pour attribuer le titre de *saint*, qui correspond un peu à ce qu'en français on appellerait « un saint homme », bien qu'il n'y ait pas de canonisation officielle comme c'est le cas dans le catholicisme. Et la plupart des *gurus* tiennent un langage qui montre qu'ils se considèrent eux-mêmes comme des « saints », à l'instar d'un docteur en médecine laissant entendre qu'il s'inclut parmi les médecins. Swâmi Ramdas, qui parlait de lui à la troisième personne, disait monts et merveilles du « saint ». Et il était évident qu'il se considérait comme un tel saint, puisqu'il affirmait ensuite parler uniquement d'après sa propre expérience, témoignant que Dieu avait, dans Sa grâce, transformé Ramdas au point de le rendre entièrement uni à Lui. Ces affirmations sont très inhabituelles pour nous, Occidentaux, mais beaucoup plus compréhensibles pour l'hindou dont l'idée de l'éveil ou de la réalisation dans cette vie fait partie intégrante de sa culture.

Si l'on veut apporter de la clarté dans ce domaine, il ne faut pas non plus confondre le sage et le *guru.* Tout sage n'est pas forcément appelé à jouer le rôle de *guru.* Il s'agit d'une fonction particulière. Il existe – du moins toutes les traditions insistent-elles sur ce point – des sages qui n'ont pratiquement pas de contact avec l'extérieur, qui ne voient personne d'autre que deux ou trois disciples, ou qui vivent même en ermites et sont nourris par les gens du village. La tradition hindoue affirme que certains de ces sages inconnus du public ont atteint la plus haute sagesse, de même qu'un frère convers peut « vivre en Dieu » sans que cela se sache en dehors du monastère. Et d'autre part, tous ceux qui sont considérés comme des *gurus* ne sont pas toujours « divins » ou « surhumains » comme Ramana Maharshi, Mâ Anandamayi ou Kangyur Rinpoché, dont la présence, le rayonnement, éblouit tous ceux qui les approchent.

*

Il existe un certain nombre de points communs à tous ceux que j'ai considérés – et que je considère encore aujourd'hui – comme des sages ou des *gurus* dignes de ce nom, points qui ne relèvent pas de leurs méthodes d'enseignement ou de leur style mais bien plutôt de leur niveau d'être. Certains d'entre eux ont de nombreux disciples, d'autres en ont très peu ; certains *gurus* parlent beaucoup, d'autres sont presque tout le temps silencieux ; certains voyagent et se déplacent souvent, d'autres ne sortent jamais de leur ashram. Les différences dans la méthode d'enseignement, dans la relation avec le disciple, sont certes importantes mais ce que je souhaite évoquer aujourd'hui, en laissant remonter les souvenirs toujours vivants de ces rencontres si riches avec des maîtres hindous, tibétains, afghans ou japonais et avec certains moines chrétiens, c'est avant tout ce que j'ai éprouvé en leur présence. Il arrive que le choc soit immédiat comme un coup de foudre. C'était généralement le cas en face de Mâ Anandamayi : ou bien on ne supportait pas ce choc et on partait ou bien on était ébloui dès le premier instant. Parfois, la conviction est un peu plus longue à s'établir – cela peut prendre quelques jours – mais quand elle s'est établie, elle ne vacille plus. J'ai rencontré pendant mes années de voyages de nombreux chercheurs indiens ou occidentaux qui avaient vécu la même expérience : beaucoup m'ont dit s'être d'abord montrés hésitants, avoir cependant pris la peine de rester plusieurs jours dans un ashram et, au bout de ce laps de temps, avoir eu la certitude qu'ils étaient bien en face d'un maître.

Je n'ai jamais reconnu comme sages des hommes ou des femmes auprès de qui, soit immédiatement, soit au bout de quelque temps, je ne ressente pas qu'ils n'étaient pas comme les autres, qu'ils échappaient à la condition ordinaire. Et le fondement de cette différence, c'était l'impression si forte que rien ne pouvait avoir vraiment de pouvoir sur eux. Je pense à la parole de Socrate : « Les juges du tribunal peuvent me condamner à mort mais ils ne peuvent pas me nuire. » Je savais qu'on ne pouvait rien sur eux. On aurait pu les emmener en prison et les fusiller mais non les blesser intérieurement ni les perturber ni les arracher à cette liberté fondamentale dans laquelle ils sont établis.

Pour être encore plus précis, je voyais à quel point, en ce qui me concernait, que je les admire, que je leur en veuille, que je les couvre de louanges, que des doutes s'emparent de moi, quel que puisse être mon comportement, cela ne changeait rien pour eux. C'est une impression d'autant plus saisissante qu'elle est à l'opposé des relations courantes puisqu'avec les autres êtres humains nous savons, même sans nous le formuler clairement, que nous avons un pouvoir sur eux, que nous pouvons les déranger, leur créer des problèmes, être ressentis ennemis ou au contraire leur faire plaisir, les rendre heureux. Par contre, il arrivait qu'en face d'un *mahatma* célèbre ou d'un *yogi* entouré de nombreux disciples, j'acquière assez vite la certitude qu'il était encore vulnérable, sensible aux critiques, aux compliments, aux bonnes nouvelles, aux mauvaises nouvelles, qu'il n'était pas passé au-delà ; aussi insignifiant que je puisse être et aussi célèbre et même puissant intérieurement qu'il fût, il ne m'échappait pas complètement, mon comportement pouvait le toucher.

C'est peut-être le mot « invulnérable » qui exprime le mieux le sentiment que l'on éprouve en face d'un sage. Je n'ai aucune prise sur lui, il est sorti du statut habituel – et c'est dans cette liberté que s'enracinent son amour infini et sa patience infinie. Cela n'a rien à voir avec des pouvoirs miraculeux ou même avec l'émerveillement que l'on ressentait en face de Mâ Anandamayi ou de Ramana Maharshi. C'est un trait commun que partageaient des êtres que Jean Herbert n'aurait probablement pas qualifiés de « grands sages de l'Inde » mais qui faisait pour moi toute la différence. Il existe de hauts dignitaires aussi bien dans l'Eglise que dans le bouddhisme zen ou tibétain qui sont encore manifestement soumis aux limitations humaines ordinaires tout comme certains théologiens, certains philosophes et de nombreuses personnes qui se réclament de la spiritualité. Et il y a des moines obscurs qui ont échappé à cette condition.

Outre cette invulnérabilité, cette indépendance intérieure, il devient vite évident, si l'on côtoie un peu longuement un sage, qu'il vit dans un monde qui n'est pas le nôtre, comme s'il appartenait à une espèce différente ou qu'il était descendu d'une autre planète. On surprend cet homme ou cette femme en méditation, plongé dans un profond silence intérieur, et il émane de lui, dans ces moments-là, une certitude : il a accès à des possibilités, à un plan de conscience auquel je n'ai pas accès même s'il m'est arrivé de l'entrevoir.

Un autre trait m'a d'autant plus frappé que je n'y étais pas préparé par les rencontres que j'avais faites en France ou dans d'autres pays européens, c'est la simplicité du sage, même celui qui est entouré d'honneurs, d'hommages et d'une vénération inconcevable en Europe. Vous savez qu'en Orient on témoigne au *guru* un respect que les Occidentaux admettent difficilement : *pranam*, prosternations, conviction que toucher le pied du sage ou ramasser la poussière que ses pieds ont foulée est une bénédiction... Si l'on n'a pas grandi dans ce contexte de vénération à l'égard des *gurus* propre à l'Orient, on comprend aisément que certains puissent qualifier cette dévotion de phénomène d'hystérie collective et s'indigner que l'on puisse tolérer cette scandaleuse divinisation d'un être humain.

Par moments, les sages peuvent manifester, du fait de leur fonction, une dignité impressionnante ; dans la tradition tibétaine, par exemple, le maître qui officie lors des cérémonies est assis sur un trône et revêtu d'un costume de grand apparat. Un sage ne joue de rôle à cet égard que pendant les rites ou les cérémonies. Vous ne pouvez pas imaginer, pendant une cérémonie, un sage affalé qui regarde à gauche et à droite, manifestement distrait. Mais, à d'autres moments, il peut au contraire faire preuve d'une incroyable simplicité : je me souviens de Kangyur Rinpoché recevant sans aucun décorum un Occidental et se laissant photographier avec le maillot de corps qu'il portait ce jour-là ; cela m'avait d'autant plus frappé que j'avais connu quelques pseudo-maîtres en Europe qui jouaient un certain rôle destiné à les mettre en valeur. Les quelques maîtres zen que j'ai approchés d'un peu près, c'est-à-dire ceux auprès desquels je suis resté plusieurs jours en les voyant dans différentes circonstances, m'ont donné la preuve de cette absence de prétention : ils n'ont rien à prouver, contrairement à la plupart des êtres humains qui cherchent à faire bonne figure, à ne se montrer que sous leur meilleur jour. J'avais bien rêvé, en lisant des livres, d'un regard bouleversant, de l'impression que le sage en méditation est en contact avec l'infini, j'avais projeté beaucoup de choses mais je n'avais jamais été capable d'imaginer tant soit peu que je rencontrerais une telle simplicité : un sage en train de transporter des cailloux avec les moines au moment où vous arrivez puis qui fait chauffer lui-même de l'eau sur quelques braises pour vous offrir du thé.

Cette simplicité désarmante se retrouve non seulement dans l'apparence extérieure d'un sage, dans son comportement mais aussi dans ses propos. Je me souviens également de S. S. Karmapa – dont la notoriété au Tibet était à la fois religieuse et politique et dont l'influence était presque comparable à celle du Dalaï Lama –, à qui je posais une question doctrinale qui me troublait (j'avais beaucoup de mal à comprendre les fondements de la mystique tibétaine), me répondant à peu près ceci au travers de notre interprète Sonam Kazi, lui-même disciple de Dudjom Rinpoché et très compétent en matière de bouddhisme tibétain : « Ah, c'est une question très intéressante. Sonam, essayez de trouver la réponse pour demain. Elle se trouve sûrement dans une des grandes écritures. » Le suprême Karmapa n'avait pas la moindre hésitation à me montrer qu'il ne connaissait pas la réponse à ma question et même à avouer son ignorance devant un disciple avancé d'un autre maître.

Cette absence de prétention, cet inintérêt total à prouver quoi que ce soit, je les ai retrouvés partout, y compris chez des maîtres qui, à première vue, paraissaient encensés par leurs propres disciples, baignant dans un concert de louanges, couverts de guirlandes de fleurs et vivant au milieu des prosternations.

Pendant que je vous parle, des images me reviennent, nombreuses, de la simplicité d'un maître zen assis dans sa chambre, m'accueillant comme si j'avais été un vieil ami alors que je le rencontrais pour la première fois. La prétention, par contre, se trouve chez beaucoup de disciples qui, dès qu'ils commencent à parler de sagesse, se redressent avec une certaine ostentation ou, suivant les cas, se montrent pleins d'onction et de componction.

Un autre point commun qui m'a touché parce qu'il me concernait directement, c'était le fait que je me sentais dans un état de grande proximité dès le premier contact avec un sage malgré sa notoriété, malgré parfois le nombre de personnes qui l'approchaient, malgré son accomplissement intérieur. Pour ne citer qu'eux, j'avais l'impression d'être tout de suite bien plus proche de Ramdas, de Khalifa Sahib-e-Charikar qui ne parlait que le persan ou de Khyentsé Rinpoché que de mon propre père, comme si je les avais toujours connus, alors que les différences de langues, de traditions, de coutumes avaient tout en apparence pour nous séparer. Sitôt arrivé, j'étais pleinement reconnu, accepté, accueilli et aimé par un Afghan qui par ailleurs n'avait rien à attendre de cet Européen – en tout cas, lors des premières rencontres ; plus tard, quand j'ai tourné, avec mon compagnon afghan Raonaq, les films sur les soufis, on peut admettre que ces sages pressentaient le drame qui allait ravager l'Afghanistan et souhaitaient qu'un témoignage soit conservé intact de ce qu'avait été cet islam mystique, ouvert et tolérant. Mais la première année, en 1967, pendant plusieurs mois, nous allions de *khanaka*[1] en *khanaka* sans que je tourne les moindres images. Comment peut-on avoir le sentiment d'être à ce point chez soi dans un lieu tellement étranger ? Les communautés que vous pouvez éventuellement fréquenter en France ne sont pas des lieux étrangers. Même s'il y a certains usages auxquels vous n'êtes pas habitués, même si tout n'est pas fait pour faciliter votre venue, de façon à préserver la solitude et le silence, c'est un endroit français où vous pouvez trouver des repères. Mais dans un monde comme celui des Tibétains, des hindous ou des Afghans, où tout est différent de notre contexte occidental, cette familiarité de cœur est d'autant plus frappante.

Familiarité de cœur ne signifie pas familiarité dans les mœurs. L'intimité n'est pas incompatible avec un sens du respect que nous avons perdu en Occident. Autrefois, les enfants pouvaient être aimés par leurs parents, aimer leurs parents, et malgré tout ne pas leur taper sur le ventre ou dire

1. Lieu où se réunissent les soufis autour du *pir*.

à leur père : « Ça va mon vieux ? Ça boume ? » La simplicité, l'absence de prétention et l'accueil de la part des sages n'excluent pas, de la part des disciples, un sens de la différence et un respect naturel, même si les conditions ne nous l'imposent pas.

Les règles propres à certaines traditions sont très strictes et ce qui nous paraît, à nous, normal peut paraître très choquant dans un milieu donné. Par exemple la manière de se conduire est extrêmement précise au Japon, notamment dans les monastères zen, et en face d'un maître tibétain, on considère comme étant d'une très grande grossièreté le fait de se tenir déhanché si l'on est debout ou d'avoir les mains derrière le dos ; c'est aussi grossier que si quelqu'un, en Occident, se récurait le nez devant un personnage éminent – un archevêque ou le pape. Mon compagnon Sonam Kazi redoutait que je le couvre de honte en me conduisant comme un Occidental bien élevé, c'est-à-dire en faisant de lourdes erreurs par rapport au contexte tibétain. De même au Japon, Taishen Deshimaru me donnait des instructions détaillées sur la manière de me comporter. Mais j'ai toujours remarqué que ces maîtres tibétains, imprégnés depuis l'enfance de leur culture et coutumiers de cet ensemble de règles et d'habitudes dont nous n'avons plus idée en Europe, ne se formalisaient jamais des erreurs de protocole que je commettais inévitablement malgré mon désir de me montrer très respectueux et demeuraient de plain-pied avec cet Occidental qui débarquait chez eux d'un autre monde. Ce qui pouvait offusquer les disciples ne gênait en rien les maîtres. Il faut des années à un ethnologue pour commencer à comprendre la mentalité d'une peuplade au milieu de laquelle il vit mais j'avais l'impression qu'il fallait quelques secondes à ces maîtres pour avoir tout compris d'un Occidental sans avoir jamais mis les pieds en Europe et qu'aucune barrière culturelle ne les séparait de moi. Ils avaient vraiment accès à l'universel et les différences de race, de croyance, d'éducation, de religion, de caste, n'existaient plus pour eux.

Ce que j'ai constaté aussi auprès de tous les sages, c'est la manière égale dont ils considèrent chaque être humain. Certains maîtres vivent assez retirés et ne reçoivent guère que leurs disciples. Mais la plupart ont un double rôle : celui d'enseignant pour une poignée de disciples et celui de témoin spirituel pour un vaste entourage. Les maîtres tibétains qui enseignent les pratiques les plus secrètes à leurs disciples et dirigent des méditations tantriques sur les *mandalas* dans la pénombre des temples, se laissent à d'autres moments librement approcher par des Tibétains, des Bhoutanais, des Sikkimais sans instruction qui sont de bons bouddhistes dotés d'une grande foi mais qui ne sont pas appelés à devenir des disciples. De même, dans les temples zen, le Japonais moyen n'a pas accès au dojo de zazen mais au temple où se déroulent les cérémonies. Or, qu'un maître transmette un enseignement secret à un disciple avancé ou qu'il reçoive un paysan de la région, il porte sur chacun un regard égal. Ce qui représente pour nous une grande leçon, c'est de voir l'intérêt extrême que tous ces maîtres portent à des gens « inintéressants » parce qu'ils ne sont pas très instruits, parce qu'ils ne sont pas engagés sur une voie de transformation, parce qu'ils n'ont rien d'extraordinaire pour nous, Occidentaux, qui sommes constamment à l'affût de ce qui brille et jette de la poudre aux yeux.

Cette attention pleine d'amour envers tous ceux qui les approchent tranchait considérablement avec ce dont j'avais eu l'expérience en Europe où les « maîtres » que j'avais rencontrés accordaient beaucoup d'intérêt à des personnes de quelque envergure mais avaient moins de temps à perdre avec le « menu fretin ». Que c'était beau de voir ces hommes ou ces femmes, comme Mataji Krishnabaï d'Anandashram, qui ont atteint par leurs efforts un très grand accomplissement, qui sont amenés de par leur rayonnement à rencontrer l'élite de leur pays, et qui montrent tant d'amour pour les gens les plus simples qui viennent à eux. Plusieurs fois, en voyant l'accueil si chaleureux qu'un maître réservait à un nouvel arrivant, je me suis informé auprès de son entourage pour savoir s'il connaissait déjà la personne en question. Je me suis même demandé parfois s'il ne s'agissait pas d'un membre de sa famille. La plupart du temps, c'était la première fois que le maître la voyait. Pourtant, il la recevait avec autant de joie qu'un grand-père revoyant ses petits-enfants. Que de fois j'ai vu des gens simples, tout heureux parce qu'ils vont avoir la bénédiction d'un sage qu'ils vénèrent dans l'ensemble de leur tradition, devant qui ils arrivent avec un très grand respect, comme les Tibétains qui osent à peine lever les yeux sur le sage puisque l'usage dans ces circonstances veut qu'ils regardent le sol. Et le sage les mettait à l'aise et les traitait comme si chacun était son propre fils, l'être humain le plus précieux pour lui. Vous imaginez ce que peut représenter pour des gens simples l'impression que leur venue représente une si grande joie pour le maître. C'est en tout cas ce que ces sages exprimaient par leur regard, leur sourire, leur accueil, leurs questions. Cette attitude, tout en me faisant ressentir ma prétention, mon égoïsme, ma médiocrité, mes comparaisons, mon manque de simplicité, me touchait autant, sinon plus, que de contempler un *yogi* en méditation, même entouré, comme je l'ai vu parfois, d'un halo de lumière.

Un autre trait commun que j'ai remarqué aussi chez tous les sages et qui peut paraître au premier abord aller à l'encontre de ce que je viens de dire, c'est la capacité qu'ils ont de se montrer aussi très fermes, ce dont nous n'avons généralement pas le courage. Je vous avoue que ce type de comportement ne m'était pas toujours compréhensible, loin de là. « Mais comment peut-on être si dur, presque brutal, avec certaines personnes, allant jusqu'à les chasser de l'ashram ? » Je ne comprenais pas la langue mais je voyais que les personnes en question semblaient recevoir le choc en pleine figure. Expliquez-le comme vous voudrez, j'ai quant à moi obtenu peu à peu des explications qui m'ont apaisé. Cette capacité d'amour, de communion, va de pair avec une dureté apparente. Il faut rester longtemps dans un ashram ou auprès d'un sage pour en être témoin. Mais, j'ai eu la preuve, après m'être plusieurs fois renseigné, que tous les sages étaient amenés à manifester ce genre de force à un moment ou à un autre, renvoyant même parfois certains aspirants qui perturbaient trop la vie de l'ashram. Donc le sage exprime parfois sa sagesse à travers un comportement choquant pour notre mental et que l'ego redoute. Est-ce une chirurgie nécessaire ? Il est difficile d'appréhender du dehors les actions d'un sage puisqu'il ne fonctionne plus comme nous, qu'il ne ressent plus comme nous et qu'il a une vision complètement différente de la nôtre.

La tradition admet que l'expression de la colère ne relève pas toujours de l'émotion, qu'il peut y avoir des colères libres comme celles d'un acteur qui, cinq fois de suite, se met en colère sur commande devant la caméra parce que le metteur en scène lui demande de refaire le plan. Et, sur l'écran, il paraîtra redoutable. Le sage peut utiliser la colère comme moyen d'enseignement. Je l'ai même vu une fois chez le doux Ramdas, de même que j'en ai été témoin de la part de Mâ Anandamayi : parfois son regard était d'une autorité presque terrifiante !

Il ne faut pas oublier que le sage est là pour jouer aussi le rôle de Shiva, le Destructeur – destructeur des habitudes mentales et émotionnelles, destructeur des identifications aux différents aspects de l'ego. C'est au sage d'opérer ces interventions « chirurgicales » sous sa responsabilité, en sa présence, d'une manière consciente, pour éviter que ce ne soit l'existence qui le fasse dans des conditions autrement difficiles à vivre pour nous. L'existence comprend à la fois le côté heureux et le côté malheureux, la liberté transcende l'opposé de l'heureux et du malheureux et l'exigence du maître est là pour nous le rappeler. Peut-être cela ne vous fait-il pas plaisir à entendre mais un certain amour facile n'a pas sa place auprès d'un maître. Le maître ne fera jamais preuve d'une faiblesse préjudiciable à votre propre transformation.

Ce que j'ai observé aussi auprès de ces sages, c'était une non-concordance apparente entre leur comportement et celui des disciples qui les entourent. Cet aspect très traditionnel est propre à la manière de faire dans les pays orientaux et il est assez facile à expliquer. Le sage ne se ménage pas, ne se protège pas, et c'est aux disciples les plus proches qu'il incombe de le faire. Dans un livre de Jean Varenne, professeur de sanscrit qui a longtemps vécu en Inde, j'ai trouvé un long passage où il insiste sur le fait que les disciples semblent avoir pour fonction essentielle de protéger le maître contre ses admirateurs. C'est une espèce de règle du jeu. Et cette différence entre la manière de faire du sage et de ses disciples engendre d'ailleurs certains malaises pour les nouveaux venus qui ont l'impression qu'il existe des règles très strictes dans l'ashram ou le monastère et que le sage, lui, ne les suit pas. Par exemple, il est prévu qu'un entretien avec le sage durera au plus un quart d'heure mais l'entretien se prolonge et le même sage, qui deux jours auparavant s'est mis en colère, va faire preuve maintenant d'un intérêt et d'une patience sans limites. Cette totale disponibilité du sage est tempérée par les usages et la protection qu'assurent les disciples en maintenant certaines règles et en les faisant respecter. En voyant le soin que certains disciples prenaient pour ménager leur maître, j'ai peu à peu compris que la vie ne consistait pas en : « Moi seulement. » « Je suis venu de France pour rencontrer un maître. J'ai tellement espéré cette rencontre que le maître doit me donner tout ce dont je rêve et tout ce que j'attends de lui, même si je ne suis pas le seul à être dans ce cas. » Les choses ne se passent heureusement pas ainsi.

Je me souviens à cet égard de Swâmi Sivananda Sarasvati de Rishikesh, un homme admirable (que l'on voit d'ailleurs dans *Ashrams,* le premier film que j'ai tourné), lors de festivités comme il y en a beaucoup en Inde. Quand ce n'est pas une fête de Vishnu, c'est une fête de Shiva, quand ce n'est pas une fête de Shiva, c'est l'anniversaire de la naissance du *guru,* puis l'anniversaire de la naissance de la mère du *guru* qui a donné un sage au monde, puis l'anniversaire du renoncement au monde du *guru.* A ces occasions se rassemblent des centaines, parfois des milliers de personnes. Et pendant deux jours, trois jours, le sage n'a même pas la possibilité de dormir : il est là, assailli, entouré, et il se donne vraiment à dévorer. Les gens viennent pour l'approcher, le toucher, recevoir sa bénédiction. Au lieu de venir régulièrement toute l'année, ils se déplacent spécialement pour ces fêtes considérées comme auspicieuses. Une fois encore, c'est un aspect inattendu de voir un homme considéré comme un grand maître, doté de connaissances très profondes et qui appartient en même temps à tous ceux qui le veulent. Mâ Anandamayi, qui puisait visiblement à des sources d'énergie auxquelles nous n'avons pas accès, recevait à deux heures du matin, souriante, disponible. Plus tard, elle est devenue quelque peu malade et, dans les dernières années de sa vie, il fallait ne pas peser sur elle et elle était très protégée par son entourage. Et que dire d'Amritanandamayi qui se rend chaque année en Europe pendant son « Tour du Monde » et qui serre chaque jour dans ses bras, un par un, des centaines de personnes (et des milliers quand elle est en Inde) qui font la queue pour recevoir son étreinte et sentir un instant cet amour inconditionnel qu'elle leur témoigne.

Un point commun encore, c'est de voir l'intérêt que les sages accordent à de petits détails. Normalement, le président de la République ne s'occupe pas personnellement de la canalisation des w.-c. qui jouxtent la cuisine de l'Elysée ; normalement, un P-DG traite avec les directeurs mais n'est pas censé veiller à la réparation d'une machine cassée dans un atelier. Or j'ai remarqué que tous ces sages s'occupaient avec le plus grand soin des réalités insignifiantes comme si, en fait, tout était signifiant pour eux. Qu'un sage consacre une heure à une mère qui vient de perdre son enfant me paraissait normal. Mais qu'il consacre tant de temps à écouter une histoire de bananes qui n'ont pas pu être mangées parce qu'elles étaient abîmées me paraissait proprement incroyable.

Tous les sages, même les moins originaux, ont par moment des comportements surprenants, qui n'entrent dans aucune de nos catégories et auxquels nous ne trouvons, avec notre mental limité, aucune explication plausible. Si, dans le silence, le sage pousse un rugissement ou s'il éclate de rire alors que quelqu'un vient d'exprimer sa tristesse, nous pouvons toujours, malgré tout ce que cela a d'incongru, imaginer que c'est très profond et qu'il a agi à un niveau qui nous échappe. Et là, nous pourrions comprendre son attitude, cela rentrerait encore dans nos catégories. Mais je parle ici de comportements que nous n'avons aucune possibilité d'expliquer de quelque façon que ce soit. « Pourquoi a-t-il fait cela ? A quoi cela sert-il ? Comment peut-il perdre son temps à cela ? Cela me paraît complètement stupide. » L'incompréhension est totale et nous ne trouvons aucune réponse satisfaisante. En vous parlant, de nombreux souvenirs me reviennent : je revois le paysage, je revois le contexte, je revois des images comme dans un film : Japon, Afghanistan, Inde, Bouthan, Himalaya... Et je ne trouve même pas une explication grandiose, comme lorsqu'on nous explique qu'un maître zen libère quelqu'un en lui donnant un coup de poing dans la figure. Je dois dire que cela a été le cas aussi auprès du sage que j'ai finalement le mieux connu, Swâmi Prajnanpad. Pourquoi agit-il ainsi ? Il semble se contredire. J'ai cru entrevoir certaines de ses intentions mais il semble agir à l'encontre de celles-ci. Et j'avoue qu'il m'est arrivé de me laisser aller à juger, sans réfléchir que je n'avais pas – loin de là –

tous les éléments pour apprécier son comportement et sans me poser la question : « Est-ce que je considère que Swâmiji est libre du mental alors que je n'en suis pas libre ? Ou est-ce que je me mets à égalité avec Swâmiji comme si j'étais capable d'avoir la même vision que lui ? » En dehors de ce qui est incompréhensible pour nous, Occidentaux, parce qu'il s'agit de mœurs étrangères – japonaises, tibétaines, hindoues ou musulmanes – mais auxquelles on s'habitue peu à peu, il y a ce à quoi on ne peut pas s'habituer auprès d'un maître : étant établi à un niveau d'être radicalement différent du nôtre, l'expression de ce qu'il est peut à tout moment être déconcertante pour nous. Nous pouvons juste essayer de ne pas juger, d'être ouvert, disponible, de surtout ne pas nous couper de lui ; et peut-être un jour serons-nous alors en mesure de le comprendre.

*

Il ne faut pas oublier l'essentiel, à savoir que le maître ou le sage a vécu une transformation que nous n'avons pas encore vécue, que vous l'appeliez destruction du mental, effacement de la conscience individualisée, éveil, libération ou sagesse. Sur le principe, nous sommes d'accord, nous n'irions pas nous faire piquer par les moustiques dans la chaleur indienne accablante si nous n'étions pas convaincus que le sage que nous sommes venus voir mérite notre vénération – mais ensuite, nous l'oublions.

Souvenons-nous que la raison d'être du sage, surtout la raison d'être de notre visite au sage, c'est l'affirmation qu'un changement s'est opéré en lui, un changement radical, c'est-à-dire jusqu'à la racine. Mais on peut à juste titre avoir peur de se tromper. Si je décide qu'un être humain est un *guru* et que j'excuse tout venant de lui, est-ce que je ne risque pas de m'aveugler complètement ? Est-ce que je vais tout admettre ? En ce cas, pourquoi ne pas justifier un sage qui violerait une adolescente de treize ans ? « Il y a un sens profond derrière ce geste. Lui voit clair, moi je suis encore dans le mental donc je me trompe. » Où se situe la limite ? A partir de quel moment faut-il ouvrir les yeux et s'apercevoir qu'on a qualifié de sage un faussaire, un charlatan ? Il ne faut pas se laisser abuser par un escroc ni être victime d'une personne sincère mais qui s'illusionne sur elle-même et qui, par conséquent, ne peut rien pour vous et vous entraînera dans son illusion jusqu'à ce que des chocs successifs et douloureux vous obligent à vous réveiller de votre rêve.

Une grande finesse est nécessaire pour détecter le niveau d'être de quelqu'un aussi bien pour ne pas se laisser fasciner par des apparences trompeuses que pour ne pas non plus laisser échapper un maître dont l'apparence n'offre rien d'extraordinaire au premier abord. Je pense notamment à un maître tibétain qui était, selon nos critères, physiquement laid, et qui n'arrêtait pas de remuer : Chatral Rinpoché, vivant à Ghoom, non loin de Darjeeling ; il était difficile d'accès et il n'avait que quelques disciples parlant exclusivement le tibétain. Bien qu'il ait été considéré comme un très grand *rinpoché* déjà au Tibet, il avait un côté vraiment surprenant, ne ressemblant en rien à l'idée que nous pouvons nous faire du sage. Je le revois, les yeux presque fermés, faisant des grimaces, bougeant beaucoup, riant sans qu'on sache pourquoi. Contrairement aux Tibétains qui sont si raffinés, il semblait même un peu rude, grossier et on ne respectait pas beaucoup les règles de l'étiquette tibétaine autour de lui. Et ce Chatral Rinpoché a pourtant immensément impressionné le moine trappiste Thomas Merton qui avait pourtant déjà rencontré plusieurs maîtres. Thomas Merton était écrivain avant de devenir moine, il était lu dans le monde entier et il est mort en Asie après avoir consacré la dernière année de son existence à rencontrer des bouddhistes. Or, Chatral Rinpoché, qui a tant marqué Thomas Merton, avait une apparence assez ordinaire et il fallait une certaine expérience pour détecter le minerai fin sous la gangue, si je puis m'exprimer ainsi. Par conséquent, on ne peut pas conclure que la beauté du regard, l'expression lumineuse du visage, les « signes extérieurs de sagesse », sont la règle. Et c'est au bout de quelques jours que j'ai découvert premièrement que Chatral Rinpoché était un sage, répondant aux critères que j'évoque pour vous aujourd'hui, et d'autre part que c'était un *guru.* Il avait certes une manière tout à fait originale d'enseigner mais, bien qu'il n'ait jamais répondu à une seule de mes questions (il riait, il parlait d'autre chose, il me posait une question à son tour ou il répondait tout à fait à côté), j'ai constaté au bout de quelques jours auprès de lui que des changements s'étaient opérés en moi sans passer par la parole et sans que je m'en sois rendu compte sur le moment. Cet être apparemment quelconque m'avait fait sentir, découvrir, des vérités importantes et m'avait rendu plus simple à travers, justement, son aspect si peu mystérieux et sur lequel les projections de l'archétype du sage n'avaient aucune prise. Il est certain que, durant mes premiers voyages en Inde, nourri de lectures diverses, comme le célèbre ouvrage de Paul Brunton, *L'Inde secrète,* ou le livre d'Arthur Osborne sur Ramana Maharshi, j'étais à l'affût du merveilleux. Mais en face de Chatral Rinpoché, on ne pouvait plus imaginer quoi que ce soit.

Une histoire très touchante montrant toute la délicatesse dont il était capable me revient à l'esprit. Il s'est trouvé pendant mon séjour auprès de lui en 1965, dans les années qui ont suivi les conflits entre l'Inde et la Chine, que la région où il vivait était devenue zone interdite et qu'il fallait un permis pour y pénétrer. Le courrier était par conséquent censuré et les lettres que j'ai envoyées à ma femme Denise ne lui sont jamais parvenues. Tant et si bien que mon épouse s'est vraiment inquiétée de ce que je devenais. Supposant que je devais être auprès de Chatral Rinpoché, elle lui a écrit pour lui demander s'il avait vu un Européen voyageant avec un certain M. Kazi, alors que nous venions de partir. Et quand j'ai retrouvé mon épouse, trois mois plus tard, elle m'a montré une lettre écrite en tibétain, signée de Chatral Rinpoché, une page complète accompagnée de la traduction anglaise et dont le contenu était à peu près le suivant : « Oui, j'ai vu votre mari avec Sonam. Je n'ai pas de nouvelles récentes mais soyez sans crainte, la protection des Bouddhas et des Bodhisattvas est sur lui. » Cet homme, perdu dans ses montagnes, avait pris la peine de se faire traduire la lettre, d'y répondre, de faire enfin traduire sa réponse en anglais et de poster cette lettre en évitant la censure. Quelle leçon aussi ! Chatral Rinpoché s'était donné tant de mal, simplement parce qu'il avait senti l'inquiétude d'une femme qu'il ne connaissait pas pour un homme qui avait séjourné quelques jours auprès de lui. Je retrouve dans ce souvenir à la fois la simplicité, l'intérêt pour les petits détails que je signalais tout à l'heure, et la peine, le travail (ce que mon *guru* appelait *labour of love*), un travail où il faut retrousser ses manches et se donner du mal pour autrui.

Si j'évoque aujourd'hui ces souvenirs, c'est parce que je sais l'incertitude que peuvent éprouver certains chercheurs en face de personnes qu'on leur présente comme des instructeurs qualifiés. J'ai voulu, dans un domaine où il est particulièrement difficile de trancher, partager avec vous ces points communs entre les maîtres que j'ai retrouvés sous toutes les latitudes et quelle que soit la tradition à laquelle ils appartenaient. Peut-être déciderez-vous, après m'avoir entendu partager ma propre conviction qu'Arnaud vous a ouvert les yeux sur lui-même et qu'il n'est pas compétent pour aider autrui. Ce qui m'importe, c'est justement que vous ne soyez jamais induits en erreur. L'ashram que j'anime, avant d'être une affaire entre vous et Arnaud, est d'abord une affaire entre Arnaud et Mâ Anandamayi, Arnaud et Swâmi Ramdas, Swâmi Prajnanpad, Soufi Mohammed Din de Maïmana et Khalifa Saheb-e-Charikar, Kangyur Rinpoché et Khyentsé Rinpoché. Et le plus important pour moi, c'est que la relation qui m'unit à ces sages demeure toujours intacte. Si je pouvais être la cause d'une erreur, d'un aveuglement, d'une projection dont vous seriez vous-mêmes les victimes, ce serait une ombre déchirante sur cette relation. Et même si l'un d'entre vous, après m'avoir rencontré, se disait que le dénommé Arnaud ne répond pas aux normes qu'il a énoncées, j'aurais joué mon rôle.

CHAPITRE III

AVANT DE S'ENGAGER

Plus les années passent, plus je mesure combien en matière de spiritualité et de progrès sur la voie, la sentence « C'est l'exception qui confirme la règle » est véridique. Certes, chacun peut s'autoriser de celle-ci pour rêver et se considérer, lui ou elle, comme échappant à la règle commune. Mais les Mozart ne peuplent pas le monde des musiciens. Pour progresser dans la pratique de tout art ou de toute technique le postulant, le débutant, a besoin d'être instruit par un ancien qui lui transmettra les connaissances, l'habileté, le savoir-faire, la maîtrise reçus de son propre maître. Dans ce domaine, c'est parce que l'exception est – excusez le pléonasme – tout à fait exceptionnelle qu'elle confirme la règle. Il en est et il en a toujours été ainsi dans la vie religieuse non seulement en Orient mais dans le christianisme. Les Epîtres de Paul sont les lettres d'un maître à des disciples et quand ces épîtres mentionnent les « saints » au cœur des différentes communautés, c'est encore à des maîtres qu'il se réfère.

Mais il s'agit de nous aujourd'hui. Pour devenir artiste lyrique ou cantatrice, il faut travailler pendant des années à raison de plusieurs heures par semaine. Certes, il importe que le professeur soit hautement qualifié mais il n'est nullement indispensable de travailler avec Placido Domingo, Ruggiero Raimondi ou Montserat Caballé. Des experts bien moins célèbres mondialement ont formé des artistes accomplis.

Si vous ressentez la nécessité d'un expert pour vous guider sur votre propre chemin vers la paix et l'amour, la question grave entre toutes – mais qui doit être posée lucidement et réalistement – sera tout simplement : « Qui ? »

C'est à cela que nous allons réfléchir ensemble. Certains pensent qu'il n'est pas nécessaire d'avoir un maître, qu'ils peuvent cheminer seuls en lisant des ouvrages de spiritualité. Il n'est pas du tout exclu qu'un réel travail puisse se faire de cette manière. Il serait en tout cas malhonnête de ma part de nier cette possibilité puisqu'il m'est arrivé plusieurs fois d'être abordé par des personnes inconnues qui m'ont remercié en affirmant que la lecture de mes livres les avait beaucoup aidées et avait même, pour certaines d'entre elles, transformé leur existence. Mais le problème avec les livres, c'est qu'on peut les lire et les relire sans que cela nous mette jamais au défi. Aucun livre ne va directement confronter notre mental ou notre illusion. Nous allons toujours le digérer à notre façon.

Comme étudiant, j'avais pris l'habitude de souligner les cours polycopiés. Par la suite, j'ai continué à souligner les passages qui me paraissaient importants dans un ouvrage. En reprenant ces ouvrages quinze ans plus tard, je constatais que j'avais soigneusement omis de souligner la phrase qui, justement, m'aurait vraiment concerné à l'époque. Elle me gênait quelque peu, je n'avais pas l'intention d'en tenir compte, il valait donc mieux que je la laisse échapper ! Quand nous lisons un livre, le risque c'est d'en prendre et d'en laisser : nous retenons ce qui nous convient, ce qui correspond à nos idées, et nous éliminons ce qui nous dérange et nous remet en cause. Sans compter que nous ne pouvons pas comprendre les passages qui décrivent des réalités dont nous n'avons pas encore l'expérience ou, pire, que nous les comprenons de façon erronée.

Nous sommes semblables à celui qui lirait avec passion des ouvrages sur les dangers du tabac avec sa cigarette à la main. En tout cas, c'est une image que j'applique au lecteur que j'ai été pendant des années. On pourrait caricaturer facilement : vous lisez un livre sur la patience, la compréhension, la communion avec l'autre... et lorsqu'un peu de bruit trouble votre lecture, vous éclatez : « Je lis un livre sur l'amour, ne venez pas me déranger. » Avec un peu d'honnêteté, vous constaterez ce dont sont capables vos habitudes de fonctionnement.

En fait, la recherche d'un maître est une question de nécessité personnelle. Un moment vient – ou ne vient pas –

où l'on ressent la nécessité d'une aide bien précise que l'on n'a pas encore reçue.

En ce qui me concerne, je suis entré à vingt-quatre ans dans les Groupes Gurdjieff. Etant donné mon immaturité à l'époque, les dirigeants des Groupes ne m'ont pas fait rencontrer Gurdjieff lui-même puis je suis parti soigner une tuberculose au Sanatorium des Etudiants et Gurdjieff est mort entre-temps. Juste après sa mort est sorti le livre d'Ouspensky, *Fragments d'un enseignement inconnu,* et j'ai alors appris que le « groupe » découvert grâce à des amis était en fait une émanation de Gurdjieff. De retour du sana, j'ai suivi l'enseignement des Groupes pendant quatorze ans mais les quatre dernières années, de 1959 à 1964, je passais une partie de mon temps en Inde.

Au début, pour moi, je trouvais tout dans ces groupes : la méditation, des pratiques diverses, notamment des exercices très particuliers, les « mouvements » ou « danses sacrées » de Gurdjieff qui demandaient une attention exceptionnelle. Et puis, au bout de dix ans, je me suis rendu compte que je ne changeais pas vraiment. Certaines peurs étaient toujours là et je n'étais nullement établi dans la sérénité. J'ai commencé à aller voir un peu ce qui se passait ailleurs en France et en Suisse et à rêver de ces maîtres hindous dont je lisais la description dans tel ou tel ouvrage, jusqu'à la rencontre avec Mâ Anandamayi qui m'a complètement bouleversé. Je n'avais pas imaginé qu'un être humain avec deux yeux, un nez, une bouche, puisse présenter un aspect tellement divin, surnaturel. Mais il y avait beaucoup de monde autour d'elle, mais elle ne parlait que le bengali, mais elle répondait surtout au niveau mystique, bien loin des problèmes concrets dans lesquels je me débattais.

Un jour, en Inde, auprès de Kangyur Rinpoché, j'ai eu la certitude que, malgré ma profonde dette de gratitude à leur égard, je ne trouvais pas dans les Groupes Gurdjieff ce dont j'avais vitalement besoin. A partir de là put naître ce que Swâmi Prajnanpad appelait *the feeling of imperative necessity*, le sentiment d'une nécessité impérative. En fait, dès mon premier voyage en Inde en 1959, le hasard, si on peut l'appeler ainsi, m'avait mis en contact avec un Français, Daniel Roumanoff, qui avait rencontré, lui, ce Swâmi Prajnanpad, isolé, à l'écart de tous les grands circuits de l'« ésotourisme ». J'avais donc noté l'adresse de ce swâmi, je l'avais même donnée à deux autres personnes mais je me gardais bien de me rendre moi-même auprès de lui. J'avais l'intuition que le jour où je rencontrerais Swâmiji, il n'y aurait plus d'échappatoire. Avec Mâ Anandamayi, je pouvais toujours alléguer que l'interprète avait mal traduit ma question ou déformé sa réponse et donc ne pas tenir compte de celle-ci si elle ne me convenait pas. Mais je me doutais bien qu'avec ce swâmi, que je ne rencontrerais pas seulement un quart d'heure tous les six mois, les choses allaient devenir sérieuses.

La véritable rencontre avec un maître va nécessiter un engagement profond dans cette relation à tous égards nouvelle. Certes le disciple a l'intention sincère de donner sa chance au maître mais bien d'autres aspects en lui (et il ne peut pas en être autrement) vont essayer de résister, de discuter, de prendre le maître en faute, de ne pas entendre ce qu'il dit, voire de lui mentir sans s'en rendre compte ou même pire en s'en rendant compte. Où cela peut-il nous conduire ? Notre manque de confiance est parfois tel qu'il nous amène à des comportements enfantins qui montrent à quel point nous sommes sur la défensive jusqu'au jour où l'on sent tout d'un coup : maintenant j'arrête ; cela suffit de tenter pied à pied d'être plus fort que celui auquel je suis venu demander de l'aide, de toujours savoir mieux que lui, d'en prendre et d'en laisser, de tenter de le mettre à mon service pour qu'il me donne son enseignement. Alors se lève le cri du cœur : « Au secours ! » Cela fait vingt-cinq ans que je joue au malin, que je finasse, que mon véritable maître a été mon propre inconscient, l'ego, le mental. Maintenant je capitule. Oui, en principe, c'est ainsi que cela se passe – que le maître soit un *rinpoché* tibétain, un *cheikh* soufi, un swâmi hindou ou un abbé de monastère.

Qu'est-ce que je veux ? C'est la seule question pour un disciple. Est-ce que je le veux vraiment ? Est-ce que je le veux intensément ? Est-ce que je le veux durablement ? Ou s'agit-il d'une passade : « J'ai eu mes deux ans de marxisme, mes six ans de védantisme, je suis maintenant passé au bouddhisme... » Et est-ce que vous ressentez ou non la nécessité d'une aide ? Si c'est le cas, vous chercherez jusqu'à ce que vous trouviez cette aide qui vous est indispensable.

Une question souvent posée est celle de savoir dans quelle mesure on peut avoir plusieurs maîtres. Traditionnellement, il est dit que la recherche du maître fait partie de la voie. Certains ont cherché leur maître pendant cinq ans, dix ans, voire vingt. Et, dans d'autres cas, la découverte se fait tout de suite : le premier sage que l'on rencontre est bien celui que l'on attendait. Dans chaque tradition, on relate aussi le cas de disciples qui ont parcouru le monde à la recherche d'un maître pour réaliser qu'en fin de compte celui-ci habitait leur village et qu'ils le connaissaient depuis toujours.

Il est tout à fait heureux de connaître plusieurs *gurus* avant de trouver celui qui nous correspond car rencontrer un sage est toujours une inspiration, une nourriture. Cela renforce notre conviction, élargit notre horizon. C'est une préparation mais vient ensuite un moment où, après qu'une maturation s'est opérée en nous, la certitude s'impose : « Voilà, c'est là que je m'engage. »

Il est également possible d'admirer un maître, d'être touché par sa présence et son rayonnement, d'éprouver un immense amour et une grande gratitude à son égard et, en même temps, de ne pas sentir : « C'est par lui que je peux être guidé. » Cet appel est une affaire intimement personnelle. Vous pouvez avoir une très haute opinion d'une femme sans, pour autant, vouloir vous marier avec elle. Personnellement, je n'ai jamais considéré que Swâmi Prajnanpad soit un plus grand sage que Kangyur Rinpoché, Swâmi Ramdas ou bien d'autres. Mais il se trouve que c'est avec lui que j'ai senti pour la première fois : « Voilà ce qui me correspond exactement, ce dont j'ai besoin, ce que je cherchais. » Le fait d'avoir connu d'autres enseignements peut vous aider à mieux discerner par la suite la voie sur laquelle vous allez vous engager.

Côtoyer d'autres traditions ou rencontrer d'autres maîtres est donc bénéfique à condition que ce ne soit pas un moyen de fuir la difficulté. Dès que l'existence devient un peu difficile dans un ashram, nous voici attirés par un autre. Celui qui s'engage partout ne s'engage nulle part. La fréquentation de maîtres appartenant à d'autres lignées peut devenir une échappatoire pour atténuer l'intensité de la voie sur laquelle nous prétendions être engagés. Il faut demeurer très attentifs à cette tentation. On croit que l'on enrichit son chemin par des emprunts à d'autres pratiques et, en fait, on l'appauvrit, neutralisant une ascèse par une autre.

Certains s'imaginent qu'il n'est pas nécessaire d'entrer dans cette relation personnelle « puisque tous les enseignements disent la même chose ». Certes, aucun *guru* ne vous dira : « Plus vous haïrez autour de vous, plus vous progresserez. » Ce sera toujours, en effet, le même message. Tous les maîtres enseigneront l'amour et l'effacement de l'égocentrisme, l'éveil à une conscience supra-individuelle, le chemin qui mène du fini vers l'infini. Les mots peuvent changer, les méthodes peuvent être différentes mais les grandes directives se révéleront très proches. Cependant, il faut oser voir en face que nous pouvons entendre des enseignements superbes pendant des années sans que cela nous transforme en profondeur. Des millions de chrétiens sont imprégnés des idées de l'Evangile tout en restant soumis aux émotions ordinaires. Regardez aussi tous les crimes qui ont pu être commis au nom de la vérité, au nom de la religion. On insiste sur l'horreur de l'Inquisition mais il ne faut pas oublier pour autant la corruption, la lâcheté, les guerres, l'hypocrisie, l'exploitation, la collusion avec la politique qui ont jalonné l'histoire religieuse de nombreux peuples. Ce n'est pas sans raison que des hommes respectables comme Freud, Marx ou Sartre, ont été si sévères pour la religion. Le mental (le Malin, le père du mensonge, comme dit l'Evangile) s'infiltre partout. Le terrain privilégié de Satan, ce n'est pas le milieu des trafiquants de drogue, des exploiteurs, des régimes policiers. Là où Satan déploie tous ses talents, c'est dans le milieu religieux où prolifèrent toutes sortes d'illusions et où l'on s'en donne à cœur joie pour finalement souffrir et faire souffrir les autres au nom d'un idéal d'amour. Il est certain que les maîtres transmettent le même enseignement mais se laisser bercer par ce constat ne suffira pas pour nous libérer de toutes nos propensions à la jalousie, à l'avidité, à la peur, à l'agressivité.

Il faut revenir inlassablement à cette vérité que la voie ne consiste pas seulement à acquérir des connaissances ou des capacités qui nous manquent, elle consiste surtout à perdre ce qui nous trouble et nous divise. Cet aspect de destruction de nos illusions est très important. Ce que l'on appelle « l'ego » ou « le mental » ne va pas disparaître si facilement, ils ont comme loi de se perpétuer. Le risque c'est d'essayer de prendre, de recevoir, de s'enrichir, sans jamais être vraiment mis en cause. Et finalement, l'ego et le mental sauvent leur peau dans l'histoire. Adieu éveil, adieu libération.

Auprès du maître, quand une relation réelle commence à s'instaurer, nos illusions sur notre propre compte vont être ébranlées et nous allons inévitablement nous trouver confrontés à ce que nous ne voulions pas voir en nous-mêmes. Cela produit un choc d'abord douloureux. Est-ce que je reste ou est-ce que je m'en vais ? Est-ce que j'accepte que le maître me montre là où je me trompe, m'aide à voir sinon mon mensonge délibéré, du moins ma non-vérité ?

Ce n'est pas en additionnant des exercices, même si ces exercices peuvent avoir une valeur, que vous pouvez vraiment changer. Par exemple, un instructeur vous enseigne une méthode de méditation : vous essayez de vous unifier avec le mouvement du souffle et de lâcher complètement toutes les tensions dans l'expiration. Ce n'est pas menaçant pour l'ego. Qui plus est, tout peut être récupéré à l'intérieur de notre illusion. Comme je l'ai dit : il faut que nous entendions à la fois la promesse, l'espérance concernant l'éveil, l'au-delà de la souffrance, et que nous entendions aussi le réalisme et la sévérité avec lesquels est décrite la condition ordinaire même si nous ne sommes pas particulièrement névrosés. Comment éviter que l'enseignement ne vienne alourdir notre sommeil au lieu de nous réveiller ?

C'est seulement dans une relation personnelle, d'être à

être, que cet aspect de « choc » devient possible. Certes, le maître nous aime tels que nous sommes, à la différence de nos parents qui nous aimaient plus ou moins suivant que nous répondions ou non à leur attente, mais son amour ne peut pas aller jusqu'à nous bercer tendrement dans notre sommeil, il faut bien qu'il nous aide à nous éveiller. La voie comporte donc à certains moments un aspect chirurgical. Cela se passe auprès de quelqu'un avec qui, peu à peu, s'établit une certaine relation et qui ne nous donne pas simplement un enseignement général (même si celui-ci a toute sa valeur) mais peut saisir une opportunité pour nous montrer tout d'un coup sur un exemple concret que nous sommes en pleine illusion. On n'arrive pas à s'éveiller tout seul.

Toute voie authentique est complète en elle-même et unique en son genre. Sur certaines voies, le rituel tient une place essentielle et on ne peut pas le négliger ; sur d'autres, les rites ne jouent aucun rôle. Mais ce qui est toujours important (et à cet égard, l'enseignement devient personnel), c'est *ma* propre illusion, *mon* propre aveuglement, et l'effort pour émerger peu à peu de ce « moi, moi, moi » qui est en lui-même la prison. Là on pénètre au cœur de l'enseignement. Un maître va s'exprimer en termes religieux – et ne décidez pas que les voies dites « non dualistes » sont supérieures aux voies dévotionnelles – un autre maître utilisera une terminologie non théiste, quasi scientifique. L'essentiel est que nous soyons guidés pas à pas sur une voie cohérente qui forme un tout. L'erreur serait de conclure : les musulmans pratiquent ce que l'on appelle le *dhikr*, il faut que je le pratique aussi parce que j'ai lu que cela conduisait à des états supérieurs de conscience ; mais il faudrait aussi que j'utilise les visualisations des divinités tantriques avec leur *mandala* parce que c'est une technique très efficace pour détruire le mental dualiste. Vous allez prendre à droite et à gauche – manger à tous les râteliers – en croyant que cela enrichit la voie mais, finalement, vous enrichissez surtout l'ego au lieu d'aller vers le dépouillement et la simplicité. Il faut un jour s'engager dans une relation personnelle qui s'approfondira à mesure que vous serez de moins en moins sur la défensive. Tant que le maître donne (*j'ai* un maître – du verbe avoir –, je reçois un enseignement), tout va bien. Mais si le maître contredit nos fausses convictions, il arrive que se lèvent de fortes réactions, qu'on ne le supporte pas et que l'on prenne ses distances avec celui-là même qu'on a vénéré pendant plusieurs années.

Je ne vois pas comment on peut éviter, à certains moments du moins, d'être sérieusement mis en cause par le maître. En de telles circonstances, ou l'on reste ou l'on s'en va. Il ne s'agit pas d'une mise en cause systématique et brutale mais d'une aide précise qui va nous aider à franchir une étape, un peu comme on donne un coup de cravache à un cheval pour l'aider à sauter l'obstacle. Qu'un maître vous accepte, surtout en Occident aujourd'hui, avec votre infantilisme, votre naïveté, vos faiblesses, votre égoïsme, d'accord, mais c'est tout de même pour vous aider à grandir, à changer, pas seulement à prendre, à avoir plus.

Vous connaissez le thème fondamental d'être et avoir et la différence entre une croissance et une accumulation. Si vous regroupez les pierres d'un champ, comme on le fait dans la garrigue, cela va finir par faire un énorme tas de pierres mais ce n'est pas une croissance, c'est une accumulation. Alors qu'un petit arbuste qui devient peu à peu un arbre, c'est une croissance. La croissance, c'est une croissance de l'être, avec plus de maturité et de compréhension, plus de subtilité, plus de générosité. Elle s'opère en éliminant peu à peu tout ce qui nous maintient dans l'étroitesse, la limitation, la séparation. On pourrait dire aussi qu'un ego vaste, large, qui peut inclure beaucoup est le contraire d'un ego hypertrophié. L'accumulation, par contre, relève de l'avoir et nous courons toujours le risque en nous engageant sur une voie de transformation, de falsifier celle-ci en toute bonne foi et de nourrir l'ego, fût-ce en accumulant des expériences inhabituelles, des moments de méditation qui sortent de l'ordinaire.

*

Bien que je considère qu'un guide personnel est absolument nécessaire, il y a cependant des moments sur la voie où il est indispensable de se retrouver seul pour traverser certains passages difficiles. En ce qui m'a concerné, le fait que Swâmi Prajnanpad vive au Bengale et moi en France m'empêchait, même quand j'allais mal, de me précipiter pour l'appeler au secours. Je ne risquais pas de lui téléphoner puisqu'il n'y avait pas le téléphone dans son ashram. Et si j'écrivais à Swâmiji, je recevais la réponse quinze jours après l'envoi de ma lettre. Nous ne pouvons pas être tout le temps accrochés au *dhoti*[1] du *guru*.

Certaines étapes cruciales de la *sadhana* se vivent à l'ashram auprès du maître. Et d'autres moments décisifs se vivent seul, en acceptant complètement cette solitude, en cherchant uniquement, au travers de la compréhension et de l'enseignement assimilé, l'aide et le point d'appui en soi-même. Je suis là, seul, peut-être que personne ne me comprend, que je suis rejeté, critiqué. Qu'est-ce que j'ai pour moi ? Le souvenir de l'enseignement que j'ai reçu et la possibilité d'éclairer le moment que je suis en train de vivre par la compréhension et la conscience. Il faut en passer par là.

De nombreux mythes évocateurs de la pérégrination vers le centre décrivent la solitude du héros. C'est aussi le cas des Evangiles qui ne sont pas seulement des documents historiques et qui peuvent aussi être interprétés comme un mythe. La solitude complète du Christ au jardin de Gethsémani, tandis que les apôtres dorment au lieu de prier avec Lui, en est un exemple extrême qui nous concerne tous.

D'un point de vue, sur la voie, le disciple n'est pas seul puisqu'il a un maître, représentant de l'enseignement, et qu'il

1. Pièce d'étoffe que les hommes, en Inde, portent enroulée autour de la taille.

appartient à une communauté de condisciples – la *sangha.* En Inde, il existe une belle expression, *gurubaï,* pour désigner les frères et sœurs par le *guru.* Les disciples du même maître sont frères et sœurs, avec les frictions inhérentes aux relations entre frères et sœurs mais aussi avec un réel sentiment de fraternité. A cet égard, sur la voie, on ne se sent pas seul, sans guide et sans amis : on a au moins comme amis les condisciples et le maître, qu'on appelle si justement l'ami spirituel. Et pourtant, il faut souhaiter que la vie nous amène, au moins à certains moments, à nous sentir complètement seuls car si nous sortons victorieux de l'épreuve, ce n'est pas l'ego qui sort victorieux. L'enseignement que nous avons reçu illumine notre solitude : au moment où nous sommes le plus abandonnés en apparence, nous ne nous sentons pas du tout seuls au niveau du ressenti le plus profond. Comment pouvez-vous être seuls quand Dieu est en vous et que vous êtes en Dieu ? Le Christ est à vos côtés. C'est une expérience extraordinaire mais à laquelle vous êtes tous appelés.

Oui, seuls, momentanément sans guide et sans amis, même si vous avez un maître. Et, dans le lâcher-prise, dans le non-refus, dans la non-dualité, vous pouvez être immergés dans le sentiment de plénitude, l'opposé du désarroi, de l'abandon. En anglais, les hindous peuvent jouer sur les mots : *lonesome,* la solitude désolée, ou *alone,* seul mais en communion avec la totalité de la vie. Là aussi c'est une conversion qui s'accomplit à l'intérieur de nous. C'est de l'intérieur que nous nous sentons reliés au monde entier, même si le monde entier paraît nous rejeter.

*

Etant admis que la lecture de livres, l'audition de conférences, quelques séjours dans tel ou tel ashram, un stage – même intense – de temps à autre ne peuvent suffire à vous transformer, comment allez-vous reconnaître le maître auquel vous allez faire confiance pour vous guider, année après année, sur le difficile chemin de votre « libération » ou de votre « éveil » ? Et d'abord quel sens concret et accessible pouvez-vous aujourd'hui donner à ces deux termes ?

On me pose souvent cette question : un *guru* doit-il être « éveillé » ?

En principe, oui. Quels que soient l'art ou la technique concernés, nous l'avons vu, ce n'est pas forcément le plus grand virtuose qui sera le meilleur professeur. Mais le critère de base pour pouvoir considérer qu'un être humain est qualifié pour guider ceux qui viennent à lui, c'est une certaine transformation radicale qui représente un point de non-retour. Sinon des événements extérieurs sont toujours susceptibles de toucher des dynamismes profonds si bien que même un disciple avancé se retrouve pris à la gorge par l'existence après avoir pourtant beaucoup changé. Soyons sérieux, il faut placer la barre très haut en ce qui concerne la qualification du maître. Un maître n'est pas seulement un excellent psychothérapeute. Un psychothérapeute, même s'il est irréprochable du point de vue déontologique, peut encore être troublé, être obligé de contrôler un contre-transfert. Il faut plus que cela pour exercer la profession de *guru*, si j'ose dire.

Cependant, selon la tradition, un bon disciple peut jouer un rôle d'instructeur. Tout repose sur la relation qui s'est établie au fond de son cœur avec son propre maître. J'insiste sur ce que j'ai dit précédemment : le *guru* est un disciple ; le maître est un serviteur. Il se sent à jamais responsable vis-à-vis de son propre maître et de Dieu, le Maître Suprême. C'est de cette façon que la spiritualité s'est transmise à travers les siècles et c'est une bonne garantie pour le néophyte.

Prenons l'exemple du bouddhisme tibétain au sein duquel ont existé et continuent d'exister quelques figures extraordinaires. J'ai été moi-même touché au-delà de toute mesure ordinaire par Kalou Rinpoché, Dudjom Rinpoché, Kangyur Rinpoché, Khyentsé Rinpoché, Chatral Rinpoché, le Seizième Karmapa – et bien d'autres. Mais on trouve aussi chez les Tibétains un certain nombre de *lamas* qui, sans avoir le rayonnement et la notoriété de ces grands *rinpochés*, ont cependant reçu une formation poussée et font preuve d'un engagement, d'un esprit de service et d'une consécration qui leur permettent de transmettre l'enseignement. On a même parfois constaté dans l'histoire que le disciple peut être un jour plus grand que le maître. Les plus célèbres virtuoses ont bien eu des professeurs qui n'étaient pas eux-mêmes de si prestigieux interprètes. Mais, bien entendu, il faudra au disciple des années de maturation, de crises, de victoires, de purification avant que le maître ne lui donne son accord pour en guider d'autres à son tour.

Nous pouvons cependant nous demander si celui ou celle que nous reconnaissons non comme le plus grand sage au monde mais comme notre maître à nous est encore susceptible d'évoluer et de progresser. Il existe, en ce qui concerne les critères de la maturité spirituelle, des différences suivant les traditions. Par exemple, chez les soufis, on distingue deux degrés d'éveil ou de libération : le premier qui correspond déjà à un stade très élevé est ce qu'on appelle « l'homme intégral » et le deuxième est celui de « l'homme universel ». Peut-être pourrait-on faire à cet égard des rapprochements avec ce que l'on nommait dans l'Antiquité les « petits mystères » et les « grands mystères ».

On peut aussi admettre qu'il existe un niveau à partir duquel un disciple devient qualifié pour enseigner mais où la purification personnelle se parachève encore. Le bouddhisme zen dit bien qu'après avoir atteint le satori, on doit redoubler d'efforts et Mâ Anandamayi employait une image éloquente : quand on a débranché un ventilateur électrique, les pales continuent à tourner sur leur lancée mais de plus en plus lentement, avant de s'arrêter. Ce sur quoi nous devons être affirmatifs, c'est qu'a été nécessairement atteinte une stabilité inébranlable et que les retours du double mécanisme du désir et de la peur ne peuvent plus se produire. Il importe que l'instructeur manifeste un degré de liberté et d'autonomie qui ne varie pas, quelles que soient les situations. On ne peut pas admettre un apprenti qui jouerait le rôle du maître et qui serait encore perturbé ou agité par certains événements, sujet à des états d'âme changeants, non libre dans les domaines du pouvoir, de la richesse, de la notoriété et du sexe.

Comment s'accomplit donc la maturation qui conduira à la qualification permettant de guider à son tour ? Dans le processus d'éveil, y a-t-il une progression ou un éveil soudain ? Il y a d'abord en effet une longue préparation, une maturation progressive et puis, à un moment donné, se produit une rupture de niveau nette et irréversible, comme la succession des coups de hache précède l'instant où l'arbre tombe. Il y aura indiscutablement avant et après ce moment de bascule, plus ou moins longuement, laborieusement, parfois héroïquement préparé.

Swâmi Prajnanpad m'avait dit un jour : « La révolution est la culmination de l'évolution. » On peut dire aussi qu'avant de s'évaporer, l'eau est de plus en plus chaude, jusqu'au moment où, à cent degrés, elle se met à bouillir. La transformation est précédée d'années d'efforts, de doutes, de victoires, c'est un long processus au cours duquel l'aspirant devient de plus en plus sérieux sur la voie. Le conflit entre tout ce qui nous maintient dans la dépendance, le monde de l'avoir fait de désirs et de peurs d'un côté, et l'aspiration spirituelle de l'autre – la tension entre ces deux pôles –, se fait de plus en plus aigu. Nul ne peut légitimement faire semblant et prétendre que le monde de l'avoir ne le concerne plus tant que ce n'est pas encore le cas. Et puis vient un moment décisif où se produit un retournement intérieur définitif, si justement évoqué par des expressions comme éveil ou mort à soi-même.

De nombreux ouvrages, surtout écrits par des Occidentaux, insistent avant tout sur l'éveil : ou on est éveillé ou on ne l'est pas, un point c'est tout. Leurs auteurs ne parlent qu'en termes d'illumination subite où tout bascule en un instant. Il n'y a pas de progression. Etre moins nerveux qu'autrefois, infiniment plus calme même, c'est demeurer toujours du mauvais côté de la barrière. Mais tous les maîtres que j'ai rencontrés et interrogés tenaient bien rarement ce langage – y compris dans la tradition du zen qui est pourtant celle que l'on cite le plus volontiers à propos de l'éveil soudain.

Certes, pour parler comme le Bouddha, ou l'on a atteint l'autre rive, ou on ne l'a pas atteinte. Mais vous serez beaucoup plus aidés en envisageant la voie en termes de progression. On est plus ou moins proche de ce moment de bascule où, effectivement, se produit un changement radical, même si d'anciens mécanismes peuvent encore se manifester, qui ont perdu leur pouvoir. On peut présenter les choses ainsi : d'abord se vit une préparation qui demande du courage, un engagement de plus en plus sérieux, un travail en profondeur ; puis vient un moment que l'on ne prévoit pas toujours, loin de là, où un catalyseur déclenche un changement intérieur bouleversant – si on veut l'appeler « éveil », appelons-le éveil – et ensuite s'opère une assimilation afin que ce changement révolutionnaire imprègne complètement tout l'être du disciple et que les anciennes manières de fonctionner dues à la force d'inertie des habitudes émotionnelles et mentales se dissipent complètement.

On peut se représenter la voie comme le fait de dissoudre ou d'éliminer tout ce qui nous coupe, tout ce qui nous sépare, de la réalité, du « réel ». Il y a donc plus à perdre qu'à gagner. L'image classique que tous les enseignements ont utilisée est celle d'une couche de nuages (laquelle, étant donné la distance des nuages par rapport à nous, est beaucoup plus devant nos yeux que devant le soleil) qui nous cache l'immensité du ciel et la lumière du soleil. Tout ce que nous avons – ou plutôt ce que nous sommes – d'être, de réalité, de vie, c'est la grande réalité dans laquelle nous sommes déjà immergés. Selon la célèbre formule de saint Paul : « Dieu n'est jamais éloigné de nous. En Lui, nous avons l'être, le mouvement et la vie. » Mais nous n'en sommes pas conscients parce que des revêtements nous en séparent sous la forme du mental, des peurs et des désirs, de tout ce qui nous maintient dans l'illusion et le sommeil. J'emploie parfois cette image : la voie consiste à devenir complètement nu. J'ai d'ailleurs été frappé quand j'ai lu dans l'Evangile de Thomas, parmi les logions attribués au Christ : « Lorsque vous vous départez de votre pruderie et prenez vos vêtements, les déposez à vos pieds comme les tout petits enfants, les piétinez, alors vous verrez le Fils de celui qui est Vivant », 37 ; 5-11.

Certes, on n'est pas plus ou moins nu, c'est certain, mais on est plus ou moins habillé. Et, à force d'insister, comme le font certains auteurs, uniquement sur ce thème du tout ou rien, vous risquez de laisser échapper ce qui est le plus concret pour vous. S'il ne reste qu'un sous-vêtement, je ne suis pas encore nu mais je suis quand même plus proche de la nudité que si je demeure emmitouflé dans plusieurs pulls-overs. De la même manière, ces couches d'émotions, de fascinations, d'aversions, de mesquineries, d'orgueil, d'illusions sont plus ou moins denses, et un chemin progressif nous permet d'éliminer peu à peu tous les obstacles intérieurs qui nous séparent de l'*atman* ou de Dieu en nous.

Je vous suggère donc d'envisager la voie comme une progression et de moins rêver à l'éveil ou l'illumination subite. Et, de toute façon, si cet « éveil » survenait brusquement et prématurément, il vous faudrait plusieurs années pour l'intégrer. Souvenez-vous de Ramana Maharshi qui a atteint l'illumination parfaite à l'âge de dix-sept ans (les hindous expliquent que, s'il avait une telle maturité, c'est parce qu'il l'avait préparée dans des existences précédentes). Si je m'exprimais cavalièrement, je dirais qu'il a en effet réalisé le Soi mais qu'il lui a fallu trois ans pour s'en remettre. Installé dans les sous-sols du temple de Tiruvanamalaï, il se laissait dévorer par les fourmis au point que ses plaies suppuraient. On rapporte qu'il ne parlait plus et qu'on devait lui mettre la nourriture dans la bouche pour qu'il mange. En France, il aurait été immédiatement soigné. Au bout de trois ans, il s'est peu à peu remis à parler. Par la suite, il a été à la fois l'homme le plus divin aux yeux de ses admirateurs et l'homme le plus simple, le plus naturel qui soit. Dans sa jeunesse, alors qu'il était encore peu connu, il épluchait les pommes de terre à la cuisine de l'ashram. Mais il a d'abord fallu un long travail d'harmonisation de ses fonctions pour assimiler la révélation soudaine qui l'avait ébloui adolescent. On dit parfois que la « réalisation descendante » doit parachever la « réalisation ascendante », c'est-à-dire que la réalisation est parfaite une fois qu'elle est complètement intégrée et qu'elle permet de participer aisément à la vie quotidienne.

La plupart du temps, le travail de purification s'accomplit avant que ne s'opère un changement radical. Eveil est un bon mot, car il s'agit bien de se réveiller d'une manière désastreuse de percevoir et de concevoir la réalité. Plus cet éveil aura été préparé à l'avance par une transformation progressive de nos fonctions, plus la voie se présentera comme une démarche harmonieuse. Vous ne pouvez pas envoyer un courant de 360 volts dans un appareil prévu pour 110 volts. Ne soyez surtout pas impatients de connaître des expériences trop fortes avant d'être en mesure de les vivre et de les assimiler.

A propos du statut du maître après qu'il s'est éveillé, une mention spéciale peut être faite de ce qu'on appelle dans le bouddhisme tibétain le *vœu du bodhisattva* et la notion de *tulku.* Normalement, si l'on s'en tient à la théorie de la réincarnation, un maître s'étant affranchi de la ronde des naissances n'a plus de nécessité de se réincarner. Dans le bouddhisme mahayana, prendre le vœu de *bodhisattva*, c'est s'engager au contraire à revenir en ce monde aussi longtemps que tous les êtres ne seront pas émancipés, afin de soulager leurs souffrances mais surtout de les mener à la libération. Le disciple fait donc le vœu de reprendre naissance humaine, avec tous les risques de maladie, de limitations, de douleurs diverses que cela comporte, par amour pour ceux qui errent encore dans les ténèbres de l'ignorance.

Là où il y a unanimité entre les traditions, et c'est très compréhensible, c'est pour affirmer que ce qui a été vraiment accompli – c'est-à-dire lorsqu'un changement de niveau radical s'est réellement opéré – est éternel. S'il y a retour sous forme humaine, il est impossible qu'il ne subsiste pas la marque de l'évolution acquise dans l'existence précédente – même si certains éléments de *karma* doivent encore produire quelques vicissitudes.

Quel que soit le statut *post mortem* – une nouvelle incarnation ou un état de conscience décrit comme un paradis ou un enfer (chaque tradition possède ses propres descriptions à cet égard) – certains accomplissements intérieurs dans le sens du lâcher-prise sont irréversibles. « Ce que vous aurez délié sur la terre sera délié dans les Cieux. »

En ce qui concerne les *tulkus* tibétains, il est sûr qu'en les approchant de près et en les regardant vivre, on est amené à se poser quelques questions. Ces enfants sortent tellement de l'ordinaire qu'il est difficile de croire que cela provienne uniquement de leur éducation, d'autant que la plupart manifestent très tôt un caractère et un comportement exceptionnels. Leur manière d'être semble confirmer qu'ils naissent bien avec des prédispositions rares, même si cette question doit être examinée avec beaucoup de rigueur et s'il faut se garder de conclusions hâtives ou trop naïves.

*

Pour en revenir à vous et à celui qui pourra être votre maître, je peux dire que pendant longtemps on progresse et l'on est pourtant déçu. De nouveau la souffrance, l'émotion douloureuse, la peur réapparaissent. On peut s'illusionner à plusieurs reprises en croyant que le grand changement s'est produit, que l'on est vraiment passé dans un autre monde, et se rendre compte ensuite, avec un peu de lucidité, que ce changement n'a pas atteint la profondeur ultime de nous-mêmes. Puis vient enfin un moment où il est évident qu'un changement irréversible s'est produit. Il peut encore y avoir de petits nuages à la surface de la conscience mais la paix du cœur et de l'esprit n'est plus jamais remise en cause. Et cela devient une certitude que cette découverte essentielle subsistera après la mort.

Mais étant donné la difficulté de l'entreprise avant de parvenir à ce stade, nous devons être exigeants et ne pas nous mettre entre n'importe quelles mains pour être guidés tout au long de cette aventure périlleuse. Cependant, et cela ne facilite pas les choses, souvenons-nous que la réalisation intérieure d'un maître n'est pas toujours perceptible au premier abord, d'autant que certains d'entre eux font preuve de comportements déroutants. La faculté de discernement qui permet de reconnaître un maître authentique fait d'ailleurs traditionnellement partie des qualifications requises du disciple. Du point de vue des juifs orthodoxes de son époque, Jésus, par exemple, en tant qu'être humain marchant sur les routes de Palestine, se conduisait de façon plus que choquante, fréquentant ceux qui collaboraient avec l'occupant romain, se laissant approcher par des femmes de mauvaise réputation, etc.

Est-ce que la manière d'agir du *guru* est toujours compréhensible pour nous ? On peut poser cette question de façon théorique, relevant d'une certaine culture générale, d'une ouverture sur un thème intitulé : les maîtres et les disciples dans les différentes traditions. Mais en fait, s'interroger à ce sujet n'a de sens que s'il s'agit d'une question personnelle parce que vous êtes, tout d'un coup, surpris par certains comportements de votre propre *guru.* Sinon c'est encore une manière de paraître s'intéresser à la spiritualité comme on s'intéresse à la politique : au lieu d'en savoir long sur Rocard ou sur Chirac, on en sait long sur Deshimaru et sur Krishnamurti.

La manière dont les *gurus* agissent correspond donc rarement aux conceptions que nous nous faisons de la sagesse. Il s'agit d'un thème très délicat parce que le *guru* étant supposé vivre à un autre niveau que le nôtre obéit par définition à d'autres lois que celles qui nous régissent et ne peut pas agir en fonction de nos critères limités. Il serait faux de le réduire à nos mesures, de le juger à travers nos schémas personnels, lesquels ont d'ailleurs souvent leurs racines dans l'inconscient. Mais jusqu'où peut-on aller dans ce domaine ? Il est notoire qu'un maître bouddhiste très respecté, Trungpa Rinpoché, auteur de livres remarquables, a terminé sa vie alcoolique. C'est un exemple dont on a beaucoup parlé aux Etats-Unis où vivait Trungpa Rinpoché et qui a suscité de nombreuses controverses. Est-ce tout simplement scandaleux, inadmissible, ou y a-t-il là quelque chose qui nous dépasse complètement et que nous ne pouvons pas juger ? Ce que l'on peut constater c'est que le bouddhisme tibétain dans son ensemble n'a pas rejeté Trungpa Rinpoché et que les grands maîtres, eux, ne le condamnent pas.

En vérité, les comportements des maîtres hindous ou tibétains que j'ai rencontrés n'avaient rien d'inadmissible ou de scandaleux, jamais rien, moyennant un minimum d'effort de compréhension. Mais la mentalité hindoue est prête à tout excuser chez un *guru* : il voit ce que vous ne voyez pas et il est donc normal que ses actes et ses paroles ne soient pas ceux auxquels vous vous attendez ; qui plus est, les hindous n'hésitent pas à invoquer des explications faisant intervenir la prochaine existence des disciples : si un maître se conduit avec l'un d'entre eux d'une manière qui paraît cruelle vu de l'extérieur, certains iront jusqu'à dire : « Oui, mais connaissant le *karma* du disciple, il a permis à celui-ci de vivre certaines souffrances intenses qui lui éviteront plusieurs existences de purification. » Si l'on pousse ce raisonnement à l'extrême, pourquoi ne pas justifier aussi le viol d'une adolescente : par ce geste de compassion le sage a été l'instrument qui a permis à cette jeune fille de se libérer d'un très mauvais *karma* et, dans sa prochaine existence, la voie sera grande ouverte devant elle. Voyez jusqu'où on peut aller lorsqu'on considère le *guru* comme parfait. Je comprends les révoltes et les indignations que de telles conceptions peuvent faire naître. Il faut être extrêmement circonspects sur ce sujet.

Il n'en demeure pas moins que les traditions hindoue et bouddhiste sont affirmatives : on ne discute pas le *guru*. On trouve aussi dans la tradition chrétienne une attitude similaire, comme en témoigne cette recommandation de saint Jean Climaque : « Si tu vois chez ton maître, en tant qu'homme, certains défauts ou certaines faiblesses, ne t'y attarde pas. Suis ses indications, sinon tu ne parviendras à rien. » (*Philocalie*, sermon IV, 6.) Les textes tibétains sont particulièrement éloquents à cet égard : même si le *guru* est un débauché, son disciple voit le Bouddha en lui. Je ne sais pas si, personnellement, j'aurais réussi à voir le Bouddha dans un *guru* vraiment débauché mais, heureusement pour moi, il se trouve que Swâmi Prajnanpad était tout à fait l'opposé, un homme strict, vivant dans la pauvreté, la rigueur, l'austérité – tout en étant par ailleurs très souriant, manifestement heureux et débordant d'amour.

Avant de s'engager, il est tout à fait légitime d'hésiter, de réfléchir, de regarder, de se demander sur quoi on fonde sa confiance. Ne tombez pas naïvement amoureux d'un gourou pour vous retrouver, une fois la période de fascination révolue, déçu et amer. Le disciple a non seulement le droit mais le devoir de se poser certaines questions préalables mais, à partir du moment où il a choisi un maître, il faut que la confiance s'instaure. Sinon dès que le *guru* commencera avec vous le véritable travail qui lui incombe et qui passe obligatoirement par la mise en cause de vos fonctionnements habituels, vous ne serez plus d'accord avec lui, vous en conclurez que vous avez raison et qu'il se trompe : il ne me comprend pas, il ne me voit pas tel que je suis, il s'est laissé influencer par quelqu'un qui lui a parlé de moi – ou, plus subtilement encore : je ne discute pas son côté divin mais il est normal que son côté humain ait des limites, donc je ne tiens pas compte de ce qu'il me dit.

*

Un point encore : méfiez-vous de certaines idées préconçues, mais démenties par les faits, au sujet des maîtres. Beaucoup d'Occidentaux sont très attirés par l'idée que l'esprit a un pouvoir sur la matière et que le yoga est une promesse de santé. Il est exact qu'une vie de *yogi* comportant une ascèse rigoureuse, une alimentation particulière, des exercices respiratoires, de longues méditations quotidiennes, constitue dans l'ensemble un gage de santé. J'ai rencontré des *yogis* hindous et tibétains très âgés qui faisaient preuve d'une jeunesse de corps et d'esprit que l'on trouve bien rarement dans nos sociétés modernes. Krishnamacharya, par exemple, un maître très respecté de Madras, a exécuté pour son centenaire une remarquable démonstration de postures de yoga.

Mais la vérité, c'est que la quasi-totalité des grands sages finissent leur vie malades et parfois même très malades. Toutes les maladies ne sont donc pas psychosomatiques et l'expression de problèmes inconscients et de tensions non résolues. Ramana Maharshi est mort d'un cancer, Nisargadatta Maharaj et Ramakrishna également, Mâ Anandamayi était souvent malade, Ramdas était diabétique, le grand *yogi* Shivananda a fini ses jours paralysé, et on pourrait continuer la liste... C'est une réalité décevante pour l'ego qui préfère imaginer le sage comme un surhomme à l'abri de toutes les tribulations. Mais on peut aussi considérer à l'inverse que le rayonnement inaltéré d'un être humain dans un corps malade est un magnifique témoignage de liberté intérieure. Le corps se dégrade mais aucun témoin ne pourrait dire que le sage est affecté : son regard étincelant de vie et sa disponibilité demeurent. La déchéance physique qui n'altère en rien le niveau d'être devient la preuve qu'une libération est possible, que l'esprit transcende complètement le corps. Ne le sentez pas comme une cause de doute mais au contraire comme un point d'appui précieux pour votre propre démarche.

Il existe deux explications classiques, l'une c'est que ce qu'on appelle techniquement le *prârabdha karma* continue de porter ses fruits même si l'on a atteint la libération. Comme on dit en Inde, quand une flèche a été tirée, rien ne peut plus la détourner de sa cible, même si on réalise qu'on l'a tirée sur sa vache au lieu de la tirer sur un tigre. De même, si vous avez fumé toute votre vie, la libération n'est pas la garantie que vous ne mourrez pas d'un cancer du poumon. D'anciennes causes produisent leurs effets au niveau physique. Mais il existe une autre réponse à ce sujet que j'ai souvent entendue en Inde, c'est que le sage ne se protège pas et qu'à force de prendre sur lui durant toute sa vie les projections de son entourage, de prendre en quelque sorte sur lui le *karma* d'autrui, à force d'offrir son organisme physique par amour pour autrui, il finit par tomber malade. Bien sûr, une part en lui est toujours immuablement libre au niveau de la conscience ou de la profondeur de l'esprit et le sage demeure tout le temps serein, disponible, accueillant. Et, pour ceux qui l'approchent, le fait de déverser, de projeter leurs souffrances sur lui est une manière de s'en libérer peu à peu. Il est donc très compréhensible qu'au niveau de certaines fonctions puisse se produire à la longue une détérioration. Mais vous n'entendrez pas un sage dire qu'il est malade. Il parlera en général de sa maladie de façon très impersonnelle en disant par exemple : « Il y a une intense douleur au niveau cardiaque. »

En fait, c'est un très bel enseignement de voir un sage, homme ou femme, à la fois visiblement atteint au niveau physique et complètement libre à un autre niveau. On a alors sous les yeux l'illustration vivante de la célèbre formulation védantique : Je ne suis pas ce corps périssable, je ne suis pas...

tout ce qui est reconnu comme relatif. Le sage nous prouve que ces paroles ont un sens et qu'elles sont vraies. En ce qui me concerne, j'ai trouvé particulièrement convaincant l'exemple du célèbre Swâmi Sivananda Sarasvati à Rishikhesh qui avait été un grand *yogi* (et dont l'ashram a formé tant d'enseignants de yoga) et qui est mort presque paralysé. Il ne quittait plus une chaise longue et tout le monde savait qu'il allait mourir. Mais plus il se dégradait physiquement, plus son rayonnement devenait manifeste. Son visage était devenu d'une beauté radieuse, inoubliable.

Certains sages développent aussi des maladies très mystérieuses en apparence. Ils manifestent toutes sortes de troubles tout en demeurant extrêmement actifs. On croit toujours qu'ils sont sur le point de mourir mais ils vivent encore vingt ans. Les maladies des sages rendent d'ailleurs les médecins fort perplexes car on peut répertorier certains symptômes connus mais, en même temps, les choses ne se passent jamais comme elles devraient se passer d'un point de vue médical ! Avec les sages, tout est possible y compris l'incompréhensible. Ce qui ne veut pas dire qu'un sage ne se soigne pas. Ramdas était diabétique mais on lui faisait tous les jours une ou deux piqûres d'insuline. Evidemment, un sage refusera certains types de traitements : on n'administre pas de la morphine à un *jivanmukta*[1] parvenu au stade ultime de la libération – et du sarcome. A part cela, les sages se soignent, ne

1. Ce terme sanscrit s'applique au sage ayant atteint l'ultime libération.

serait-ce que par amour pour les disciples, afin de rester encore un peu plus longtemps disponibles pour eux. Mais n'en concluons pas qu'ils sont attachés à l'existence.

Approcher un sage, s'engager auprès d'un *guru*, c'est s'attendre à des surprises et à des étonnements, s'attendre même à être dérouté. L'apprenti-disciple devra apprendre à concilier bon sens élémentaire et ouverture d'esprit, lucidité et confiance. Nous savons combien d'hommes et de femmes se sont laissé éblouir – et souvent pendant des années – par de prétendus gourous incompétents voire dangereux. Mais nous savons aussi que d'autres se sont détournés d'un maître qui n'était que compassion parce que celui-ci ne s'était pas incliné devant leur propre mental.

Avant de s'engager, il est tout à fait légitime d'hésiter, de réfléchir, de regarder, de se demander sur quoi on fonde sa confiance. Ne tombez pas naïvement amoureux d'un gourou pour vous retrouver, une fois la période de fascination révolue, déçu et amer.

CHAPITRE IV

LE DROIT DE DOUTER

Nous vivons une époque qui ne peut qu'engendrer le doute envers l'institution pourtant si sacrée dans tout l'Orient de la relation de maître à disciple. Depuis quelques décennies, la situation devient de plus en plus confuse à cet égard. Dans ma jeunesse, le contexte rendait les choses beaucoup plus simples : les sectes avec leurs pseudo-maîtres spirituels ne foisonnaient pas comme à l'heure actuelle et le New-Age n'avait pas encore fait son apparition ; quant aux médias, outre le fait que les scandales et parfois les drames liés aux sectes n'existaient pour ainsi dire pas, ils n'avaient pas alors le pouvoir d'amplifier un événement qu'ils ont acquis depuis.

Par ailleurs, ceux que ces questions intéressaient étaient beaucoup moins nombreux qu'aujourd'hui et ils savaient à peu près à quoi s'en tenir. On apprenait qu'il existait en Algérie ou au Maroc un maître soufi de grande envergure. Nous savions, nous Français, notamment par les livres de Jean Herbert, que vivaient en Inde des sages tels que Mâ Anandamayi, Ramana Maharshi, Swâmi Ramdas, Swâmi Shivananda et d'autres dont la réputation était tout à fait justifiée. La plupart des Occidentaux pouvaient se rendre en Inde en toute sécurité, ils étaient en mesure de vérifier par eux-mêmes que ces hommes ou ces femmes dont ils avaient entendu parler étaient vraiment des êtres remarquables. Ils découvraient aussi, par le bouche à oreille, des maîtres moins connus mais en face desquels ils partageaient la conviction et la ferveur des hindous. Je pense notamment au Swâmi Gnanananda, le *guru* du Père Le Saux – ce moine bénédictin dont la vie a été d'abord déchirée puis partagée entre son rattachement au christianisme et son émerveillement devant le *Védanta* hindou. En ce qui concerne le bouddhisme tibétain, nous avions certaines garanties du fait qu'il s'agit d'une forme religieuse et spirituelle organisée, contrairement d'ailleurs à l'hindouisme qui admet en son sein une multitude de croyances mais qui ne comporte aucune hiérarchie. Le seizième Karmapa, Kalou Rinpoché, Kangyur Rinpoché et bien d'autres faisaient l'unanimité dans leur propre tradition et il suffisait d'être en leur présence pour sentir qu'ils étaient établis à un niveau d'être radicalement différent du nôtre. Mais, dans le monde actuel, nous entendons parler de gourous en tous genres, qu'ils soient d'exportation orientale, si je puis dire, ou qu'il s'agisse d'Occidentaux, au sujet desquels on se pose beaucoup de questions.

C'est un thème très délicat. En effet, si l'on admet par définition que le maître a une perception de la réalité différente de la nôtre – et, pour commencer, de la réalité relative, ce que les hindous appellent « le monde phénoménal » –, qu'il voit cette réalité avec d'autres yeux, c'est-à-dire qu'il est capable de l'appréhender dans sa profondeur et dans sa dynamique, nous sommes obligés d'admettre aussi que tous les comportements du maître ne sont pas réductibles à nos catégories. Si on pouvait donner des critères très précis de ce qui qualifie un maître et de ce qui le disqualifie, ce serait plus simple mais on ne le peut pas. Dans certaines traditions, cette justification des comportements du maître par une sagesse, un point de vue transcendant qui lui permet de connaître tous les tenants et aboutissants d'une situation et de prévoir le déploiement d'un destin dans le temps peut aller jusqu'à justifier ce qui apparaît comme un échec ou un désastre dans la vie du disciple. Vu de l'extérieur, que peut-on opposer à ce genre de conviction, sinon s'indigner purement et simplement ?

Qui est un maître, qui ne l'est pas ? En principe, sauf quelques rares exceptions, un maître s'insère dans une tradition. Même Ramana Maharshi, dont on sait qu'il a connu l'éveil soudain à l'âge de dix-sept ans, s'est tout naturellement intégré dans la tradition hindoue. C'est une première question que nous pouvons nous poser : d'où provient l'enseignement de ce maître ? Qui a été son propre maître, qui l'a formé ? A défaut d'avoir été officiellement « intronisé » si je puis dire, a-t-il en tout cas reçu la bénédiction de son maître pour transmettre l'enseignement ?

Vous savez qu'il existe en Inde une expression éloquente, *self-appointed guru*, pour désigner celui qui s'est auto-proclamé gourou. Or, on ne se déclare pas gourou soi-même, jamais : ou bien, à l'intérieur d'une filiation précise, un maître qui a lui-même été disciple et qui est au service de cette lignée transmet le flambeau à un ou plusieurs disciples en leur demandant d'enseigner à leur tour ; ou bien, si quelqu'un a spontanément atteint l'illumination (le cas est rarissime mais il a existé), des personnes qui sont subtilement attirées par son rayonnement, le rencontrent, lui posent des questions et un ashram finit par se créer naturellement autour de lui. Mais ce n'est jamais lui qui décide : « A partir de maintenant, je mets ma plaque de gourou sur ma porte, j'inscris ce titre comme profession sur ma carte de visite et je commence à faire de la publicité pour avoir des disciples. »

Oui, qui est un maître, qui ne l'est pas ? A qui puis-je faire confiance ? Est-ce que dans deux ou trois ans, je me réveillerai de mes illusions ? Des doutes peuvent naître au sujet de maîtres spirituels ayant une certaine notoriété, publiant des livres, qu'ils soient occidentaux ou orientaux, et il est normal de se poser des questions si l'on souhaite par exemple faire un voyage en Inde pour y recevoir certaines inspirations – à défaut d'une direction suivie pendant des années – et savoir en qui on peut avoir confiance. J'ai moi-même éprouvé des doutes en face de Mâ Anandamayi : « Comment peut-elle laisser proclamer qu'elle est la Mère universelle et tolérer en même temps que les règles de castes règnent dans son propre ashram ? » Dans l'ashram de Mâ, un étranger est presque pire qu'un intouchable ; les hindous vous disent : « Vous n'êtes pas *outcast*, vous êtes *castless* », vous n'êtes pas hors caste, vous êtes sans caste. Que de fois les portes se sont fermées devant moi au moment où je voulais entrer ! C'est une magnifique école d'être du mauvais côté de la barrière et on peut le prendre comme un grand enseignement.

Mais il arrive aussi que l'on doute d'un maître avec qui s'établit une relation plus étroite. Et ces doutes-là sont inévitables. Dans un de ses ouvrages sur Swâmi Prajnanpad, Daniel Roumanoff a exprimé les doutes qui ont été les siens – et je pourrais dire qui ont été les nôtres – envers son propre maître, bien que Swâmiji ait été l'opposé d'un homme déroutant comme Gurdjieff ou même d'un homme comme Senseï Deshimaru que j'ai côtoyé jour et nuit pendant des mois au Japon quand nous tournions des films. Swâmiji, par son austérité, prêtait peu le flanc à la critique. Néanmoins, des doutes nous sont venus à l'esprit. « Est-ce qu'il peut se tromper ? Et s'il se trompait ? » Et en 1974, juste avant de me retirer en Auvergne pour fonder le Bost, j'ai demandé à deux swâmis de l'ashram de Mâ Anandamayi s'ils n'avaient jamais douté de Mâ. Et les deux m'ont répondu : « Si, nous avons eu des doutes. Par moments, nous ne comprenions plus son comportement. »

Premier point : vous ne trouverez aucun sage, quel qu'il soit, qui fasse l'unanimité. Je n'ai jamais vu un maître spirituel ou un sage, obscur ou célèbre, qui n'ait pas été critiqué.

Mâ Anandamayi a été ridiculisée dans le livre *Le Lotus et le Robot* du célèbre écrivain Arthur Koestler à une époque où les livres de cet auteur, *Le Zéro et l'Infini*, *Le Yogi et le Commissaire,* étaient des best-sellers dans le monde entier. Elle a aussi été attaquée par un équivalent de *Match* en Inde, le *Indian Weekly*, dans un article virulent intitulé : « La Sainte des capitalistes et des maharajas ». Le grand indianiste français Alain Daniélou a donné cette description de Ramana Maharshi : « C'était un personnage insignifiant, énormément gras, qui... prononçait parfois quelques mots d'une écœurante banalité. » Les sages peuvent donc avoir des milliers d'admirateurs dont certains leur demeurent fidèles durant leur existence entière sans pour autant échapper à la controverse. Les êtres humains ont des sensibilités différentes, ils vivent dans des mondes subjectifs différents, ils perçoivent donc différemment une même réalité. Encore une fois, personne n'a jamais fait l'unanimité, pas plus les sages ou les maîtres que les hommes ou les femmes célèbres, quels que soient leurs mérites.

D'autre part, mise à part la confiance aveugle et naïve que certains ont témoignée à leur maître quelles que soient les aberrations de son comportement, il a existé dans l'histoire de plusieurs traditions (sinon dans le christianisme proprement dit) des maîtres authentiques dont le comportement était pour le moins déroutant. C'est un thème qui connaît aujourd'hui une certaine vogue sous le vocable anglais de *crazy wisdom,* la sagesse folle. On qualifie même certains maîtres de *uncanny,* c'est-à-dire étrange, bizarre.

Une sentence dit : « Un homme se trompe, une génération se trompe, l'humanité ne se trompe pas. » Un homme qui usurpe une réputation de sagesse peut connaître une grande notoriété de son vivant mais celle-ci ne subsistera pas à travers les siècles. Par contre, la réputation de maîtres au comportement tout à fait déroutant a subsisté intacte à travers les siècles. Mais si nous admettons que le comportement d'un sage peut parfois être incompréhensible, sur quel critère nous fonder pour savoir si nous pouvons lui accorder notre confiance ?

Dans tout ce que l'on entend dire sur tel ou tel *guru,* que ce soit par le bouche à oreille ou la lecture d'un article dans une revue consacrée à l'ésotérisme ou au New-Age, se mêlent des informations véridiques mais qui ne sont pas situées dans leur juste perspective et des informations non vérifiées qui peuvent relever de purs malentendus et sont ensuite colportées sans aucune discrimination. Et ces informations, nous les recevons chacun à travers notre sensibilité particulière. Je parle là d'une manière générale mais prenons les exemples les plus connus mondialement. Certains ont eu les plus grands doutes au sujet de Rajneesh, d'abord appelé Bhagwan et ensuite Osho, et se sont posé de très douloureuses questions sur ce qui s'est vraiment passé en Oregon ; d'autres lui conservent une fidélité indéfectible. Certains ont été très déroutés par le fait que le maître tibétain Trungpa Rinpoché, dont l'action a connu un grand retentissement aux Etats-Unis et pratiquement dans le monde entier grâce à la traduction de ses livres, ait terminé sa vie dans l'alcoolisme. Et pourtant je vous ai dit que l'ensemble des maîtres et *lamas* tibétains les plus sérieux, pour ne pas dire les plus austères, le considèrent toujours comme une grande figure du bouddhisme tibétain du XXe siècle. D'une part, le fait qu'un maître soit très critiqué ne veut pas dire que ces critiques soient fondées et, d'autre part, un comportement paradoxal n'est pas en soi une preuve irréfutable de l'absence de qualification d'un maître. Ce sujet épineux suppose donc que nous fassions preuve d'une grande discrimination et de beaucoup de sobriété car nous manquons de critères certains dans ce domaine.

Il faut bien voir que si la notion de maîtres et de disciples est bien intégrée dans la société musulmane traditionnelle, dans l'hindouisme et dans le bouddhisme, elle est mal ressentie par la majorité de l'opinion française et notamment chez les chrétiens. Mon propos n'est pas de parler ici de la crainte de maîtres charlatanesques mais de l'idée même de la relation de maître et de disciple perçue comme une aliénation inacceptable.

Pour beaucoup de chrétiens, il n'existe qu'un seul maître, c'est Jésus-Christ et personne d'autre. Il n'y a que la hiérarchie, le magistère de l'Eglise, les prêtres, les sacrements. Des guides spirituels ont pourtant existé au sein même du christianisme à toutes les époques. On recommandait avec insistance de toujours s'en remettre aux directives d'un Ancien, depuis l'abbé qui incarnait cette fonction pour les moines de son monastère, en passant par les directeurs spirituels chargés de guider les fidèles qui souhaitaient approfondir leur foi et sans oublier les fondateurs d'ordre qui jouaient eux-mêmes ce rôle. Mais la réaction est aujourd'hui si forte que cette donnée traditionnelle est presque complètement occultée de nos jours. Donc, le fait même de parler d'un maître ayant des disciples apparaît pour une large part de notre société française comme totalement incongru. Même si la plupart des maîtres respectables se montrent très attentifs à ne pas choquer et à s'intégrer dans notre société, des réactions négatives ne sont pas évitables. Récemment, j'ai eu sous les yeux la réponse manuscrite d'un prêtre qui nourrissait de grandes craintes à l'égard d'Arnaud Desjardins et à qui un autre prêtre avait écrit pour le rassurer. La lettre se terminait ainsi : « Etes-vous quand même vraiment sûr qu'Arnaud Desjardins ne serait pas un maître qui aurait des disciples ? »

Il y a quelques années, j'ai trouvé dans un magazine un petit « lexique pour s'y retrouver ». Parmi les définitions des mots *yoga* et *samadhi* figurait celle de gourou : « Personnage douteux exerçant une influence néfaste sur des âmes faibles » et dans un autre : « aigrefin abusant de la crédulité des naïfs ». Ces définitions négatives et sans nuances reflètent bien la tendance actuelle. On amalgame le parfait charlatan mû par ses pulsions égoïstes avec l'être réalisé, animé par la compassion, libre de ses mécanismes psychologiques et situé sur un autre plan de conscience. Dans ce contexte, la relation la plus sacrée entre toutes est a priori sujette à caution et cette institution – la transmission directe de maître à disciple – vieille de plusieurs millénaires qui a inspiré et nourri des milliers de chercheurs et assuré la pérennité de toutes les traditions est aujourd'hui en passe de devenir hors la loi.

*

Lorsque nous approchons un maître ou un sage, que ce soit pour nous engager auprès de lui et accepter sa direction spirituelle ou que ce soit simplement pour nous ouvrir à son influence ou éventuellement poser une question qui va éclairer notre compréhension, il est bien entendu que nous nous adressons à lui parce que nous supposons qu'il voit clair là où nous ne voyons pas clair. Si nous étions convaincus que nous en savons autant que lui, pourquoi irions-nous rechercher son aide ? Il n'est pas question d'une confiance aveugle au sens où quelqu'un qui aurait une vision parfaite de la réalité et une totale lucidité fermerait les yeux pour s'en remettre à un autre, il est question de la confiance d'un aveugle qui ne voit pas et qui demande au maître : « Vous qui voyez, pouvez-vous me guider ? » L'expression « confiance aveugle » signifie confiance d'un aveugle. Si un aveugle nous demande : « Pouvez-vous m'aider à traverser ce carrefour ? » quand nous lui disons : « Arrêtons-nous, le feu est rouge pour les piétons », il nous fait confiance ; et quand nous lui disons : « A présent, nous pouvons traverser », il nous fait aussi confiance. On pourrait dire que toute la question réside là : « Est-ce que je suis convaincu que cet homme, cette femme, a perdu des illusions auxquelles je suis encore soumis et peut donc m'éclairer ? »

Partons du point de vue que le maître auquel je m'adresse est un maître authentique. Tant que le maître me « caresse dans le sens du poil », tant que l'ego peut récupérer la *sadhana* (« Mon maître, j'ai un maître... »), tant qu'il me semble qu'il me confirme, les doutes ne naîtront pas. Mais dès que son attitude vient heurter les convictions erronées de mon propre mental, il est probable que je vais réagir et chercher à le prendre en défaut. C'est un mécanisme très connu : pendant un an, deux ans, quelqu'un ne jure que par un certain *guru* et puis, sans que l'on comprenne très bien pourquoi, trois ans plus tard, il le traîne dans la boue au lieu de se contenter de dire : « Je me suis séparé de lui... » Tôt ou tard mais inévitablement surgira le conflit entre le mental, le Malin, le Menteur, et ce que le maître tente de nous montrer. A ce moment-là, des arguments que nous aurions récusés avec indignation quelques années plus tôt nous viendront à l'esprit pour étayer nos doutes.

Les critiques formulées à l'encontre des maîtres – et là je parle de maîtres qualifiés pour jouer le rôle qu'ils assument – s'exercent selon quatre lignes principales qui correspondent aux domaines dans lesquels l'ego s'enracine. Le premier domaine tourne autour de la notoriété : orgueil de la réussite ou humiliation de l'échec. Le deuxième domaine est celui du pouvoir que l'on peut exercer ; vous avez plus de pouvoir, même en démocratie, si vous tutoyez deux ou trois ministres que si vous êtes, comme disent les Polytechniciens, le citoyen « lambda » qui ne connaît personne. Le troisième domaine est l'argent et le quatrième, la vie affective et sexuelle. Ces quatre grands secteurs autour desquels s'organisent harmonieusement ou douloureusement nos existences sont au cœur de toutes les voies, y compris la voie de celui qui a renoncé au monde pour aller vivre à tout jamais dans un monastère zen ou cistercien. Et qu'il s'agisse d'un maître renommé dont la célébrité est à nos yeux méritée ou usurpée par une aberration du monde moderne qui a porté aux nues un charlatan ou qu'il s'agisse d'un maître authentique mais peu connu, c'est dans ces quatre domaines que va se déployer le jeu des projections, des émotions, des doutes, des justifications forcenées du disciple qui ne supporte pas que l'on attaque son maître, etc.

Depuis que j'entends dire du bien ou du mal de tel ou tel maître, quel qu'il soit, c'est toujours dans ces différentes lignes. Le maître gagne de l'argent, il s'enrichit. S'il est célèbre, il roule en Rolls, il possède un hélicoptère personnel, on lui bâtit des appartements luxueux. Je me souviens d'une information naïve que j'avais lue autrefois concernant un jeune gourou indien mondialement connu : « Nous avons aménagé pour Maharaj l'appartement le plus luxueux qui ait jamais existé pour un gourou, les robinets des salles de bains et les poignets de porte sont en or massif. » Il est vrai que, de même que l'on pense que rien n'est trop beau pour Dieu et que les plus grands chefs-d'œuvre de l'art font partie du trésor des églises, on a souvent pensé aussi que rien ne serait trop beau pour le *guru.* Si c'est ainsi que les disciples voient les choses, cela n'implique pas que le maître, lui, soit attaché à ce luxe. De grands doutes cependant peuvent se lever. « Est-ce que le *guru* est désintéressé financièrement ? » La tradition affirme que le maître est libre de l'argent, qu'il est équanime, détaché et serein aussi bien dans la richesse que dans la pauvreté. Si le maître vit dans une réelle pauvreté, comme c'était le cas de Swâmi Prajnanpad, la question ne se pose pas. Mais s'il vit au contraire dans un très grand ashram, qu'il voyage beaucoup (comme c'est le cas de certains *gurus* qui ont de nombreux disciples à travers le monde), des questions se posent. Est-il vraiment libre ? « Je serais nettement plus convaincu si je le voyais dans la pauvreté plutôt que de le voir dans la richesse même en supposant qu'intimement et profondément il en est libre. » Naturellement, cela dépend de la subjectivité de chacun. Si vous êtes parfaitement à l'aise par rapport au thème « richesse et pauvreté », que cela ne pose pas de problème pour vous, ni conscient ni inconscient, cela ne vous gênera pas de savoir que le maître dispose de certains moyens financiers et ce n'est pas sur ce thème-là que vous buterez.

Quand Swâmi Prajnanpad a accepté de venir passer six mois en France à notre demande, nous l'avons fait voyager en première classe sur Air India et nous avons même loué la place qui était devant lui et fait dévisser le siège afin qu'il puisse s'étendre. Nous étions huit Français qui gagnions notre vie à peu près convenablement mais aucun d'entre nous n'était richissime et nous étions heureux de faire des sacrifices financiers pour lui assurer un maximum de confort. Il s'agissait de considérer – comme on le fait généralement – le maître comme précieux et de lui éviter toute fatigue. Ce soin accordé à la personne physique du maître n'a rien à voir avec un luxe inutile.

Le deuxième thème est celui du pouvoir (c'est d'ailleurs un des critères que l'Association pour la Défense des Familles, l'UNADFI, considère comme fondamental pour apprécier si un mouvement doit être ou non considéré comme une secte). Il est exact que, du moins en apparence, le maître se trouve dans une situation de pouvoir vis-à-vis de ses disciples, comme un professeur peut l'être avec ses élèves ; certains disciples se mettent eux-mêmes dans une situation de très grande dépendance vis-à-vis de leur maître quitte à s'en mordre les doigts ensuite. Est-ce que cette étape va être provisoire, l'intention du maître étant de les conduire non pas à lui mais à eux-mêmes, à leur propre liberté ? Toute la question est de savoir si le maître est libre ou non dans ce domaine. Le pouvoir exercé par le maître choque énormément l'opinion publique et suscite de grandes craintes. Comment quelqu'un peut-il s'arroger cette autorité sur autrui qui revient à dire : « Moi, je sais ; vous, vous ne savez pas. Moi, je suis éveillé ; vous, vous dormez. Moi, je vois ; vous, vous ne voyez pas. Moi, j'ai atteint la sagesse ; vous, vous errez dans les ténèbres de l'illusion. » Même si aucun sage ne s'exprime aussi crûment, ces qualifications, selon la tradition, font partie des attributs du maître. Est-ce que le maître est flatté dans son besoin de pouvoir et d'autorité ? Si un *self-appointed guru* dont le mental n'est pas radicalement détruit, l'ego suffisamment effacé et l'inconscient mis au jour utilise les disciples pour satisfaire une volonté de puissance, c'est grave et il est tout à fait légitime de réfléchir à deux fois avant de s'engager. Swâmiji disait : « *You have the right to test the guru* », « vous avez le droit de tester le *guru* ». Ce qui fait, entre autres, la qualification du maître mais aussi la qualification du disciple, c'est sa capacité de discrimination dans ce domaine pour éviter de s'en remettre à quelqu'un qui n'est pas digne de confiance ou au contraire de laisser échapper un maître authentique. C'est au disciple qu'il incombe de ne pas suivre n'importe quelle impulsion émotionnelle (depuis la suspicion systématique jusqu'à la naïveté totale) et d'essayer de sentir ce qu'il en est vraiment.

Troisième domaine, le fait d'être reconnu, la gloire, la célébrité. On peut être célèbre sans être une des plus grandes fortunes de France ou du monde et on peut être célèbre sans avoir le pouvoir d'un chef de cabinet de ministre ignoré du public et que personne ne reconnaît dans la rue. Vu de l'extérieur, le fait qu'un maître soit entouré d'admirateurs qui se prosternent devant lui peut donner lieu à toutes les critiques même si le maître s'incline lui-même devant les disciples en hommage à la part divine, au Soi, qui est en eux (mais ce n'est pas toujours le cas ; la plupart des *rinpochés* ou des swâmis hindous reçoivent l'hommage des disciples et n'y répondent qu'intérieurement). Cette glorification, pour ne pas dire cette divinisation de certains maîtres comme c'est le cas en Inde où le *guru* est considéré comme l'égal de Brahma, Vishnu et Shiva, fait lever de vives réactions dans l'opinion occidentale. Le contexte est cependant tellement différent du nôtre qu'il est difficile de se faire une idée juste en la matière. C'est souvent vite fait d'accuser (je pose la question : à tort ou à raison ?) le maître d'orgueil ou de vanité et d'être gratifié par ces marques d'honneur.

Et puis, quatrième domaine qui implique là aussi tout être humain et à l'intérieur duquel tout être humain, peu à peu, se rapproche de la libération : la vie sexuelle. Il ne faut pas considérer que l'abstinence des grands *yogis* est la règle. Il existe des *gurus* mariés et pères de famille. C'est notamment le cas de la plupart des maîtres soufis et de certains *gurus* tibétains. Dudjom Rinpoché, qui jouissait d'un grand prestige dans la tradition tibétaine, était divorcé et remarié. Certains maîtres sérieux ont eu une vie sexuelle très libre. On dit que Gurdjieff a eu des relations sexuelles avec d'autres femmes que son épouse, y compris du vivant de celle-ci. Des élèves de Gurdjieff qui ont vécu auprès de lui témoignent qu'à certaines époques il paraissait vivre dans une continence presque absolue et qu'à d'autres époques *« it seemed as if his sexual life had gone wild »,* « il semblait que sa vie sexuelle était complètement débridée ». Inutile de dire que beaucoup de personnes ont douté de Gurdjieff et l'ont même jugé et discrédité. Cinquante ans après sa mort, Gurdjieff continue cependant à inspirer de nombreux chercheurs et sa notoriété ne cesse de grandir aux Etats-Unis ; on rédige même des thèses de doctorat sur son œuvre.

Un maître peut être pleinement qualifié tout en ayant apparemment une assez grande liberté sexuelle, bien que cela risque d'engendrer – évidemment – beaucoup de confusion. Là non plus, il n'y a pas de règle vraiment stricte ni de déontologie codifiée face à laquelle tout manquement apparaîtrait comme une faute. S'il pouvait être dit une fois pour toutes, comme une loi, que seul est qualifié pour être maître celui qui n'a plus aucune vie sexuelle d'aucune sorte, ce serait plus simple. Mais cela n'a jamais été le cas.

C'est donc au sein de ces quatre domaines – la puissance ou le pouvoir, la richesse, la gloire ou la célébrité à tous les niveaux (donc la vanité) et la vie amoureuse et sexuelle – que se déroulent nos existences et que s'exprime le maître dans sa liberté ou le charlatan dans son esclavage personnel.

*

Il s'agit d'un thème sur lequel il est tout à fait inutile de fermer les yeux car ce n'est pas en réprimant, en refoulant des doutes, que vous progresserez. Tout disciple doit être prêt sans se troubler, sans se sentir désemparé, sans se fâcher, sans réagir, à entendre, peut-être même à lire, des critiques sur la voie et sur l'institution des maîtres et des disciples en général ou sur la voie précise dans laquelle il est engagé et le maître auquel il fait confiance. Ne demandez pas au monde d'être ce qu'il n'a jamais été et ne sera jamais, une unanimité. Soyez prêts à laisser monter vos propres doutes, soyez prêts à entendre avec le cœur ouvert, dans la sympathie, les critiques les plus sévères et à être en communion avec celui ou celle qui les exprime ou qui les écrit.

Le fait d'être plusieurs à partager le même avis, que ce soit pour critiquer un *guru* ou pour l'encenser, n'est pas un critère suffisant – bien loin de là – pour avoir une opinion fondée sur un maître. Vous connaissez peut-être ce dessin humoristique où l'on voit des moutons agglutinés les uns contre les autres qui se pressent sur une falaise et se précipitent dans le vide : et au milieu du troupeau, un seul et unique mouton se fraye un passage à contre-courant, en s'excusant poliment du dérangement auprès de ses congénères. Il peut arriver que l'on soit seul contre tous à avoir raison. Je me souviens aussi d'un documentaire sur l'invasion nazie dans les pays d'Europe centrale lorsque les foules accueillaient les nazis comme des libérateurs et un homme au cours de l'émission témoignait de ce qu'il avait personnellement vécu à cette époque en disant : « Je savais que tout le monde se trompait mais je me suis mis à douter, pensant que je ne pouvais pas être le seul à voir clair. »

Cependant, tout en maintenant que nous touchons à un

domaine dans lequel il existe peu de critères objectifs et de repères précis, il est quand même vrai aussi que si certains se sont égarés ou ont perdu leur temps en se croyant engagés sur une voie dans laquelle ils avaient mis leurs espérances, beaucoup en revanche ont été très aidés par leur engagement auprès d'un maître. La situation n'est donc pas uniquement confuse ou troublante.

La première question que vous pouvez vous poser, c'est de savoir si vous ressentez la nécessité vitale d'une aide, avec la certitude « que vous ne vous en sortirez pas tout seul ». Il ne s'agit pas en l'occurrence d'un manque de confiance en soi au sens psychologique ni d'une attitude infantile mais de la conviction que les mécanismes du sommeil et de l'aveuglement sont trop puissants pour que vous puissiez faire l'économie d'une aide extérieure. Et vous pouvez, quand des craintes vous viennent à l'esprit, vous demander si ce maître dont vous doutez a été, jusqu'à présent, bénéfique. Dans quelle mesure ce qui fait lever en vous des doutes – quoi que ce soit dans les quatre lignes que j'ai signalées tout à l'heure – vous fait ou vous a fait du tort personnellement ? Cette question simple donne déjà certains éléments de réponses. Que le comportement d'un maître me heurte n'est pas en soi un critère suffisant car il s'agit peut-être d'un domaine dans lequel je suis particulièrement prisonnier et, si c'est le cas, le fait d'être choqué ou d'avoir mal peut représenter une occasion précieuse de me libérer de certains conditionnements. Vous ne vous engagez pas auprès d'un maître pour que, comme je le disais tout à l'heure, il vous caresse indéfiniment dans le sens du poil : « Tu es la plus belle, tu es la plus intelligente, c'est parce que tu es supérieure aux autres que tu échoues dans l'existence. Comment une personne d'un niveau tel que toi pourrait-elle réussir dans ce monde où ne règne que la médiocrité ? » Les charlatans existent, ils connaissent très bien ce genre de tactique et l'utilisent superbement : chaque disciple est informé confidentiellement qu'il est le meilleur et le préféré.

Il est évident que la relation avec le maître, par moment, peut vous faire mal. Mais je prétends que le maître ne vous fera jamais du mal.

Le deuxième indicateur serait de vous demander si la disparition de ce maître dont vous n'aimez pas tel ou tel aspect représenterait pour vous une perte inestimable ou non ? Je dois vous dire qu'en ce qui concerne ma propre relation avec Swâmiji, dans les moments où je renâclais, où je cherchais à le prendre en faute pour me justifier, la simple prise de conscience que sa mort serait un désastre pour moi du point de vue de mon cheminement suffisait à remettre les choses à leur place et à me rendre sérieux. Si vous sentez que vous avez trouvé un enseignement méthodique et concret avec un vocabulaire précis que vous comprenez et un maître en mesure de vous consacrer du temps, sachez faire la différence avec l'accumulation de rencontres passagères. Avoir un entretien par an à travers un interprète avec un maître hindou ou tibétain ou être pris dans ses bras par Mâ Amritanandamayi quand elle vient en France chaque année ne constitue pas une voie complète ni un enseignement cohérent.

Autrefois, en Inde, le fait qu'un maître soit reconnu par d'autres était considéré comme un critère. Swâmi Shivananda de Rishikesh n'avait aucune difficulté pour admettre la grandeur de Ramdas, de Mâ Anandamayi et de Ramana Maharshi. Et Ramdas n'avait aucune difficulté pour demander à Shivananda de rédiger la préface d'un petit livre de lui et pour afficher une belle photo de Ramana Maharshi dans son ashram. Jean Herbert insistait beaucoup sur ce critère de reconnaissance des maîtres entre eux.

La situation est devenue plus confuse à présent parce que les maîtres portent très rarement de jugement ou, s'ils le font, c'est dans l'intimité, comme une parole qui est dite à un disciple précis et que celui-ci n'a pas à répéter. Mais rien ne transparaîtra de leur opinion à l'extérieur. Nous pouvons donc parfois être surpris de voir tel grand *rinpoché* tibétain ou swâmi hindou avoir l'air de prendre au sérieux quelqu'un qui ne mérite pas leur confiance. Je me souviens par exemple d'un « farfelu » (si vous permettez ce terme) qui, après deux séjours rapides en Inde, s'était intitulé « *lama* tibétain » et avait fondé un centre de *tantrayana*, à une époque où l'on commençait tout juste à découvrir le monde des réfugiés tibétains. Il avait acquis une cloche et un dorje, noté quelques *mantrams* tibétains et il se livrait à diverses cérémonies et rituels. Or un grand *rinpoché* a accepté de lui rendre visite. Consternation des milieux favorables au bouddhisme tibétain en France : « Il cautionne ce charlatan ! » J'ai pu en parler au « bras droit » du grand maître en question qui m'a répondu : « Comme de toute façon il continuera, comme de toute façon il y aura du monde chez lui, le maître y est allé pour apporter une certaine bénédiction. Il y aura au moins dans ce centre la bénédiction que le *rinpoché* y aura déposée. »

Même si nous ne pouvons plus complètement nous appuyer sur la reconnaissance d'un maître par d'autres sages, il s'agit cependant d'un critère à prendre en considération. Par qui ce maître occidental ou oriental est-il authentifié ? Et quand je dis « par qui », je parle de personnes qui sont elles-mêmes insérées dans une tradition et y font autorité. Il est normal que vous fassiez des rencontres, que vous ayez un esprit ouvert, que vous n'ayez pas des œillères, que vous ne soyez pas sectaires. Mais j'ai souvent été frappé par la naïveté avec laquelle on porte aux nues un « maître » sans avoir pris la peine de se renseigner et de vérifier sa filiation. « J'ai découvert un maître, il m'enseigne un yoga tibétain très secret. » Comment est-il situé dans l'ensemble du bouddhisme tibétain ? A-t-il été initié dans la tradition *kelugpa, kagyupa, nyingmapa, sakyapa* ? Quels sont les *rinpochés* dont il se réclame, quels sont les *lamas* qui lui ont donné sa formation ? Qui cautionne le maître en question ? Si vous ne recevez aucune réponse dans ce domaine, la prudence s'impose.

Prenons le cas d'un maître hors normes, parfois déroutant, comme l'Américain Lee Lozowick qui est venu plusieurs fois à Font-d'Isière puis à Hauteville et à qui m'unit un sentiment d'amour fraternel. Voilà typiquement le genre d'instructeur sur l'apparence duquel on peut se poser certaines questions. Mais la ferveur de son sentiment pour son *guru*, Yogi Ramsuratkumar, et pour le *guru* de son *guru*, Swâmi Ramdas, est un facteur dont on peut tenir grand compte parce qu'il témoigne du rattachement de Lee Lozowick à une lignée. De façon générale, le *self-appointed guru* ne peut avoir de valeur qu'à titre tout à fait exceptionnel, la règle étant que le maître s'insère dans un ensemble, et non pas un ensemble mystérieux mais un contexte concret : l'ashram où il a été formé et le ou les maîtres qui lui ont montré une certaine considération (tout en nous souvenant que certains maîtres, pour des raisons très particulières, montreront une considération apparente pour quelqu'un qu'ils ne peuvent pas véritablement cautionner et se montreront par contre parfois très fermes avec leurs meilleurs disciples). C'est à nous d'essayer de voir, voir lucidement et non pas penser et interpréter.

*

Au moins un point doit être clair : si vous vous targuez d'être disciples et de suivre un enseignement spirituel, vous devez faire preuve de rigueur et observer une certaine discipline de pensée. Vous ne pouvez plus gamberger au sujet des maîtres dont vous entendez parler et venir enfler la rumeur des « potins spirituels ». Ayez le courage de ne pas participer à des conversations qui ne sont que du bavardage et qui vous font plus de tort que vous ne le croyez. Que savez-vous réellement de ce qui s'est passé autour de Rajneesh ? Qu'est-ce qui vous permet de décréter que Trungpa Rinpoché n'était pas un véritable maître ou au contraire que son alcoolisme n'a en rien altéré son niveau d'être ? Ne soyez pas complices de toutes ces conversations stériles où l'on se prononce comme si l'on savait, où l'on colporte des nouvelles qui n'ont pas été vérifiées et dont l'origine peut être un malentendu pur et simple.

Ne parlez pas de ce que vous ne connaissez pas en toute certitude. C'est une discipline générale qui s'applique aussi bien aux propos que vous pourriez tenir sur Bernard Tapie qu'à toutes les conversations concernant des maîtres controversés. Mais n'étouffez jamais un doute qui monte à l'esprit, ce serait aussi une erreur. Vous seriez alors dans le déni d'une partie de vous-même qui, pour être refoulée, n'en demeurerait pas moins active dans la profondeur de votre psychisme, suscitant un malaise inexplicable en face de celui qui est supposé vous guider. Je reprends les mots mêmes de Swâmiji : *« If there is a doubt – and doubt is but normal and natural – you have the privilege to ask and be convinced and not to interpret »*, « s'il y a un doute – et le doute n'est que normal et naturel – vous avez le privilège de demander jusqu'à ce que vous soyez convaincu mais pas d'interpréter ». Si des doutes viennent, ne les exposez pas à ceux que vous troubleriez ou qui n'ont pas de compétences réelles pour vous aider à voir clair, parlez-en directement à votre maître ou éventuellement à un des plus anciens disciples ou des collaborateurs permanents qui l'entourent et en qui vous avez spontanément confiance ; ils connaissent le maître depuis des années, ils ont été associés à toutes les péripéties de la vie de l'ashram ou de la confrérie et ils peuvent être en mesure de vous éclairer. Mais n'en parlez pas stérilement entre vous.

Le record en la matière, c'est cette petite phrase révélatrice : « Je vais te dire quelque chose mais promets-moi de ne jamais le répéter à... Swâmiji ! » Par conséquent, vous avez plus confiance en un camarade qui se débat encore avec son propre mental et son propre inconscient qu'en celui qui est supposé vous guider. Ce genre d'incohérences vous fait un mal immense car cela rend votre engagement sur la voie inopérant. Vous ne serez pas vraiment convaincus pour mettre vous-mêmes en pratique puisque vous ne croirez pas que cela a conduit quelque part celui qui vous enseigne. Si vous êtes persuadés qu'il subsiste chez votre guide des problèmes personnels qu'il n'a pas résolus, comment pouvez-vous espérer que la voie qu'il vous propose vous aidera à résoudre les vôtres ?

Ces doutes font partie intégrante de la voie et trouvent pour la plupart leur origine dans des dynamismes inconscients remontant à l'enfance. Suivant que se projette sur le *guru* le bon ou le mauvais père, la bonne ou la mauvaise mère ou éventuellement un oncle, un grand-père, qui jouait un rôle très heureux dans mon enfance, je colore, j'interprète subjectivement les comportements, ceux dont je suis témoin et ceux qu'on me rapporte, du *guru* en question. Ce jeu des projections, ce transfert d'une image ancienne sur le *guru*, fait partie de la voie car ce n'est qu'au moment où une projection se manifeste à la surface sous forme d'émotions et de pensées diverses qu'il est possible d'en prendre conscience et de s'en libérer. C'est au maître de rester toujours neutre, toujours ouvert, toujours bienveillant, d'assumer, d'intégrer complètement les émotions et les doutes en question. Mais il incombe au disciple de ne jamais les nier et de les clarifier complètement.

Même si c'est une souffrance d'être amené à douter de ce en quoi on a mis son espérance, ne réprimez jamais un doute. A la Télévision française que j'ai connue, parmi l'élite des grands réalisateurs et techniciens, il y avait un fort pourcentage de membres du Parti communiste. Pour ma génération, le prestige du PC après la guerre était intact (on considérait Staline comme le Père des Peuples). Ensuite se sont produits les événements de Prague, de Varsovie et les premiers membres du Parti qui ont commencé à douter ont déchiré leur carte. Mais d'autres pour qui le fait de renoncer à l'espérance de leur jeunesse était trop cruel se débattaient contre l'évidence. « Non, non, c'est la CIA ou c'est le FBI qui propage ces mensonges. » Laissez monter les doutes, regardez-les. Voyez en toute lucidité quelle action vous pouvez entreprendre pour les dissiper – par exemple en parler à cœur ouvert à votre maître, quitte à décider ensuite, si vous n'êtes pas convaincus par ses réponses, de vous séparer de lui. Mais ne vous faites pas ce tort qui consiste à demeurer dans le doute sans vous l'avouer vraiment et à rester auprès d'un maître en qui vous n'avez plus confiance. Si vous n'étiez plus dans le doute, c'est-à-dire si vous étiez certains que votre maître n'est pas qualifié, vous partiriez. Mais d'un autre côté, ne doutez pas à tort et à travers parce que tel ou tel détail ne correspond pas à votre manière de voir. Je pense au cas d'une personne qui avait perdu sa foi dans un grand maître tibétain en le voyant porter des chaussures de chez Pierre Cardin qui lui avaient été offertes par un disciple fortuné ; ou à un tout jeune homme qui, étant venu à Font-d'Isière après avoir lu mes ouvrages, était reparti dès le lendemain de son arrivée parce que la nourriture n'était pas strictement végétarienne et qu'il avait établi dans son esprit une équation entre la sagesse et le régime végétarien.

Je partage avec vous une conviction fondée sur vingt années d'expérience de transmission de l'enseignement que j'ai moi-même reçu auprès de Swâmi Prajnanpad et de quarante-cinq ans d'observations diverses en ce qui concerne cette question. La plupart de ceux qui abordent un enseignement spirituel sont d'abord convaincus par le maître qu'ils découvrent ou, en tout cas, ne demandent qu'à l'être. C'est tellement sécurisant de pouvoir se dire : « L'ashram auquel je m'associe et le *guru* dont je possède la photographie sont inattaquables. » Mais vous ne pourrez pas suivre toute la voie sur cette base-là car, chaque fois que vous entendrez des critiques sévères à l'égard de ce maître, cela réveillera inévitablement les doutes que vous aurez réussi à refouler. Plus vous aurez chanté les louanges de votre maître et de son ashram, plus il vous aura été insupportable d'entendre critiquer ce maître et son entourage, plus il vous sera nécessaire ensuite de réprimer vos doutes. Vous serez obligés de vous défendre jusqu'au jour où la réaction se produira. Et quand l'image illusoire que nous avons cherché à préserver à toute force s'effondre (comme dans certaines fascinations amoureuses), le balancier du pendule part inévitablement en sens inverse et nous brûlons ce que nous avons adoré.

Si je mettais sous les yeux de certaines personnes qui, aujourd'hui, critiquent Arnaud en termes sévères, les lettres qu'elles m'ont écrites pendant plusieurs années, elles seraient sans doute très surprises. Comment expliqueraient-elles qu'elles aient pu s'illusionner si longtemps, ne pas avoir de mots assez élogieux à mon égard, trouver tout parfait et vouloir en convaincre les autres, et ensuite tenir des propos à ce point contradictoires avec ce qu'elles professaient auparavant ?

Si nous voulons que notre démarche constitue un chemin réel, il faut à la fois que l'accomplissement du maître auquel nous nous référons nous paraisse convaincant mais que nous sentions que l'ascèse qu'il a pratiquée est possible pour nous. Lisez *Les Carnets de Pèlerinage* (de Swâmi Ramdas) et vous vous rendrez vite compte que la voie qu'il a suivie ne sera jamais la vôtre. Lisez le récit de la jeunesse de Mâ Amritanandamayi, celle-ci n'est en rien comparable à ce qu'ont été votre enfance et votre adolescence. Renseignez-vous sur la formation des grands maîtres tibétains qui ont commencé par accomplir plusieurs retraites de trois ans, trois mois, trois jours pour aller ensuite méditer seuls pendant un an dans une grotte et vous en arriverez à la conclusion qu'ils ont vécu des ascèses auxquelles votre mode de vie occidental ne vous permettra jamais de vous soumettre. Le fait d'être émerveillé par la rencontre de ce que j'appellerais « les génies de la spiritualité » (Mâ Anandamayi, Ramana Maharshi, Kalu Rinpoché et tant d'autres) n'est pas la même chose que de suivre une voie de transformation méthodique. Je compare cela au fait de vouloir soi-même devenir musicien et d'être transporté par le récital d'un des plus grands virtuoses mondiaux. Mais ce n'est certes pas ce grand virtuose qui va être votre professeur, votre enseignant de piano, de violon ou d'art lyrique. Si l'abîme entre le sage que vous rencontrez et votre réalité quotidienne est trop grand, vous ne pourrez qu'être subjugués, tout en sentant « ça ne sera jamais pour moi. »

Par ailleurs vous savez que la voie n'est pas facile, que le mental va nous jouer beaucoup de tours, qu'il y a un prix à payer, et qu'il nous faudra faire preuve de détermination et de persévérance. Nous ne progresserons que si nous mettons en pratique les vérités que nous avons comprises. Nous ne les mettrons en pratique que si nous sommes vraiment motivés. Et nous ne serons vraiment motivés que si nous pensons : « J'ai la capacité d'atteindre ce que je considère comme immensément important pour moi. » Or vous n'aurez cette conviction que si vous ne doutez plus de l'accomplissement de votre maître. Sinon, où trouverez-vous l'énergie et le courage nécessaires quand des obstacles se présenteront dans votre cheminement ? Tous les doutes au sujet de celui à qui vous demandez de vous guider sont un handicap sur la voie en ce sens que, dès que l'enseignement devient un peu difficile à mettre en pratique, la force d'inertie des vieux mécanismes émotionnels et mentaux va l'emporter.

Auprès d'un maître authentique vous avez non seulement le droit de douter mais le privilège de pouvoir le dire : « Depuis quelque temps, ma confiance est ébranlée et je ne comprends plus. » Vous imaginez combien cette situation est déchirante pour un disciple. Mais voilà des paroles de vérité, voilà l'attitude juste. La première attitude fausse consisterait à nier ce doute pour conserver une vie facile, fondée sur le présupposé que votre maître est infaillible. Et puis un beau jour, la vérité reprend ses droits et le doute ressurgit avec d'autant plus de force qu'il a été réprimé. Une saturation se produit alors et vous partez en claquant la porte. Sans comprendre ni pourquoi ni comment cette énorme réaction de rejet s'est emparée de vous, vous quittez l'ashram et vous commencez à en dire du mal. Deuxième attitude fausse : emportés par le doute, vous vous persuadez que vous voyez plus clair que votre maître. C'est un comportement fréquent. Au lieu de foncer comme un taureau sur une cape rouge, osez voir en face que vous doutez et demandez-vous s'il est possible d'éclaircir ces doutes avant de décider que votre maître se trompe, qu'il est dans l'erreur ou qu'il n'est « plus le même ».

Les doutes font partie de la voie préparatoire mais ce n'est qu'après qu'ils ont été vraiment vus en face puis élucidés et dissipés que la voie commence vraiment. Cette affirmation n'est en rien décourageante car ce que j'appelle la voie préparatoire représente déjà un important travail de prises de conscience et de structuration. Et, à cet égard, certains peuvent en toute bonne foi s'imaginer qu'ils cheminent depuis des années et n'avoir pas entrevu ce dont il s'agit vraiment. Si vous n'êtes pas l'exception qui confirme la règle, le « Mozart de la spiritualité », votre voie sera avant tout l'expression de la relation avec votre maître. C'est pourquoi toute la tradition affirme qu'une relation de plus en plus profonde, pure et simple en même temps, avec celui-ci est indispensable. Cela ne remet pas en cause le fait que les efforts personnels et la mise en pratique jouent un rôle déterminant mais la pratique s'enracine précisément dans la relation avec le maître et elle ne sera efficace que si la confiance en constitue le fondement. Il s'agit donc d'un élément incontournable. La question n'est pas tant de savoir si mon engagement est sérieux ou si j'en prends et j'en laisse, si j'y vais sur la pointe des pieds ou de tout mon être mais si je fais confiance ou non à celui qui me guide. Et sur quoi puis-je étayer ma confiance puisque, sans cette confiance, je ne peux pas progresser ?

Swâmiji disait : « Vous avez le droit de tester le *guru* » mais dans certaines situations critiques, vous ne saurez plus du tout quel test appliquer. Vous ne pouvez pas tester le *guru* sur son comportement car cela reviendrait à réduire à vos mesures celui à qui vous demandez de vous guider. L'histoire abonde en récits de disciples qui n'ont un jour plus rien compris au comportement du maître. On voit même à plusieurs reprises dans les Evangiles que les disciples du Christ s'étonnaient de son attitude ou de ses paroles et posaient parfois des questions naïves. Connaissant le fin mot de l'histoire, vous pouvez penser que nous ne seriez pas tombés dans le piège et que vous auriez tout de suite senti qui était Jésus. Mais le même piège se représente pour chaque disciple en face de son maître sous une forme nouvelle et originale à laquelle il ne s'attend pas. Vous avez donc à traverser le même processus, à vous situer face aux mêmes interrogations. Pourquoi fait-il cela, ou pourquoi au contraire n'intervient-il pas et laisse-t-il faire sous ses yeux quelque chose que je trouve, moi, inadmissible, pourquoi dit-il telle parole ou pourquoi ne dit-il rien, pourquoi se met-il en colère en se montrant si sévère, pourquoi est-il apparemment si faible, pourquoi est-il si contradictoire, intransigeant pour une petite chose et accueillant par contre avec un grand sourire l'histoire sans intérêt que lui raconte un disciple ? Heureusement que votre maître ne se comporte pas à chaque instant selon vos attentes sinon sa fonction même n'aurait plus de raison d'être.

Comment puis-je tester le *guru* ? Voilà une bonne question. La tradition a toujours affirmé que la capacité à tester le *guru* était le vrai test de la qualification du disciple. Je suis personnellement convaincu que Gurdjieff était un maître éveillé qui montrait la vérité et aidait à progresser. Pourquoi quelques-uns ont-ils eu, derrière les méthodes étranges de cet homme, l'intelligence de détecter l'éveilleur quand d'autres sont tombés dans le panneau et n'ont vu en lui qu'un excentrique ? Tous les maîtres ne sont pas aussi déroutants que Gurdjieff, certes, mais tout disciple devra malgré tout faire preuve d'un certain flair, si je peux dire, d'une intelligence du cœur qui lui permettra de sentir à qui il a affaire. Vous ne pouvez pas tester le *guru* sur ce qu'il fait, sur ses actions et son comportement en général car, dans ce domaine, vous risquez fort de vous tromper puisque vous ne possédez pas la même échelle de valeurs que lui. Le but du maître est de vous conduire tous, autant que possible, plus près de la lumière intérieure. Sa fonction est d'éliminer les obstacles qui vous en séparent et les moyens qu'il emploie pour y parvenir ne coïncident pas forcément avec votre attente. S'il est supposé vaincre les réticences de votre mental, comment pourriez-vous être toujours d'accord avec sa manière d'opérer ?

Si vous ne pouvez pas juger un *guru* en fonction de ce qu'il fait, vous pouvez par contre tester le *guru* sur ce qu'il est. Je sais combien cette affirmation peut paraître paradoxale. « Que suis-je pour évaluer le niveau d'être de quelqu'un d'autre ? Seul celui qui est au même niveau d'être peut apprécier celui d'un autre ; le moins ne peut pas appréhender le plus. Par contre, en ce qui concerne son comportement, je sais à quoi m'en tenir puisque je l'ai sous les yeux. » Je connais bien ces objections car c'est dans ce domaine que vous êtes le plus susceptibles de vous tromper. En fait vous n'êtes pas en mesure d'apprécier le comportement d'un *guru* mais vous êtes beaucoup plus capables que vous ne le croyez de tester ce que le *guru* est ; en tout cas, c'est cela qui permettra d'évaluer votre propre compréhension. Cela demande une autre intelligence que celle du mental si prompt à s'emparer d'un fait et à tirer des conclusions hâtives à partir desquelles il va juger le maître. Qu'est-ce que je ressens ? Suis-je en mesure de percevoir l'être même de celui que je considère comme mon maître ? Il n'y a pas que des Ramana Maharshi dont le regard éblouissant, divin, emporte immédiatement la conviction. Mon *guru* est-il situé au même niveau que tout un chacun ou est-il fondamentalement différent même si, par ailleurs, il se comporte de façon très naturelle, presque ordinaire, dans l'existence ? Je veux sentir ce qui émane de lui. Ce critère, si vous l'appliquez, peut mettre fin à un malaise. Si vous regardez ce que fait votre maître, vous pouvez ne pas vous sentir d'accord, mais si vous parvenez à sentir ce qu'il est, vous n'aurez plus aucun doute s'il s'agit d'un maître authentique. Là nous sommes vraiment au cœur de la question.

Je reviens à cette notion déterminante qui est un point d'appui précieux pour fonder votre confiance. Celui que vous considérez comme votre *guru* est lui-même un disciple et celui que j'appelle le « maître » est fondamentalement un serviteur. Est-ce qu'on peut dire qu'il a été marqué en profondeur par d'autres maîtres avant d'assumer lui-même cette fonction ? Derrière le maître il y a l'enseignement et le maître est au service de l'enseignement ; derrière le maître, il y a la voie et le maître est au service de la voie ; et au travers de lui s'exercent certaines influences subtiles dont il n'est que le canal, la relation avec son propre maître et toutes les bénédictions qu'il a reçues et qu'il retransmet. Si je prends l'exemple de Taisen Deshimaru dont le comportement a parfois été contesté, je dirais qu'un critère indiscutable qui parle en sa faveur était sa vénération et sa gratitude pour son maître, Kodo Sawaki, son respect pour la tradition du zen avec ses grands représentants, Boddhidharma, Dogen. Là réside l'essentiel. Après nous pouvons essayer de comprendre : « Pourquoi le comportement du maître me surprend-il par moments ? Pourquoi cela me touche-t-il personnellement ? Y a-t-il quelque chose que je peux découvrir sur moi-même, au lieu de partir tout de suite dans le jugement et les pensées ? »

Ce qui gêne l'un ne perturbe nullement l'autre. Certains sont convaincus que le maître exerce une volonté de puissance parce que le nombre de ses disciples ne cesse d'augmenter. Ceux qui ont un peu lu étayent leurs doutes avec un vocabulaire de psychanalyste. D'autres accuseront le sage d'orgueil ou de vanité parce qu'il laisse diffuser sa photo. D'autres enfin seront scandalisés parce qu'il a une compagne. Ce n'est pas le même domaine qui agite chacun. Nos doutes à l'égard du maître doivent être vus mais ils nous en disent beaucoup plus sur nous-mêmes que sur le maître en question.

Certains *gurus* utilisent à bon escient le fait de choquer, de scandaliser, en se montrant grossiers, voire grivois, pour que le disciple ne s'en tienne pas à une admiration béate et naïve mais se pose les vraies questions : « Est-ce que je suis guidé sur une voie authentique ? Est-ce que je progresse ? Et est-ce qu'à l'arrière-plan du maître, au-delà de sa personne physique, je perçois une réalité impersonnelle qui transcende son apparence ? » Souvenez-vous, le maître est comparable à un poste de télévision. Si vous n'avez pas un appareil récepteur, quelle que soit la qualité des programmes, vous ne les capterez pas. Et, en poursuivant cette image, si vous faites le *pranam*, vous ne vous inclinez pas devant le poste mais devant la qualité du programme. Que percevez-vous au-delà de cet homme, de cette femme ? Si vous ne voyez que « lui » ou « elle », cela ne suffit pas. Il faut que vous perceviez à travers le maître le monde immense, éternel, de la sagesse dans lequel il s'insère et dont il est devenu simplement un instrument, *« the mouthpiece of truth »*, « le porte-parole de la vérité ».

CHAPITRE V

UNE RELATION D'AMOUR

Nous devinons bien que la relation de cœur à cœur avec le maître est fondamentale. Il ne faut pas s'y tromper, la voie intitulée « yoga de la connaissance » n'est pas un chemin réservé aux intellectuels et dans lequel le cœur n'aurait pas sa place. La grande affaire, quelle que soit la voie, c'est toujours le cœur et donc la cicatrisation des vieilles blessures de celui-ci qui l'empêchent de faire confiance, de s'ouvrir et d'aimer. Alors seulement peut s'établir avec notre guide une véritable relation d'amour et de gratitude qui ne concerne plus du tout les émotions intenses et contradictoires (on peut en vouloir à mort à un être que l'on a d'abord divinisé) mais la profondeur d'un sentiment beaucoup plus pur. C'est l'essentiel de la voie car, je le redis, il n'y a pas de yoga dans lequel l'amour ne joue pas un rôle fondamental. Mais, comme ce mot « amour » est si souvent galvaudé, ne l'utilisons qu'avec beaucoup de pudeur.

En français, mis à part les mots « amour » et « compassion », nous avons peu de termes pour évoquer ce sentiment, alors qu'en grec – la langue des Evangiles et des Epîtres – il n'existe pas moins de trois termes différents. C'est le cas dans la plupart des traditions, suivant que l'on veut désigner un amour plus ou moins égoïste ou plus ou moins purifié.

En fait, il existe bien des degrés d'amour, depuis la communion profonde avec l'autre où la séparation s'efface, jusqu'à l'amour revendicatif qui signifie en clair : « Aime-moi, donne-moi. » Très souvent, si nous disons à quelqu'un : « Je t'aime », cela veut dire : « C'est par toi que j'ai envie d'être aimé. » L'important est d'être précis quant au sens que nous donnons aux mots. Tant qu'on a soi-même trop besoin d'être aimé (ce qui est normal et naturel ; un enfant ne peut grandir que dans l'amour et si l'amour nous a manqué dans notre enfance, nous risquons bien d'être des mendiants d'amour toute notre vie), on ne peut pas vraiment aimer. L'amour est un débordement de plénitude qui engendre la gratitude. Mais avant ce stade, notre amour est inévitablement mêlé d'un égoïsme foncier.

Un moine tibétain m'avait proposé autrefois une assez jolie image : « L'amour du disciple pour le maître, c'est comme l'amour du chasseur pour le gibier qu'il poursuit. » Le chasseur est prêt à se lever à six heures du matin ou, mieux encore, à passer toute la nuit à l'affût pour traquer sa proie. Très souvent, l'avidité pollue notre amour – qu'il s'agisse de l'amour pour le maître, de l'amour pour une femme ou un homme ou même de l'amour pour un enfant – qui peut si vite se transformer en souffrance, en blessure, en amertume. Et même si notre amour est relativement peu égoïste, nous pouvons en mesurer l'étroitesse au fait qu'il se limite souvent aux quelques personnes qui nous sont proches.

L'amour véritable qui est plénitude, au sens de l'opposé de la frustration, n'est plus l'amour d'une personne pour une autre personne, c'est un état d'être. Le sage aime comme le soleil chauffe et éclaire. Son cœur est toujours ouvert et toute personne qui entre dans le champ de cet amour en bénéficie.

Les chrétiens insistent sur l'amour, les bouddhistes sur la compassion. En sanscrit, on désigne l'amour le plus pur par le mot *prem.* J'avais un jour fait une remarque à ce sujet à un swâmi : « Quand on est imprégné depuis l'enfance de ce mot "amour" dans le christianisme (même si les chrétiens l'ont abondamment trahi) il est frappant de voir que la formule de l'Inde la plus célèbre – celle qui évoque la réalité ultime – *sat-chidananda* que l'on traduit par Etre-Conscience-Béatitude ne contient pas le mot amour. » Il m'avait répondu sans une seconde d'hésitation : « Parce que vous pouvez concevoir la béatitude sans l'amour ? » C'est une superbe réponse car les deux termes sont synonymes. Ce qui peut nous arriver de plus heureux, c'est d'aimer. Et plus cet amour est intense et profond, plus nous sommes nous-mêmes comblés. Le sentiment dont il est avant tout question sur chaque chemin de sagesse, c'est cet état intérieur immuable du sage établi dans l'amour. Bien entendu, cet amour réchauffe et illumine tous ceux qui se trouvent dans son faisceau, c'est-à-dire ceux qui viennent pour rencontrer le sage. C'est la raison pour laquelle on donne tant d'importance au *satsang,* la fréquentation des maîtres.

L'amour du maître peut ne pas être immédiatement perceptible. En ce qui me concerne, j'étais peut-être trop imprégné de lectures sur les sages, les enseignements ésotériques, les techniques d'ascèse et peut-être aussi trop méfiant pour oser croire à l'amour de peur d'être trahi une fois de plus ou déçu. Je n'ai donc pas tout de suite été réceptif à cet égard. Je n'ai réalisé que peu à peu à quel point cela pouvait être extraordinaire de se sentir aimé par un sage encore plus parfaitement qu'on ne l'a été non seulement par ses propres parents, dont l'amour était bien souvent dénaturé par leurs propres émotions, mais même par l'être qui nous avait le plus aimé au monde, qu'il s'agisse d'un grand-père ou de tout autre éducateur qui ait beaucoup compté dans notre cœur. J'ai ressenti tant de fois et comme tant d'autres, au fin fond de l'Himalaya, en face de *gurus* tibétains pour lesquels je n'étais rien – je ne parlais pas leur langue, je n'étais même pas bouddhiste – cette impression d'être absolument aimé, aimé a priori, tel que j'étais, sans qu'ils sachent rien sur moi et quels qu'aient pu être mes imperfections ou mes péchés. Et ce sentiment, je l'ai retrouvé à chaque fois en face de maîtres hindous, soufis ou tibétains.

Le préalable c'est l'amour du sage. Nous pouvons fuir cet amour ou nous y ouvrir. Mais il ne prendra pas toujours la forme que nous espérons car il se manifestera parfois avec fermeté pour nous aider à progresser. Le sage peut aussi être pour nous cause momentanée de souffrance – souffrance due à nos émotions, à nos mécanismes psychologiques profonds, à notre vulnérabilité, à différents aspects de notre amour-propre ou de notre égoïsme qui se trouvent heurtés. Il ne faut pas l'oublier. D'une part le sage sera de toute façon cause de souffrance pour nous sans qu'il le veuille parce que nous avons une telle demande d'amour au départ du chemin, « moi, moi, moi », que si le sage semble s'intéresser à un autre disciple, nous allons inévitablement nous sentir blessés. Mais, d'autre part, le sage sera aussi cause de souffrance parce qu'il ne peut pas nous bercer dans notre sommeil et qu'il sera amené à nous donner certains chocs pour nous réveiller. La fondation de la relation du disciple au maître, c'est l'amour inconditionnel du maître – mais pas la faiblesse ni la complaisance inconditionnelle pour toutes nos demandes et toutes nos exigences. C'est pourquoi nous ne pouvons pas éviter que, par moments, l'amour du maître se manifeste d'une façon qui nous secoue. Souvenez-vous : le maître ne nous fera jamais *du mal* mais, parfois, il peut nous faire mal. Et c'est une grande bénédiction pour nous car c'est notre seule garantie de progresser.

Pour combler un manque ou une frustration importante chez le disciple, beaucoup de maîtres lui témoignent d'abord un amour qui peut paraître une indulgence excessive. Ensuite, et toujours par compassion, une exigence se lève pour nous aider à devenir de plus en plus adultes, de moins en moins dépendants, jusqu'à ce que ce niveau de relation moi/lui – « Est-ce qu'il m'aime vraiment ? Est-ce qu'il n'aime pas plus tel autre disciple que moi ? » – soit complètement dépassé dans la communion. A ce stade, le fait que le maître nous regarde, ne nous regarde pas, paraisse nous porter de l'intérêt ou non, est enfin transcendé.

Même si la sagesse est la sagesse, l'amour est l'amour, la sérénité est la sérénité, l'expression de leur plénitude intérieure sera très différente suivant les maîtres. Car l'amour se traduit aussi en actes et pas seulement en émanation d'un sentiment chaleureux. Or, de même que tout père digne de ce nom a pour ambition d'aider son fils à l'égaler ou même à le surpasser, tout père spirituel authentique s'efforce de faire de l'élève son égal. Et si le maître est sans cesse conscient des potentialités proprement spirituelles de ceux qui l'approchent et de leur grandeur essentielle, il n'en prend pas moins en compte leur épanouissement tout simplement humain – en particulier sur les voies qui ne demandent pas un engagement définitif et total dans le monastère ou à l'ashram. Même en reconnaissant le caractère relatif de ces accomplissements, le maître se préoccupe de la vie amoureuse, familiale, professionnelle, de ceux qui viennent à lui et notamment des plus jeunes affrontant souvent de douloureuses difficultés intérieures ou extérieures pour s'insérer harmonieusement dans l'existence.

A cet égard, le maître ne se décourage jamais. Il voit toujours son prochain comme susceptible de progresser et, avant la grande et radicale transformation, comme susceptible de changer au niveau humain le plus immédiatement accessible. Et si le but ultime de l'ascèse est de guérir de l'ego, le maître se préoccupe d'abord de guérir les egos de ceux qui viennent à lui. Avant même que le disciple fasse confiance au maître, le maître fait confiance au disciple, une confiance qui ne s'altère jamais, et celle-ci permettra à ceux qui doutent d'eux-mêmes de retrouver confiance en eux, d'oser croire qu'ils ont droit à un avenir d'épanouissement et non pas d'échec et de frustration.

Beaucoup de ceux qui aujourd'hui frappent à la porte d'un monastère ou d'un ashram sont moins motivés par la recherche mystique que par la demande d'être tout simplement moins malheureux. Ils attendent que la vie leur donne un peu de ce qu'elle leur a jusque-là refusé, ils rêvent de pouvoir exprimer les potentialités qu'ils portent en eux-mêmes, ils aspirent à une activité et une insertion dans la collectivité qui leur permette de s'estimer et de s'apprécier, au lieu de ne porter sur eux que des jugements négatifs. S'il est vrai qu'il y a, à l'arrière-plan de toutes les actions et de toutes les paroles du maître, l'intention inlassable de préparer peu à peu le disciple à la maturité qui permettra l'éveil, il n'en est pas moins vrai que l'amour du maître voit chacun comme un être humain total, avec ses joies, ses peines, ses espoirs, ses découragements, et que ce qui émane de lui, exprimé oralement ou silencieusement, sera toujours : oui, tu peux.

L'amour ou la compassion c'est vouloir que l'autre soit heureux, qu'il ne souffre plus. Le bonheur ou la cessation de la souffrance de l'autre deviennent prioritaires pour nous. Mais nous ne sommes vraiment disponibles pour nous tourner vers les souffrances d'autrui que lorsque nous en avons fini avec notre propre souffrance ou notre propre possibilité de souffrir. Il est admis qu'il est possible à l'être humain de faire certaines découvertes sur la manière dont il fonctionne, sur la nature profonde de l'esprit qui permet de ne plus souffrir même dans les conditions dites fâcheuses, douloureuses, critiques ou inquiétantes, et d'atteindre une sérénité non dépendante, stable à travers les vicissitudes de la vie. Le Nouveau Testament nous promet « une paix qui dépasse tout entendement » et Jésus a dit à ses disciples : « Je vous donne la paix mais pas comme le monde vous la donne » : le monde nous donne en effet la paix quand tout va bien et nous l'enlève dès que cela va mal.

Or il existe deux manières de concevoir la diminution de la souffrance et le bonheur de l'autre. L'une est précisément d'essayer d'augmenter son bonheur dépendant – dépendant des événements extérieurs – l'autre est de l'orienter vers la joie non dépendante, ce qui correspond en vérité au début de la voie. Le sage manifestera son amour à ces deux niveaux, en ce sens qu'il peut accomplir dans une certaine mesure – qui sera toujours limitée – pour ceux qui l'approchent, des gestes, des actes qui les rendent momentanément plus heureux. Mais la raison d'être du maître est de nous guider peu à peu vers un bonheur indépendant des circonstances. Nous montrer le chemin qui nous conduira vers la paix suprême, immuable, transcendante, est l'autre forme de l'amour du sage et de sa disponibilité.

Pour tous, l'amour qui s'exprime en essayant de donner à l'autre des conditions plus heureuses en vue d'un bonheur relatif est le premier pas. Un peu plus de générosité, un peu moins d'égoïsme. Cette générosité qui fait passer l'intérêt d'autrui avant le nôtre nous est tout de suite accessible, au moins par moments ; nous pouvons par exemple avoir la joie, si nous disposons d'une certaine somme d'argent, de l'utiliser pour faire un cadeau à quelqu'un plutôt que de la dépenser pour nous. Par contre, pour conduire son prochain à ce bonheur stable que les aléas de l'existence ne pourront plus ébranler, il faut d'abord l'avoir découvert et s'y être établi soi-même avant de pouvoir en témoigner pour les autres et leur en montrer le chemin.

*

Certaines formulations difficiles à comprendre mais qui font autorité affirment que le maître, étant établi au-delà de la dualité, ne voit pas un « autre » quand le disciple – ou tout autre être humain – est avec lui. Swâmiji citait de temps en temps une sentence hindoue : « Quand le maître et le disciple sont réunis dans la même pièce, il n'y a pas deux dans cette pièce, il n'y a qu'un : le disciple. Le maître n'est pas un autre que le disciple, il est le disciple déjà arrivé au bout de son propre chemin. » Après avoir d'abord été étonné par cette parole, je n'ai fait que vérifier avec le temps combien elle est vraie. Si l'ego du maître s'est effacé, il ne projette rien sur le disciple, il n'attend rien pour lui du disciple (tout en souhaitant que le disciple progresse sur la voie, bien sûr) et cet amour est vraiment la communion. Dans quelle mesure le disciple va-t-il, lui aussi, parvenir à dépasser cette dualité, cette séparation « moi et l'autre », pour être de plus en plus ouvert à l'autre, un avec l'autre, et en l'occurrence avec son propre maître ?

Pour peu que la relation avec le sage se concrétise, on s'aperçoit à quel point, dans les premiers temps sur la voie, le *guru* est plus nous-mêmes que nous. Il m'aime mieux que je ne m'aime ; il voit plus clair, en ce qui me concerne, que je ne vois clair. Et finalement, plus je fais confiance au *guru*, plus je fais confiance à la part saine de moi-même. C'est un aspect de la relation entre le guide et l'élève difficile à comprendre parce qu'il ne correspond à rien dont nous ayons déjà l'expérience. En se confiant au maître (peut-être même en allant loin dans cette confiance), nous ne nous confions pas à un autre. Evidemment, il faut l'avoir vécu pour que cela ne soit pas juste des mots. Oui, Swâmiji était beaucoup plus moi-même que moi. Il était moi-même sans les aliénations, sans les éléments de perturbations psychologiques, sans les illusions, c'est-à-dire un moi-même lucide et conscient. Je l'ai découvert et vérifié au fil des années. Jamais le *guru* ne nous amène à lui-même puisque ce « lui-même » s'est effacé et qu'il y a en face de nous une immense impersonnalité – en même temps qu'une présence très réelle. Le *guru* est comme l'ambassadeur, extérieur à nous d'abord, de notre propre sagesse intime, *prajna,* de notre propre Soi ou de notre propre *atman.*

C'est un constat très frappant. Avant la tragédie qui ravage l'Afghanistan depuis vingt ans, en face d'un soufi, dans le contexte de l'Asie et de l'islam, il n'y avait plus d'islam, il n'y avait plus d'Asie. Malgré la différence culturelle qui peut être immense, je me sentais tout de suite compris, je n'étais plus devant un étranger. Et j'ai retrouvé la même impression dans l'Himalaya, au Sikkim, au Bhoutan au sein du bouddhisme. Le sage est complètement impersonnel, alors que, dans la vie courante, nous avons « un autre » en face de nous. J'ai rencontré des moines et de grands chrétiens généreux, tolérants, ouverts mais même si leur amour était rayonnant, il subsistait encore une certaine dualité. Avec certains sages hindous, tibétains, soufis, d'un certain point de vue, il ne s'agit plus d'un autre tant ils sont devenus impersonnels, universels, avec une capacité d'être complètement un avec nous, en communion parfaite.

Cependant, dire que le maître n'est pas un autre que le disciple ne signifie pas qu'il n'y a pas communication et même échange entre eux. Cet échange se fait dans les deux sens. Le maître donne mais il reçoit aussi. Il reçoit d'abord toutes les projections plus ou moins négatives, plus ou moins avides du disciple. C'est un grand don de soi de ne plus se protéger contre l'inconscient et les émotions des autres. Et il est admis que l'instructeur autorisé à jouer ce rôle (c'est-à-dire jouant ce rôle en communion avec son propre *guru*) puisse encore affiner sa progression sur la voie, tout en ayant franchi une étape décisive, capitale, condition sine qua non pour assumer sa fonction. Et dans la mesure où le maître va achever de dissoudre les voiles presque transparents qui peuvent encore recouvrir la lumière intérieure, la fonction d'enseignant va être la dernière étape de la voie pour le maître. En ce sens, en même temps que le maître aide le disciple à progresser à un niveau, le disciple aide le maître à progresser encore vers l'ultime effacement.

Karlfried von Dürckheim avait une assez jolie formule à cet égard : « Le maître et le disciple sont engagés sur la même voie. Je dois reconnaître que cela se voit un peu plus en ce qui concerne le maître. » Après tout, le maître pourrait être considéré comme un modèle de disciple au sens le plus exigeant de ce terme – ce serait déjà beaucoup. Si vous rencontrez un vrai disciple, vous pouvez le prendre comme maître.

Si nous cheminons réellement, peu à peu, l'égoïsme diminue, la plénitude remplace la frustration et nous trouvons notre joie non plus seulement dans ce que le maître nous donne mais dans ce qu'il donne aux autres. Nous nous mettons alors volontiers à son service et nous sommes de plus en plus en affinité avec sa vision. Nous ne sommes plus face à face (avec peut-être beaucoup de respect : « Instruisez-moi, répondez à mes questions, aidez-moi »), nous nous plaçons aux côtés du maître, nous essayons d'être nous aussi en communion avec lui, de voir le monde à travers ses yeux et de comprendre ce qu'il tente, à quoi il consacre son temps et son énergie. A notre mesure, nous pouvons l'aider dans sa tâche et nous réjouir non seulement de ce qu'il fait pour nous mais de ce qu'il fait pour les autres aussi. Sans cela nous piétinons toujours au même niveau. « Moi, moi, moi... » C'est un pas vers la non-dualité : « En quoi est-ce que je peux collaborer avec le maître ? » Humblement ! Cela ne veut pas dire être le disciple préféré qui règne sur l'ashram. Et si on voit que l'existence du maître consiste à répondre à la demande, à donner, on peut commencer à donner à son tour comme un enfant qui a grandi.

Le premier pas, c'est que le maître vienne nous rejoindre là où nous sommes, fût-ce dans notre désarroi. Et le deuxième pas, c'est que, nous, nous allions peu à peu rejoindre le maître là où il est, c'est-à-dire dans sa disponibilité, sa liberté et son amour. Quand le disciple a résolu ses principaux problèmes existentiels, qu'il ou elle est devenu suffisamment unifié, structuré, qu'il a, disons-le, manifestement progressé dans sa compréhension et dans sa pratique et qu'il récolte les fruits de cette pratique, l'important pour lui est de se rapprocher de plus en plus du niveau d'être de son maître. Il lui importe alors de ne plus attendre simplement que le maître soit en communion avec lui mais de chercher à être, lui, en communion avec le maître, autrement dit d'être un peu moins du côté des demandeurs, un peu plus du côté de celui qui donne. Sa joie n'est plus que le maître ait bien répondu à une de ses questions mais qu'il ait bien répondu à la question d'un autre. Il essaie de voir l'ashram, ceux qui y vivent et ceux qui y viennent en séjour, non plus avec ses yeux mais avec ceux du *guru*. Quand, au cours d'une réunion commune, un participant s'exprime, pose une question, il l'entend non plus avec ses oreilles mais avec celles du maître. Il lui sera aisé et heureux de renoncer à un entretien en tête à tête pour qu'un autre puisse en bénéficier. Il sera comme un fils ou une fille qui quitte peu à peu le monde des enfants dont la loi est de demander et de recevoir pour entrer dans le monde des adultes dont la loi est d'entendre la demande et de donner.

Il faut cependant veiller à rejoindre le maître dans l'essence et non pas dans l'apparence. Il peut arriver qu'un disciple, malgré lui, imite le maître – comme celui qui adopte la démarche d'un acteur de cinéma qu'il a beaucoup vu sur l'écran. Il arrive aussi qu'il y ait une imitation qui ne sonne pas faux : le disciple finit par ressembler au maître même s'ils ne sont pas de la même nationalité. Il a un débit de voix, des intonations qui rappellent celles de son maître, comme un fils qui ressemblerait beaucoup à son père.

Il y a aussi, à un niveau plus profond, le fait que le maître vive dans le disciple. Ce n'est pas une aliénation puisque le maître sous une forme très personnelle est fondamentalement impersonnel. En tout cas, tout disciple qui, à son tour, guide autrui pourrait paraphraser la parole de saint Paul : « Je vis mais ce n'est plus moi qui vis, c'est le Christ qui vit en moi » en affirmant : « Je vis mais ce n'est plus moi qui vis, c'est mon maître qui vit en moi. » Ce serait la même chose que de dire : « Je vis mais ce n'est plus l'ego et le mental qui vivent en moi, c'est enfin ma réalité la plus profonde. » C'est pour cela que j'insiste tant sur le fait que le maître n'est pas un autre que nous. Si le maître vit en nous, il ne s'agit pas d'un parasitage par un étranger – même doué d'une grande perfection – mais de nous-même, enfin le véritable nous-même, qui va vivre et non plus un amas de résidus du passé, de tendances mécaniques, de conditionnements, de limitations. C'est ainsi qu'une partie de la transmission opère : le disciple, s'il est profondément uni à son maître, devient l'instrument, le représentant du maître, c'est-à-dire le représentant de la vérité ou de la sagesse. Pour cela, il faut que le jeu des projections ait cessé, que son monde profond, intime, ne soit plus susceptible d'interférer avec la réalité (ce mot « projection » est particulièrement approprié car il décrit un phénomène aussi précis que le fait de projeter une diapositive sur un écran) afin qu'au moment où il joue son rôle dans la transmission de l'enseignement, il soit vraiment un instrument fiable.

Il faut bien qu'à certains moments, le maître nous donne cette grande preuve d'amour de nous heurter bien qu'il sache que nous allons mal réagir, lui en vouloir, projeter des émotions négatives sur lui. Mais le maître ne se protège pas. Pour l'ego, c'est plus facile d'être entouré de gens qui n'ont que « merci » et encore « merci » à la bouche. Il suffit d'inonder les gens de compliments, de dire à chacun : « Vous êtes mon plus grand disciple » pour être sûr de baigner dans les projections positives. Mais peut-on concevoir un maître qui ferait preuve d'une telle lâcheté ?

Le maître sait qu'à un certain moment, l'ego, le mental, l'inconscient du disciple vont réagir et l'amener à ruer dans les brancards. « Je suis déçu, le maître se trompe. » Et là, tout comme l'aimant attire le fer mais n'attire pas le cuivre, dès qu'un disciple commence à douter de son maître, il rencontre aussitôt un autre disciple qui doute lui aussi, ce qui le conforte dans son attitude : on ne peut pas être deux à se tromper ! Comme on dit familièrement : « On se monte le bourrichon » et cela peut prendre des proportions tout à fait étonnantes !

Vous avez peut-être eu l'occasion de faire cette triste expérience – ou d'avoir vu d'autres la vivre – qu'après avoir été très amoureux d'une femme ou d'un homme, nous n'avons plus de mots assez sévères pour expliquer de quel monstre nous voulons nous séparer. Le même disciple qui a lassé son entourage en faisant à tout propos l'éloge de son maître peut se tourner agressivement contre celui-ci et consacrer le reste de son existence à chercher à lui nuire. C'est arrivé souvent, y compris auprès des sages les plus exceptionnels. Il y a eu au moins un cas de ce genre en ce qui concernait Mâ Anandamayi.

C'est un aspect – et non des moindres – de l'amour du maître de savoir que le disciple va réagir négativement et de laisser ces projections négatives pleuvoir sur lui comme la pluie de la mousson.

Je peux vous dire qu'il est arrivé que, pendant trois jours, j'aie détesté Swâmiji. Puis quand il m'avait suffisamment laissé ressasser intérieurement mes griefs, il disait un mot et me rassérénait comme il voulait. Mais entre-temps un petit travail de sape du mental avait été accompli. De toute façon, je n'allais pas fuir, les voyages étaient tellement compliqués pour aller dans son ashram ! Je voyageais avec des billets à moitié prix sur telle ou telle Arab Airline et les vols étant toujours complets, il fallait s'inscrire des mois à l'avance. Je pouvais donc difficilement débarquer à Delhi pour prendre le premier avion venu. Moralité, quand j'avais réussi à échouer au fin fond des rizières du Bengale dans l'ashram de Swâmiji, même quand je ne le supportais plus ou que j'aurais donné « mon royaume pour un cheval » (ou plutôt ma libération pour du pain grillé avec du saucisson), il ne m'était guère possible de repartir. Rien qu'à l'idée qu'il allait falloir prendre l'autobus jusqu'à Burdwan, un train pour Calcutta, à Calcutta s'inscrire en liste d'attente sur les vols pour Delhi et à Delhi se rendre deux nuits par semaine à l'aéroport pour savoir s'il n'y avait pas un désistement, j'aimais autant rester à l'ashram ! Je crois que c'est cela qui m'a sauvé dans ces moments où l'amour du disciple se mue en amertume et en rancune.

Aujourd'hui, la plus immense gratitude que je ressente à l'égard de Swâmi Prajnanpad, c'est de me souvenir qu'il m'a heurté, qu'il m'a contré, qu'il m'a fait mal, qu'il a fait lever en moi toutes sortes de réactions négatives afin qu'elles puissent se dissiper après être montées à la surface. S'il ne l'avait pas fait, j'en serais toujours au même point qu'autrefois.

Pendant longtemps, l'ego essaiera par tous les moyens de sauver sa peau et donc d'échapper à la relation directe avec le maître pour ne pas risquer d'être mis en cause. La grande habileté du disciple consiste alors à décréter qu'il met directement l'enseignement en pratique sans demander l'avis du *guru* « pour ne pas peser sur lui ». C'est souvent au moment où il serait vraiment nécessaire de demander l'avis du maître afin qu'il puisse nous montrer sur le vif notre manière de fonctionner qu'on sent une sollicitude particulière à son égard : « Je ne veux pas le déranger, je ne veux pas le fatiguer, je ne veux pas prendre de son temps. Il y a d'autres personnes qui en ont tellement plus besoin que moi... »

Cette dérobade est, hélas, classique. Dans les moments décisifs, la confrontation avec le *guru* est indispensable et il nous incombe d'être conscients des tours que notre propre mental peut nous jouer à cet égard : c'est une question d'honnêteté, de désir de vérité. Quand on a choisi quelqu'un pour guide, il faut ensuite l'utiliser et notamment lui donner sa chance de nous aider, c'est-à-dire être dans un état de réceptivité qui lui permette de nous montrer quelque chose. Ce qui est vraiment important ce n'est pas ce que le *guru* dit, c'est ce qu'il nous montre, c'est ce que nous avons réussi à voir grâce à son aide. Le rôle du *guru* est essentiel mais la collaboration du disciple l'est tout autant. Aucun *guru*, aussi grand soit-il, ne pourra vous amener à découvrir vos propres fonctionnements si vous êtes décidés à vous protéger de lui. Et aucun *guru* ne peut faire le chemin à votre place. Prenez l'exemple de n'importe quelle activité, que ce soit jouer du piano ou danser, il est certes précieux d'être enseigné par quelqu'un qui soit à la fois compétent et qui possède un certain sens de la pédagogie. Mais si l'apprenti pianiste ne fait jamais ses gammes, il ne risque pas de progresser. Une collaboration entre le *guru* et le disciple est nécessaire. Comment le disciple va-t-il utiliser le *guru* ? Le rôle d'un maître n'est pas uniquement de nous transmettre des idées ou de nous proposer des exercices qui nous plaisent – respirer d'une certaine manière, réciter un *mantram* – mais qui ne mettent pas directement en cause l'ego et le mental. S'il s'agit vraiment de sortir de son monde pour vivre dans le monde, de détruire des illusions, une aide extérieure devient vitalement nécessaire.

Sauf dans des cas bien rares, le mental ne peut pas ne pas continuer dans sa propre ligne. C'est ce que Lama Denys Teundroup appelle « un processus auto-sustentateur » : Il est impossible que le processus s'arrête de lui-même et il faut une intervention extérieure qui puisse contrer le mental. On peut être à certains égards sincèrement engagé, se rendre chaque année en Inde pour rencontrer son *guru*, endurer la chaleur et l'inconfort, bref se donner de la peine mais en même temps demeurer sur la défensive. Cela peut paraître paradoxal mais n'en demeure pas moins vrai. On peut fournir beaucoup d'efforts méritoires dans un domaine précis sans que soit jamais abordé le véritable travail, celui qui, à défaut d'être décisif, commencerait du moins à ébranler notre fausse structure et à entamer nos illusions les plus grossières. Je me rappelle le cas d'une femme qui fréquentait assidûment les groupes Gurdjieff et qui avait raconté dans notre groupe les austérités auxquelles elle s'adonnait. Je me souviens notamment qu'elle s'obligeait à veiller la nuit en restant les bras en croix... « Que puis-je faire de plus ? » avait-elle demandé. Le responsable du groupe lui avait simplement dit : « Sortez un jour sans rouge à lèvres. » Elle avait alors poussé un cri et s'était littéralement tordue de souffrance à cette idée.

On se défend beaucoup moins par rapport à un professeur de chant qu'on ne se défend en face d'un *guru*. Un professeur d'art lyrique nous propose d'acquérir des capacités que nous n'avions pas : une voix mieux placée, plus timbrée, gagner quelques notes dans le grave et dans l'aigu. Cela ne fait qu'ajouter à ce que je suis mais ne va pas m'enlever certaines illusions.

Je vais reprendre l'image inépuisable de la métamorphose de la chenille en papillon. Les ailes ne poussent pas sur le dos des chenilles. Et, nous, nous voudrions rester chenilles, ne rien changer à nos habitudes, à notre manière de voir les choses, à nos fonctionnements, pour naître en tant que papillons. Nous voudrions rester chenilles mais que les ailes nous poussent sur le dos. Cela n'est pas possible. Le mot grec *metamorphosis* se retrouve même dans les Evangiles et il désigne tout autre chose que de rester fondamentalement ce que l'on est et de surajouter certaines qualités ou d'éliminer certaines faiblesses. La métamorphose s'accomplit à un niveau très profond qui engage tout notre être. Ne confondez pas « changement » – c'est déjà quelque chose – et « transformation ». Le changement, c'est une chenille de plus en plus évoluée, perfectionnée, en tant que chenille. La transformation, c'est la métamorphose. Et une grande part de nous résiste à cette transformation : nous voulons bien perdre à la rigueur certaines faiblesses, que l'ego n'aime pas parce qu'elles le dévalorisent, ou acquérir certaines capacités ou qualités gratifiantes.

Les techniques du mental en la matière sont connues. L'une d'entre elles, par exemple, consiste lors d'un entretien en tête-à-tête, à parler, parler, parler, sans reprendre sa respiration pour que le *guru* ne puisse pas placer un mot ou encore à poser des questions qui ne sont surtout pas les bonnes questions. La vraie nécessité serait d'examiner de très près un aspect conflictuel de mon existence afin de voir, à partir d'un échantillon concret, la manière dont je déforme la réalité, dont je projette – et je pose au contraire des questions métaphysiques sur tel verset des *Upanishads*, très éloignées de mes préoccupations réelles. Le *guru* n'est pas dupe et je suis sûr que, lorsque Swâmiji me disait en souriant : *« Yes, yes, Arnaud, very nice »* (« Oui, Arnaud, très beau, parfait »), il n'en pensait pas moins ou plutôt il n'en voyait pas moins, tout en se demandant comment il allait m'amener là où je ne voulais surtout pas aller. On pourrait écrire un livre sur l'habileté du disciple pour empêcher le *guru* de l'aider à progresser.

Changer, vous le voulez peut-être suffisamment pour aller jusqu'en Inde, vous faisant croire par là à votre sérieux sur la voie ! Mais l'ego va encore retomber sur ses pieds, si je puis dire, en devenant ego méditant, ego yogique ou ego mystique. « Que celui qui n'a jamais péché lui jette la première pierre », je me garderai donc bien de juger qui que ce soit. Chacun sera amené par lui-même à découvrir à quel point il fuit, il triche, il a peur et se défend et résiste donc à la transformation. C'est vraiment une tendance fondamentale : nous voulons rajouter à ce que nous sommes, acquérir la paix et le calme – quand ce n'est pas un ascendant sur les autres – et perdre certaines faiblesses, mais surtout pas nous mettre en cause radicalement.

*

La capacité du disciple à s'ouvrir, à accueillir les crises inhérentes à tout cheminement repose avant tout sur la confiance. Or il est étonnant de constater à quel point la plupart du temps nous manquons de confiance envers l'enseignement et surtout envers celui qui nous le transmet.

Si quelqu'un vous indique un hôtel sympathique dans les Pyrénées, vous le croyez sur parole et vous êtes prêts à envoyer des arrhes à l'hôtel en question pour y passer vos vacances. Mais si un maître et son enseignement vous parlent de choses bien plus extraordinaires comme votre possibilité d'éveil – à condition de jouer le jeu – vous ne le croirez peut-être pas. Pourquoi mentirait-il ? Il faut dès le départ un minimum de confiance, pour se lancer dans l'aventure et tenter de vérifier par soi-même les affirmations des sages. Cette force de conviction qui monte de la profondeur va être déterminante sur le chemin. C'est un engagement qui va peu à peu concerner la totalité de notre être et de notre existence. Seule cette confiance fondamentale peut permettre au disciple de dépasser les doutes et les remous de surface auxquels il sera inévitablement confronté dans sa relation avec le maître.

Si la confiance du disciple est parfois mise à rude épreuve, cela tient à la différence radicale de perspective entre le maître et le disciple. En tant qu'apprentis-disciples, nous voulons résoudre notre difficulté ponctuelle, qu'elle soit conjugale, sexuelle, financière, professionnelle... Mais le maître voit notre évolution dans une toute autre dimension. Le disciple se demande où il en sera dans quinze jours quand ce n'est pas où il en sera demain alors que le maître se préoccupe de savoir où nous en serons dans dix ou vingt ans et si nous aurons trouvé la clef qui permet de sortir de ce monde de conflits et de souffrances.

Il se peut que certaines épreuves vous permettent de mûrir et qu'elles soient de toute façon inévitables. Du point de vue du maître, l'important c'est de voir quel sens va prendre votre existence dans son ensemble. Vous mène-t-elle quelque part au travers des vicissitudes, des contradictions, des apparents retours en arrière inhérents à tout destin ? Votre *karma* et vos propensions vont inévitablement vous amener à vivre certains types d'événements – et par événements il faut entendre les événements extérieurs mais aussi les « événements » intérieurs, c'est-à-dire la succession de nos états d'âme, de nos émotions et des grands désirs qui nous habitent. Est-ce que votre existence va se dérouler mécaniquement sans direction – comme un navigateur qui ne tiendrait pas la barre et serait ballotté au gré des vents et des courants au lieu de suivre son cap – ou va-t-elle être vécue consciemment pour vous rapprocher du moment où une bascule décisive va s'opérer en vous ?

Quelle que soit la voie sur laquelle vous êtes engagés, qu'elle comporte de nombreux rituels ou qu'elle soit au contraire très dépouillée, vous serez de toutes façons confrontés à tous les problèmes que vous portez en vous de vivre. Au travers des circonstances concrètes de l'existence – chômage, manque d'argent, emprunts que l'on a contractés sans pouvoir les rembourser, fascination amoureuse pour une autre personne que le conjoint alors qu'il y a des enfants désemparés par la mésentente des parents – va se déployer le jeu complexe de vos peurs et de vos désirs. Ces problèmes très concrets que vous allez rencontrer vont-ils constituer une voie qui vous conduit peu à peu vers la liberté intérieure ? Ou, pour le dire d'une autre manière, dans toutes ces situations qui vont se présenter, en quoi l'apport de la voie va-t-il se manifester ? Allez-vous vivre votre propre histoire, au jour le jour, en disciple ? Le fait de nous engager sur la voie ne va pas magiquement nous faire vivre définitivement dans l'amour, la paix et le détachement.

La distinction entre les voies dans la vie « je suis père de famille et dentiste » et les voies hors de la vie « je suis moine dans un monastère » sème souvent la confusion. Vous menez une vie de dentiste ou vous menez une vie de moine trappiste. La voie c'est toujours l'existence. Réussissez votre existence de trappiste, réussissez votre existence de dentiste, de mère de famille... La vérité nous oblige à être réalistes. Nous ne pouvons pas nous illusionner en face d'un maître en croyant qu'une seule chose compte, atteindre la même sagesse et la même sainteté que lui et, dès que le maître a quitté la pièce, être irrésistiblement attirés par une femme qui passe ou ne plus nous sentir de joie parce que quelqu'un nous a félicités pour la qualité de nos questions. La voie exige que nous soyons incroyablement réalistes.

Vous connaissez tous la parole attribuée à Mao Tsé-toung mais qui est en fait une vieille parole taoïste bien antérieure à lui : « Celui qui donne un poisson à un homme le nourrit pour aujourd'hui, celui qui lui apprend à pêcher le nourrit pour toute sa vie. » Cela s'applique parfaitement à la voie. Le disciple vient chaque fois, au coup à coup, pour recevoir un poisson. Autrement dit et en français choisi : « Je me suis foutu dans la merde, qu'est-ce que vous allez faire, vous, *guru*, pour m'en tirer ? » Pendant bien longtemps, vous venez pour recevoir un poisson. Et le *guru*, lui, avec une obstination dont il ne se départit pas veut vous apprendre à pêcher. C'est là que réside à notre époque l'un des plus grands malentendus dans la relation de maître à disciple.

Dans quelle mesure allons-nous permettre à celui qui nous guide d'utiliser les situations concrètes de notre existence non pas pour nous donner un poisson aujourd'hui mais, à travers ces situations, nous apprendre à pêcher ? Aurons-nous l'envergure et la patience nécessaires pour nous laisser conduire sur le chemin d'une transformation qui va peut-être porter ses fruits majeurs, ses fruits évidents – produire la bascule dont j'ai parlé tout à l'heure – dans dix ou vingt ans ?

Le *guru* vous perçoit simultanément à deux niveaux. S'il vous voyait uniquement comme le Soi immortel, resplendissant par lui-même, alors que vous êtes secoués par l'existence, il ne pourrait pas vous être d'une très grande aide. Il voit l'être humain tel qu'il apparaît à ses propres yeux et aux yeux des autres : excité, heureux, désemparé, perdu, triomphant, fou de joie ; c'est l'aspect le plus superficiel et le plus éphémère : tel qui rit vendredi, dimanche pleurera. Et il voit en même temps beaucoup plus profond et beaucoup plus loin en fonction d'une démarche possible vers votre transformation radicale, l'éveil à votre réalité supra-individuelle.

Mais dans son impatience, le disciple veut un résultat immédiat. Quand il ne sait pas quelle décision prendre, il vient demander au *guru* ce qu'il doit faire. Et si le *guru* lui donne une directive, il en conclut aussitôt qu'il ne peut pas la suivre, que cela ne lui correspond pas, que c'est trop difficile. Or cela ne peut être qu'une question de malentendu. Si un maître a la compétence nécessaire, il ne va pas donner à un disciple une directive qui dépasse les capacités actuelles de celui-ci. Ou il la donne à titre de révélateur, pour déclencher une prise de conscience qui permet ensuite de voir exactement où l'on en est. Mais cela ne peut se produire que si l'on est réellement engagé sur une voie.

Par ailleurs, sommes-nous en mesure d'entendre vraiment ce que dit le maître ? S'il y a en nous une peur latente : « Il va m'empêcher de faire ce que je veux tellement faire et il va m'obliger à faire ce que je refuse tellement de faire », nous sommes sur la défensive, incapables de nous ouvrir à ce que dit notre *guru.* Il est difficile d'imaginer, tant qu'on ne l'a pas vérifié par soi-même, de quoi le mental est capable en matière d'incompréhension, de distorsion, de déformation.

Je me souviens d'une question absurde qui m'a un jour été posée en public et qui est tout simplement celle-ci : « Est-ce que je dois suivre ce que mon guru m'a dit ou est-ce que je dois m'écouter ? En ce cas, pourquoi demander son avis au *guru* ? » Vous écouter vous-mêmes, c'est remettre en cause complètement votre engagement sur la voie. Comment imaginer qu'il y ait une relation réelle entre un *guru* et un disciple, que le *guru* indique clairement (mais c'est rare qu'il soit si net) : « Voilà la décision juste à prendre pour vous aujourd'hui » et que, vous, vous pensiez : « Non, non, il se trompe. »

Je rencontre à longueur d'année des hommes et des femmes en entretien ou je reçois chaque jour des lettres dans lesquelles des personnes m'exposent leurs difficultés. La question qui revient le plus souvent c'est : « Qu'est-ce que je dois faire ? » Par exemple, je suis marié, père de famille, mais je suis amoureux d'une autre femme. Croyez-vous vraiment que le maître va vous ordonner sans nuances : « Quittez votre femme, partez avec celle que vous aimez... » ou au contraire « Non, vous rentrez dans le droit chemin, terminé, vous rompez avec votre maîtresse ! » De toute façon, vous ne serez pas d'accord avec sa réponse si vous n'êtes pas encore mûrs pour l'entendre. C'est une tactique qui peut d'ailleurs parfois se révéler utile : le maître peut vous suggérer une décision uniquement pour que se lève en vous un cri du cœur qui vous montre que vous voulez en fait exactement le contraire. Mais au moins, vous avez vu ce que vous voulez vraiment, vous ne pouvez plus faire semblant.

Je me souviens du cas, qui n'est certes pas heureux en soi, d'une femme qui me disait en entretien : « Je suis enceinte. Mes parents me conjurent de pratiquer une IVG mais moi, en tant que disciple sur la voie, je veux garder cet enfant et je suis venue vous voir pour que vous me donniez la force de résister à mes parents. » Et tout criait en elle-même à l'arrière-plan – mais à condition d'avoir des yeux pour voir, des oreilles pour entendre : « Arnaud, je vous en supplie, dites-moi que je ne suis pas maudite si je me fais avorter. » Mais, à la surface, le discours était sublime, attendrissant et mensonger.

La question n'est pas que le maître vous dise « Tu fais cela, c'est bien ; tu fais cela, c'est mal. » Le maître ne va pas trancher à votre place une situation concrète à partir de principes moraux mais examiner celle-ci avec vous dans l'optique principale de vous faire franchir une étape intérieure. Ses critères ne relèveront pas seulement du bon sens mais d'une perspective bien plus vaste dans laquelle votre progression devient primordiale. Son intervention est beaucoup plus profonde que la seule décision d'un acte. Et, pour pouvoir jouer ce rôle, il faut être soi-même passé par toutes les vicissitudes de son propre destin, avoir vécu ses propres peurs, ses désirs, ses fascinations, les folies de son propre mental et être, comme l'on dit, parvenu sur l'autre rive. Alors seulement nous avons la possibilité d'être un avec l'autre dans ses difficultés momentanées sans jamais perdre de vue le but à atteindre : comment puis-je aider cette personne à passer, un jour, au-delà de tous ses problèmes, de toutes ses contradictions, de toutes ses souffrances, de tous ses conflits ? Comment, dès à présent, l'orienter vers la non-dépendance, quelles que soient les situations existentielles que son *karma* l'amène à traverser ?

Ne commettez jamais l'erreur de considérer que vous avez un maître mais que s'il vous donne éventuellement (ce qui ne va pas être si fréquent) une directive concernant votre existence, il vaut mieux faire confiance à votre intuition. Je me souviens du cas particulier d'une disciple vivant auprès d'un grand maître indien et qui confinait au délire. Elle était persuadée que son *guru*, qui lui donnait oralement certaines instructions, lui en donnait d'autres mystiquement et elle soutenait que les instructions orales, différentes de celles qu'elle percevait dans ses méditations, étaient destinées à tester sa foi dans les instructions télépathiques. Voyez combien est extraordinaire ce que le mental arrive à fabriquer en matière d'illusion. Là le maître est impuissant. Or j'ai été au courant de plusieurs cas de ce genre.

Sans aller jusqu'à ces extrêmes, vous prêtez souvent au *guru* des intentions qui n'étaient pas les siennes. Je suis bien placé pour savoir ce que l'on me fait dire ou, encore plus probant, ce que l'on me fait écrire ce qui ne se trouve nulle part dans mes ouvrages. Tous ces malentendus ne sont que de pures fabrications du mental. Le *guru* ne veut que votre bien. Il s'adapte complètement au cas de chacun, ici et maintenant. C'est d'ailleurs la raison pour laquelle, si l'on vit suffisamment longtemps auprès d'un maître, on peut être dérouté de constater qu'il donne des instructions contradictoires aux uns et aux autres, y compris à la même personne à quelques années de distance.

Le maître n'a pas de méthode toute faite ni d'idées préconçues. Il est, à chaque rencontre, votre lucidité, votre clairevoyance, votre capacité de conscience.

CHAPITRE VI

UNE PERSPECTIVE SI DIFFÉRENTE

La relation sacrée entre toutes du *guru* et du disciple ne peut être appréhendée que peu à peu, au fur et à mesure de notre transformation. Malheureusement, cette vérité est loin d'être admise, même si elle est abondamment rappelée dans toutes les traditions, et nous demeurons indûment persuadés que nous savons de quoi il s'agit. L'essentiel de cette relation ne correspond en rien à l'idée que nous nous en faisons au départ. Et ce qui me permet d'être aussi affirmatif dans ce domaine c'est tout d'abord une existence entière de recherche et de tâtonnements, puis ma relation avec mon propre maître, Swâmi Prajnanpad, et enfin le rôle que j'assume à présent depuis plus de vingt ans pour guider à mon tour des personnes sur leur chemin. Je parle donc surtout en tant qu'ancien disciple mais aussi en tant qu'instrument assumant aujourd'hui à mon tour la fonction de guide.

Vous avez une idée à peu près claire de ce qu'est un médecin même si vous n'avez jamais été étudiant en médecine ; vous savez quel type d'études il a suivi et quelle aide vous pouvez en attendre. Mais le *guru*, lui, est situé à un niveau d'être et de vision qui vous échappe et que vous pouvez très difficilement entrevoir. On peut à la rigueur se faire une idée de ce qu'est le sage au niveau suprême mais il est beaucoup plus difficile de se faire une idée de ce qu'est un *guru*.

Je l'ai dit bien souvent, il n'y a pas cinq *gurus* dans le monde ni dix : Aurobindo, Swâmi Ramdas, le Maharshi, Mâ Anandamayi, Baba Muktananda, Mata Amritanandamayi et autres célébrités. Les descriptions que peuvent en faire les disciples et les admirateurs qui les ont connus ont pour effet de compliquer plutôt la relation réelle avec le *guru* moins prestigieux auquel nous avons plus intimement accès. Si nous ne considérons comme *gurus* que les quelques sages *« outstanding »* comme on dit en Inde, complètement « hors normes », comment voulez-vous que les millions d'êtres humains qui veulent vraiment changer puissent être guidés ? Il y a heureusement à la surface de la planète – davantage en Orient qu'en Occident, il faut le reconnaître – plusieurs milliers de maîtres spirituels dignes de ce nom et de cette fonction. Si nous prenons le seul cas de l'Inde, ce chiffre n'est certes pas exorbitant dans un pays de huit cents millions d'habitants où la spiritualité demeure encore omniprésente.

Certaines illusions grossières concernant le rôle du *guru* peuvent être dissipées par une réflexion intelligente et quelques questions bien posées. Mais le fait même que vous ayez besoin de faire appel à un maître suppose que vous n'êtes pas situés au même niveau d'être que lui et que sa manière d'envisager l'existence diffère radicalement de la vôtre. Par conséquent, cela vous demandera beaucoup d'ouverture pour commencer à entrevoir en quoi consiste son rôle. Il ne peut pas en être autrement, puisque le *guru* ne vit pas dans le même monde que vous et qu'il ne voit pas les dynamismes qui vous habitent ou les processus à l'œuvre en vous comme vous les voyez, et surtout il ne voit pas les chaînes de causes et d'effets de la même façon que vous. En même temps, il est évident que c'est grâce à cette différence de perspective qu'il peut vous aider. Si vous pouviez vraiment comprendre le comportement du *guru*, sa manière d'agir avec vous et avec les autres, cela voudrait dire que vous vivez dans le même monde que le sien, donc que vous n'avez plus besoin de son aide. Ou, inversement, si le *guru* voyait les choses comme vous les voyez aujourd'hui, cela voudrait dire qu'il fonctionne comme vous et qu'il ne peut donc rien pour vous ; il deviendrait alors sans utilité pour vous. Le fait même que vous fassiez appel à un *guru* implique par définition que vous serez à certains moments en désaccord avec sa manière de voir. Comment vous situerez-vous alors ? En lui faisant confiance ou en défendant pied à pied vos conceptions ? Il faudra bien que l'un des deux gagne : soit votre mental, soit le *guru*. N'oubliez pas que vous vous adressez à lui parce qu'il est supposé avoir une vision juste, libre de l'ignorance fondamentale.

Cependant on ne peut être *guru* que sous certaines conditions extrêmement précises. Sont-elles remplies ou non, c'est une autre question, mais on ne peut assumer ce rôle que si l'on a vécu soi-même une transformation radicale. Et c'est précisément parce que le *guru* a échappé à la condition ordinaire qu'il est si difficile de le comprendre. C'est peut-être au bout de dix ans de fréquentation du même maître ou peut-être seulement après sa mort que vous commencerez à voir clair en ce qui le concerne. Tant que vous ne voyez pas comme lui, que vous ne sentez pas comme lui, que vous n'êtes pas libérés de vos conditionnements comme il l'est, éveillés comme lui, comment pouvez-vous porter un jugement certain ? Le plus peut appréhender le moins mais le moins ne peut pas appréhender le plus. Un enfant avant sa puberté ne peut pas s'imaginer ce qu'est la vie sexuelle ou l'orgasme d'un adulte. Par contre, une femme ou un homme sexuellement épanoui peut se souvenir de la manière dont il envisageait la sexualité quand il avait dix ou onze ans. Nous avons tendance à ramener la réalité du *guru* aux mesures de notre expérience ordinaire, à l'intérieur de nos normes habituelles. Or le *guru* est supposé vivre dans un autre monde que vous, comme s'il appartenait à une autre espèce. Il existe dans toutes les traditions des textes – qu'on admet ou qu'on récuse – mais qui affirment sans ambiguïté cette différence de niveau d'être. Approfondir ce premier point vous permettra de mieux cerner votre propre possibilité de transformation, même si vous ne pouvez pas vous faire une idée complètement juste de ce qui vous attend et de ce que vous serez une fois transformés.

Le maître est non seulement souvent incompréhensible pour le public moyen, mais parfois même pour ceux qui l'entourent et qui l'approchent. L'Inde utilise une image à cet égard : si les hommes étant devenus anormaux marchaient tous à quatre pattes, celui qui marcherait debout serait considéré comme fou ; on tenterait de l'enfermer ou de le faire rentrer dans le rang. Je peux vous dire que par moments je n'ai plus rien compris au comportement de Mâ Anandamayi, dans la mesure où elle a été un *guru* pour Denise et pour moi-même et pas seulement une occasion d'admiration. Je crois que tous les disciples français de Swâmiji ont aussi eu parfois du mal à le comprendre. Son comportement à une certaine époque de la vie d'Arnaud paraissait inexplicable à Denise et à certains autres Français. A partir de là, nous interprétons les paroles du maître, ses actions ou ce qui nous en est rapporté par des disciples, tentant presque désespérément parfois de dépasser nos doutes et nos malaises.

Le *guru* a une vision fondamentalement différente de la vôtre. Il ne vit plus dans le même monde, non pas parce qu'il s'est retiré dans une grotte de l'Himalaya et que vous, vous travaillez dans des bureaux à Paris, mais parce qu'il ne voit pas l'existence en général comme vous la voyez, il ne voit pas vos vies en particulier comme vous les voyez et il ne place donc pas votre intérêt là où vous le situez. Pour vous la vie spirituelle, la transformation intérieure, la grande transformation, est certes importante, elle tient un certain rôle dans vos vies ; mais pour le maître, il n'y a que cela qui soit intéressant et tout le reste s'ordonne par rapport à cela – ce qui ne veut pas dire qu'il a oublié son propre cheminement et qu'il vous demandera l'impossible, jamais, sinon il ne serait plus un *guru.* Swâmiji est entré dans les détails de la vie privée, des émotions amoureuses, des ambitions professionnelles de tous ses apprentis-disciples, alors qu'en fait rien d'autre n'importait vraiment à Swâmiji que notre progression spirituelle.

Si l'on parlait brutalement, on pourrait dire que le fait que vous soyez riches ou ruinés est égal aux yeux d'un *guru.* Que vous soyez aimée par votre mari ou abandonnée par lui n'est pas ce qui lui importe le plus. Le grand dessein qui l'anime c'est de savoir ce qui va vous faire progresser spirituellement. Il ne considère qu'une chose, votre éveil, et il envisage tout à travers cette optique. Comment vous faire passer à un autre niveau d'être ? A l'arrière-plan de l'action d'un maître, il y a toujours la tentative de vous faire progresser vers cette joie et cette liberté indépendantes des circonstances extérieures auxquelles vous aspirez sans le savoir. Bien entendu, en vous existent toutes les autres demandes qui vous paraissent aussi importantes, sinon plus, que votre libération et dont la force contraignante ne se relâchera pas tout de suite. Le *guru* en tiendra toujours compte. Il ne commettra jamais avec vous les erreurs pédagogiques de nos parents qui nous ont demandé d'être tout de suite ce que nous ne pouvions devenir que plus tard et qui nous ont donné à l'indicatif présent des commandements qui ne pouvaient être donnés qu'au futur. C'est pourquoi celui qui vous guide vous rejoindra exactement là où vous êtes. Mais s'il ne se souvient pas à chaque instant de votre possibilité de transformation – y compris quand, vous, vous l'oubliez – il n'a plus de raison d'être et vous n'avez pas non plus de raison de vous adresser à lui.

Comprenez bien en quoi consiste cette différence de vision. Vous préférez gagner de l'argent plutôt qu'être ruinés et si vous pouvez progresser en gagnant de l'argent, tant mieux. Si vous progressez plus avec un mari qui vous aime, tant mieux ; chaque fois que moi-même je l'ai pu, j'ai travaillé à l'harmonie dans les couples. Si vous pouvez progresser plus avec une réussite professionnelle, tant mieux ; chaque fois que l'occasion m'en a été donnée, j'ai conseillé l'un ou l'autre pour l'aider dans sa réussite professionnelle. N'entendez pas au travers de vos peurs ce que je suis en train de dire comme si, sous prétexte que seule compte la sainteté ou la sagesse, le guide allait tout saccager dans vos existences afin que vous soyez acculés à vous transformer. Ce n'est pas cela. Il ne faut pas vous imaginer que votre progression ne peut s'accomplir que dans l'échec et la souffrance et que le *guru* est là pour tout faire rater de vos poursuites humaines afin qu'il ne vous reste plus d'autre issue que la libération. Excusez-moi de mettre les points sur les *i* mais cela fait plus de vingt ans que je suis obligé de clarifier des malentendus concernant ce rôle du maître. Simplement, toutes les gratifications que peut vous octroyer l'existence ne sont pas l'essentiel et il est évident que vous êtes bien moins désireux de vous transformer que le *guru* n'est désireux de vous voir progresser. Vous vous intéressez beaucoup moins à votre libération que le maître ne s'y intéresse. Le maître a pour vous une ambition de disciple indéniablement plus forte que la vôtre.

Non seulement l'échelle de valeurs d'un maître n'est pas la vôtre mais la manière dont il peut vous aider à progresser ou dont il aide les autres à progresser n'est en rien comparable aux actions qu'un être ordinaire peut tenter pour ses proches. Cela ne vous facilite pas la tâche pour le comprendre et en même temps c'est votre espérance. Rien ne vous interdit de tenter de le faire, il n'y a pas un secret jalousement gardé et vous ne faites pas preuve d'une vaine curiosité mais faites-le avec une grande prudence ! Prenons une image simple : si vous circulez en voiture dans les deux dimensions du plan, le *guru*, lui, se déplace en hélicoptère et a accès de ce fait à une troisième dimension qui n'est pas mystérieuse mais qui lui permet d'avoir une vue d'ensemble. Le *guru* perçoit donc très différemment de vous la situation dans laquelle vous êtes, ainsi que la manière d'en émerger. Lors des inextricables embouteillages d'un départ ou d'un retour de vacances, la gendarmerie qui a une vue d'ensemble depuis un hélicoptère est en mesure de donner aux automobilistes l'instruction d'emprunter une déviation ou une sortie d'autoroute plutôt qu'une autre. Imaginez que la voie est jalonnée d'innombrables routes, embranchements, croisements dans lesquels il ne faut pas se perdre. A chaque fois il y a un choix aussi bien dans l'attitude intérieure – le choix entre l'identification et l'émotion ou la mise en pratique – que dans le comportement extérieur. Et le comportement extérieur a son importance, il crée un *karma*, c'est-à-dire qu'il va vous mettre dans des situations plus ou moins heureuses ou conflictuelles. Comment allez-vous ensuite utiliser les situations dans lesquelles vous vous êtes mis pour progresser ?

Or dans ces situations concrètes, vous avez la plupart du temps une vue à court terme. « Comment vais-je me comporter aujourd'hui avec cet homme ? Cela fait huit jours qu'il devait me téléphoner et il ne m'a pas appelée, c'est horrible. » Le maître est bien conscient de votre point de vue partiel mais il a une vision de votre existence, tant dans la simultanéité que dans la causalité, à une tout autre échelle. Il est normal qu'il ne tombe pas dans le piège de ne voir qu'un détail isolé de l'ensemble et considère toujours la part en relation avec le tout. Vous avez une grande difficulté à ne pas vous identifier à un détail qui vous aveugle à tout le reste – l'arbre qui vous cache la forêt – alors que le *guru* situe dans une totalité le détail sur lequel vous restez polarisés.

Par ailleurs, le maître voit tout le temps le dynamisme, alors que le mental a une vue statique, il perçoit votre évolution dans le temps : d'où vient-il, où en est-il aujourd'hui et où va-t-il ? Quel est son parcours intérieur ? Est-ce qu'il évolue vers la conscience et la liberté ou est-ce qu'il involue dans un *karma* de plus en plus lourd et emprisonnant ? Là réside une autre différence entre le *guru* et le disciple. Vous voyez le film à coups d'arrêts sur l'image alors que le maître voit le film dans son dénouement. C'est une perspective tout autre qui prévoit à beaucoup plus longue échéance que vous les effets des causes actuelles. Dans une certaine mesure, le *guru* peut prévoir les effets concrets, comme chacun pourrait les prévoir s'il cessait d'être hypnotisé par un désir ou une crainte. Vous pourriez tous prévoir que si vous empruntez de l'argent, alors qu'un peu de bon sens vous montrerait que vous n'avez aucune chance de pouvoir le rembourser, vous allez vous trouver dans trois mois en difficulté avec votre créancier.

Mais le *guru* peut également prévoir d'une manière plus subtile ; cette vue qu'il a acquise a été désignée par une expression éloquente : la vue pénétrante. Cette vision pénètre au cœur du disciple, elle ne rebondit plus sur la surface comme le fait la perception ordinaire : que vous soyez tendus, détendus, que vous le regardiez avec des yeux pâmés d'amour et d'admiration ou que vous émaniez l'agressivité par tous les pores de votre peau, le *guru* ne s'arrête jamais à la surface, il voit toujours plus profond, dans cette dimension de totalité et de dynamisme que je viens d'évoquer. Même s'il se trouve en face d'un des personnages contradictoires dont vous êtes composés et qui a momentanément pris le devant de la scène en vous – qu'il s'agisse de l'ambitieux, de l'enfant perdu, de l'obsédé sexuel, du vaniteux ou de personnages plus complexes – cela n'est pas le fin mot de l'histoire pour lui puisqu'il vous voit tout le temps dans votre globalité. Il ne peut plus tomber dans les pièges habituels qui consistent à voir la part séparée du tout et l'instant coupé du passé et du futur, sans conscience du sens ou de la direction. Il a toujours un être humain complet en face de lui considéré non pas du point de vue de sa réussite professionnelle ou amoureuse mais selon la perspective de sa libération possible.

Si le *guru* vous voit et vous connaît beaucoup mieux que vous ne vous voyez et ne vous connaissez, cela ne signifie pas qu'il est doté d'une clairvoyance magique lui permettant de savoir avec certitude si vous êtes mariés, si vous divorcerez dans le futur, combien vous avez d'enfants, quels sont vos moyens financiers, etc. Ne vous trompez pas à cet égard. Il est vrai qu'il peut arriver qu'un maître nous donne l'impression étonnante de savoir ce qu'on ne lui a pas dit mais ce n'est pas de cette faculté que je parle à présent. Quand je dis que le *guru* vous voit et vous connaît mieux que vous-mêmes, cette affirmation demeure vraie même s'il vous connaît depuis peu de temps. Peut-être ne saura-t-il même pas quel nom vous portez ni quel métier vous exercez mais il percevra d'emblée des aspects qui vous échappent et sur lesquels vous ne pouvez pas le tromper : il verra tout de suite si vous êtes bien ou mal situés, plutôt dans la vérité ou dans le mensonge, à quelle étape vous en êtes et si vous vous rapprochez de la libération ou non. Quand un professeur de chant éminent vous demande de chanter la gamme, il sait avant même que vous l'ayez terminée si vous êtes un nouveau Placido Domingo ou si vous chantez comme une casserole ! Le *guru* n'a pas besoin de vous connaître depuis longtemps pour voir clair en vous. J'ose dire que c'est une question de métier. Ensuite, le maître aura besoin d'informations précises pour entrer dans chaque détail de votre existence, savoir ce qui vous fait souffrir, comment vous vous situez par rapport à tel ou tel problème. Swâmiji disait souvent *« some more information is required »*, « un peu plus d'information est nécessaire ». Mais, en essence, le *guru* vous voit beaucoup mieux que vous ne vous voyez. Je dirai même plus catégoriquement : vous voit alors que vous ne vous voyez pas.

En même temps qu'il vous perçoit dans votre totalité, l'ami spirituel vous aime plus que vous ne vous aimez vous-mêmes. Mieux encore, sans difficulté aucune, il vous aime beaucoup plus que vous n'avez jamais été aimés par qui que ce soit. Le fruit de sa propre *sadhana* c'est le fruit de l'amour qui lui a été porté et il est à présent lui-même établi à un niveau d'être où l'amour ne vacille plus. Les nécessités du cheminement feront inévitablement lever des doutes dans ce domaine et vous aurez à certains moments l'impression cruelle que votre maître ne vous aime pas, tout simplement parce que l'amour qu'il vous porte ne prend pas la même forme que l'amour ordinaire. Et, pour commencer, il ne va pas vivre nuit et jour avec chacun d'entre vous comme le fait votre mari ou votre femme. Un *guru* aura éventuellement une compagne, une *shakti* comme on dit en Inde – un maître soufi peut même avoir plusieurs épouses – mais aucun *guru* digne de ce titre ne peut multiplier les aventures, c'est évident. Et pourtant le *guru* vous aime, tous, toutes, comme personne ne vous aime, mais pendant longtemps vous ne pourrez pas ressentir cet amour complètement – ou très rarement – et ces mots résonneront en vous comme une phrase creuse.

*

Les méthodes que le maître utilise sont elles aussi difficiles à comprendre, d'autant qu'elles diffèrent suivant les maîtres : l'un se met souvent en colère, l'autre ne se départit jamais de sa douceur, l'un ne quitte jamais son ahsram, l'autre vous emmène dans les endroits les plus étonnants, comme le faisait Senseï Deshimaru. Si le *guru* engage avec vous une relation réelle, ses méthodes vont vous paraître parfois déroutantes, au point qu'il vous arrivera d'être choqués. Et les méthodes d'un maître ne seront pas les mêmes selon qu'il aura affaire soit à un simple admirateur, soit à un apprenti-disciple convaincu qui tente de mettre en pratique son enseignement mais qui est encore susceptible de toutes sortes d'émotions et de réactions, surtout s'il se trouve un peu sérieusement mis en cause, soit encore à un disciple confirmé avec lequel il est possible de se montrer très exigeant. « On ne donne pas de nourriture solide à un nourrisson. » Cette distinction de l'apprenti-disciple et du disciple est plus ou moins propre au vocabulaire de Swâmiji mais elle existe en fait partout et elle est même souvent marquée par certaines initiations. On ne donne pas les mêmes instructions à des postulants, à des novices et à des moines qui ont prononcé leurs vœux.

On ne peut pas parler du *guru* sans parler du disciple. *Guru* pour quels disciples ? Si vous vous posez des questions sur le *guru*, posez-vous des questions sur le *guru pour vous en tant que disciples.* Qu'est-ce que je justifie ? Qu'est-ce que je mérite ? Quelle est ma qualification pour qu'un maître s'occupe de moi ? L'amour du maître est une chose mais la qualification pour que le *guru* s'occupe de vous dépend du disciple. C'est une parole un peu dure à entendre mais on ne peut pas tricher avec la vérité : vous êtes plus ou moins qualifiés comme disciples. Pourquoi voulez-vous que le *guru* vous fasse bénéficier, simplement parce que vous le demandez, de toute une vie d'efforts qui l'a conduit à une transformation profonde – sans compter tout le temps et l'énergie que son propre maître a consacrés pour l'aider lui-même ? Le fait que vous vous rendiez auprès d'un maître ne vous octroie pas ipso facto le droit de tout recevoir. Demandez-vous avant tout si vous êtes plus ou moins disciples. Même si vous vous insurgez contre ce que je dis là, cela ne changera rien à la réalité. Tout figurant de cinéma rêve d'être une grande vedette, pourtant très peu le deviendront. Que nous recevions d'un maître certains éclaircissements, une bénédiction, un sourire, un peu de lumière dans une vie de ténèbres, c'est déjà heureux mais cela n'a rien à voir avec l'engagement de toute une existence en étant décidé à aller jusqu'au bout de la mort à soi-même et de la nouvelle naissance.

Il faut être très clair à cet égard et se souvenir de certaines paroles : *« You will have to pay the full price »,* « vous aurez à payer le prix complet », *« it is not a joke »,* « ce n'est pas une plaisanterie ». Lors de certaines initiations, le maître demande au disciple : « Est-ce que vous prenez le risque de la folie ? Est-ce que vous prenez le risque de la mort ? » Et si le disciple répond par l'affirmative, le maître prend le risque de l'instruire et de le guider dans certaines pratiques. Sachez clairement si vous sollicitez un *guru* pour obtenir une aide ponctuelle afin d'éclairer un pan de confusion dans votre existence ou si vous vous adressez à lui pour tenter la grande aventure. Ce que l'on ne peut pas admettre et imaginer en Occident, c'est qu'il y ait des risques. On admet qu'un guide de haute montagne fasse courir certains risques aux personnes qu'il guide vers un sommet dangereux sans pour cela lui intenter un procès en cas d'accident ; on admet qu'un médecin pratique une opération chirurgicale en tentant le tout pour le tout pour sauver une personne mais sans être absolument certain de réussir, mais qu'un *guru* puisse rencontrer un échec apparent n'est pas admissible pour la mentalité occidentale. En Inde ou au Tibet, cela fait partie d'un pacte et, même si les échecs sont rares, ils existent et sont admis. En ce qui concerne le *guru,* ces échecs ne sont pas expliqués comme pourrait l'être celui d'un chirurgien mais comme une question de *karma.* Un swâmi m'a dit un jour qu'il avait eu deux grands disciples. Quand je lui ai dit que j'aimerais les connaître, le swâmi m'a répondu qu'ils étaient morts tous les deux et il a ajouté que l'un était mort de sa *sadhana* et serait libéré dans sa prochaine existence. Je cite cet exemple parce qu'il m'a été donné en Inde, tout en sachant que le monde dans lequel nous vivons est tellement aux antipodes de cette manière de voir qu'il est difficile d'en parler sans soulever d'énormes réactions.

Demandons-nous simplement à quel niveau de relation *guru*-disciple nous nous situons à l'intérieur de ce cadre, c'est-à-dire si nous nous rapprochons de ce que j'appelle la grande aventure ou si nous nous contentons d'un conseil qui nous aide momentanément à voir clair ou d'un sourire et d'un regard qui réchauffent le cœur. Et s'il s'agit d'un réel travail en profondeur, d'une entreprise de longue haleine de destruction du mental *(manonasha)* et de purification du psychisme *(chitta shuddhi)* qui nous amène à voir ce que nous ne voulons pas voir en nous et à éradiquer nos convictions les plus ancrées et nos opinions les plus chères, allons-nous résister de toutes nos forces ou collaborer à ce travail ? C'est à nous de savoir ce que nous voulons.

Pour vous éveiller, briser votre vision actuelle, pour que vous ne viviez plus dans votre monde mais dans le monde, un travail de destruction et de reconstruction doit s'opérer. De même qu'une transformation aussi importante que celle de la chenille en papillon implique le passage par la chrysalide, la destruction de votre ancien monde suppose la traversée de certaines crises décisives. La crise, au sens étymologique du mot, est un bouleversement tel que les choses ne pourront plus jamais être ce qu'elles étaient. Et le *guru* vous accompagne à travers un certain nombre de crises incontournables. Il peut vous convaincre de la relativité de ces crises, vous conjurer de ne pas vous identifier au bouleversement qui se produit, vous aider à le traverser, il peut beaucoup sur la manière dont vous vivrez les crises, mais il ne peut pas vous les éviter.

Ce qui rend cette traversée possible, c'est que le *guru* est complètement libéré de la peur. Il n'a donc plus la même échelle de valeurs que vous. S'il n'a plus du tout la même échelle de valeurs en ce qui vous concerne, puisque pour lui seuls comptent votre transformation et votre éveil, il en est de même pour lui. Tant que les êtres humains n'ont pas découvert l'indestructible, ils sont menés par la peur. Le maître étant fondamentalement libre des identifications est libéré de la peur au singulier et des peurs au pluriel. Par conséquent, certains critères qui revêtent de l'importance pour vous à cause de ces peurs n'en ont plus pour le maître.

Par exemple, son action n'est plus limitée par des questions de réputation, les remous dans l'opinion publique ne le concernent plus. S'il est critiqué, méprisé, comme a pu l'être Gurdjieff de son vivant ou Deshimaru que j'ai entendu attaquer de façon virulente, cela n'a aucune importance pour lui. Cela peut par contre perturber les disciples qui aimeraient mieux ne pas être jugés à cause de leur rattachement à un tel maître : « Si mon *guru* fait ceci, si mon *guru* agit comme cela, je vais être critiqué à mon tour en tant que disciple. » Le disciple, dans sa vision étriquée, se sent gêné par le comportement du maître qui soulève des peurs en lui et parfois des peurs tout à fait ordinaires. « Qu'est-ce qu'il fait ? Où m'entraîne-t-il ? Etant connu comme disciple de ce maître, je vais me trouver compromis s'il continue de se comporter ainsi. » Les hindous étaient au supplice d'entendre à longueur de journées les doléances des Occidentaux : « Pourquoi Mâ Anandamayi respecte-t-elle le régime des castes ? Pourquoi les étrangers sont-ils traités comme des intouchables ? » Cela fait partie du chemin.

La fonction essentielle du *guru* est-elle de dispenser un enseignement magistral comme le faisait Krishnamurti, de donner de temps en temps un conseil judicieux concernant un point précis de notre existence, ou d'être celui qui, pour ses véritables disciples, va devenir le collaborateur, l'appui, le guide dans la grande aventure de la mort à soi-même et de la résurrection à un autre niveau ? Vous voyez qu'il y a différents degrés dans la relation avec un maître sur lesquels il ne faut pas s'illusionner.

Si le *guru* vous rejoint là où vous vous situez aujourd'hui, s'il a la capacité d'être un avec vous comme personne ne peut l'être, cela ne signifie pas que son monde se résume à la relation qu'il entretient avec vous et avec ses autres élèves. Je le redirai inlassablement : l'essentiel pour lui c'est la communion dans laquelle il vit avec son propre maître en particulier, avec les sages qu'il a approchés et avec toute la lignée dont il est le représentant actuel. Certains pensent que le monde dans lequel vit Arnaud, c'est l'ashram d'Hauteville. Or le monde dans lequel je vis, c'est avant tout celui de Mâ Anandamayi, de Kangyur Rinpoché, de Swâmi Ramdas, de Khalifa Sahib-e-Sharikar, de soufi Sahib de Maïmena, de tant d'autres, hommes et femmes, ou de leurs plus sincères disciples avec lesquels j'ai fraternisé. Au-delà de ces êtres humains réside la Sagesse impersonnelle qu'ils incarnaient dans leur apparence personnelle et la communion des sages. Encore aujourd'hui, la grande affaire de ma vie, c'est ma relation avec ces maîtres devant qui je me suis prosterné et c'est de cela que je vis.

La situation dans laquelle se trouve tout *guru* est paradoxale. A la fois il est seul, absolument seul, personne ne peut le comprendre complètement, mis à part un autre maître ; les disciples ont une attitude ambivalente à son égard : le même disciple qui déborde d'amour aujourd'hui sera fermé et amer quelques jours après. Le *guru* est aussi seul dans sa vision forcément différente de la vôtre et pourtant il n'est pas du tout seul. La plus grande garantie que vous ayez les uns et les autres dans votre relation avec un maître, c'est que la grande affaire de sa vie n'est pas essentiellement entre vous et lui mais entre son propre maître – et éventuellement les autres sages qu'il a connus – et lui. Et c'est votre plus sérieuse garantie. Si l'essentiel de sa vie se jouait entre vous et lui, ce serait inquiétant pour vous et vous pourriez vous demander à juste titre dans quelle mesure il peut vous venir en aide. Comment le guide pourrait-il faire preuve d'une liberté, d'un amour absolu, inconditionnel, tout en étant impliqué « jusqu'au cou » dans le monde de ceux qui viennent à lui et tout en étant inséré dans la société moderne, s'il n'avait pas accès à cette communion des sages ? D'un certain point de vue, il vit dans une solitude totalement acceptée et il est en même temps porté, *absolument* porté par une communion difficile à imaginer. Et le *guru* n'a en vérité de comptes à rendre à personne sauf à cette communion. Toute la question est de savoir si cette communion, dans laquelle il baigne et dont bénéficient ceux qui l'approchent, se maintient intacte, s'il vit en permanence dans cette communion et, au-delà d'elle, en communion avec Dieu – car, à Dieu, il a des comptes à rendre. Si ses comptes sont bien rendus il demeure en communion ; si ses comptes étaient mal rendus, la communion serait coupée et il se retrouverait seul, tragiquement seul au sens ordinaire du mot.

C'est uniquement à partir de cette communion que quelque chose devient possible entre le maître et le disciple. Le maître invite le disciple à le rejoindre dans un monde où toute une série de maîtres ou de sages, avec des apparences différentes, représentent le même dépassement de l'attachement aux formes : un maître musulman est musulman, mais au-delà de l'islam ; un maître tibétain est tibétain, mais au-delà du bouddhisme. Tous ces maîtres sont aussi en communion entre eux de leur vivant ; j'ai été heureux de savoir qu'il y avait eu une si belle rencontre entre Mâ Anandamayi et Sa Sainteté Karmapa par exemple. Ils vivent dans un même monde, vivants ou morts, cela n'a plus d'importance. Et le rôle du *guru*, c'est de vous appeler à le rejoindre dans ce monde d'absence de peur, de non-conflit, d'amour et de lumière. Dans le monde ordinaire vous trouverez partout le conflit, même entre les religions, même entre les tenants de différentes traditions. Le *guru* vous appelle à le rejoindre dans ce monde vaste, qui inclut aussi bien les vivants que les morts et qui est totalement réel même s'il n'est pas immédiatement perceptible. Le *guru* a pris une forme physique qui peut être photographiée mais il a aussi une forme subtile. La réalité subtile est une réalité, même si l'être humain ordinaire ne la perçoit pas, et ce monde subtil dans lequel règnent la beauté, l'harmonie et l'amour illumine le monde concret.

*

Extérieurement, vous pouvez être prisonniers des difficultés quotidiennes, y compris celles qui tiennent à vos destins respectifs, c'est-à-dire ce qui est inscrit dans vos thèmes astrologiques et dont vous ne vous libérerez jamais complètement, ce que l'on appelle le *karma*. Mais intérieurement rien ne vous empêche de vous situer à un autre niveau et de ne plus quitter ce monde auquel le *guru* vous appelle, à condition de dénoncer sans pitié les fonctionnements erronés. Il faut dissiper tout ce qui est illusion, les peurs, les fabrications du mental. Il faut transformer ce qui a une réalité relative et détruire ce qui est purement illusoire. Cette distinction peut vous aider à apprécier le travail du *guru.* Il faut transformer, parce que vous ne pouvez pas le détruire, ce qui a une réalité quelconque : votre haine peut être transformée en amour, votre violence peut être transformée en force intérieure, votre lâcheté peut être transformée en courage, vos conflits peuvent être transformés en compréhension, votre sentimentalité en générosité du cœur. C'est le processus alchimique du plomb changé en or. De même que le lotus émerge de la vase, avec du plomb on peut faire de l'or et avec un être corrompu on peut faire un bouddha. Les exemples de transformations spectaculaires jalonnent l'histoire de l'humanité : des êtres dont la vie semblait centrée sur l'égoïsme, comme le Père Charles de Foucauld avant sa conversion, sont devenus des saints.

Mais cette alchimie subtile de vos forces de désintégration en forces de vie n'est possible que si ce qui est illusoire est détruit. Ce sont les clefs pour comprendre le comportement du *guru.* Ce que j'appelle illusoire, c'est de voir un serpent là où il y a une corde. Dans le monde dit « irréel », parce qu'il est évanescent, changeant, comme les vagues à la surface de l'océan, il y a ce qui est relativement réel et il y a ce qui est totalement irréel. Si, dans la pénombre, vous prenez une corde pour un serpent, la « réalité » de ce serpent est totalement illusoire et doit être détruite. Par contre, une émotion en vous émanant d'un fond latent plus permanent ne peut être que transformée. Mais ce qui est purement illusion doit être détruit : non, il n'y a pas de serpent, il y a une corde. Ou bien encore vous voyez des fantômes dans votre jardin au clair de lune : il n'y a pas de fantômes, ce sont des draps de lit mis à sécher sur un fil et qui bougent dans le vent. Ce fantôme n'ayant aucune existence, vous ne pouvez le transformer en rien, vous ne pouvez que détruire l'illusion qui est la vôtre. Votre *sadhana* comporte donc deux aspects : l'un est un aspect de transformation et l'autre est un aspect de volatilisation pure et simple. Vous chérissez des opinions fausses et celles-ci doivent être pulvérisées. Ce processus de destruction de ce qui est illusoire s'accompagne de la transformation de ce qui vous constitue aujourd'hui, de ce qui vous fait souffrir et vous empêche de vous aimer vous-mêmes, en un autre fonctionnement qui ne sera plus incompatible avec votre unification intérieure et votre harmonie.

La double tâche du *guru* – destruction et transformation – prête souvent à confusion chez le disciple. Par moments, quand le *guru* cherche à détruire une illusion, le disciple a peur de voir détruit quelque chose qu'il prend pour une réalité. On pourrait dire que c'est une saine réaction de sa part car le disciple sent intuitivement, en dépit de ses illusions et de son aveuglement, que certaines forces en lui ont une réalité et qu'elles ne peuvent pas être piétinées et anéanties. Il résiste alors au *guru* en croyant à tort que celui-ci veut détruire ce qui, de toute façon, ne peut pas être détruit mais uniquement transformé. L'erreur du disciple vient simplement de ce qu'il confond ce qui possède une réalité relative et ce qui n'a qu'une réalité totalement illusoire. Le *guru* ne s'en prendra qu'à l'illusion, jamais à la réalité. Pour reprendre l'image de la corde et du serpent, il ne s'agit pas de transformer le serpent en sagesse mais de s'apercevoir qu'il n'existe tout simplement pas. Si vous confondez les deux, vous aurez inévitablement peur qu'une part de vous qui a une valeur ne soit détruite et vous vous débattrez de tout votre être.

Qu'est-ce qui doit être détruit ? Uniquement ce qui n'a aucune réalité, c'est-à-dire le mental. Vous avez tant d'illusions sur vous-mêmes. Pour donner un exemple concret, je me souviens du cas d'une femme persuadée que le drame de sa vie était de ne pas avoir d'enfant. Elle a posé une question à ce sujet lors d'une de nos rencontres. Il est ressorti assez vite de notre échange qu'elle avait d'abord épousé un homme dont elle savait à l'avance qu'il était stérile ; ensuite, elle s'était mariée avec un homme qui lui avait fait jurer auparavant qu'ils n'auraient jamais d'enfant ; quant au troisième homme qu'elle avait rencontré, il était déjà père de famille et ne souhaitait pas avoir d'autre enfant. Elle a donc tout à coup compris ce qu'elle n'avait jamais vu jusqu'alors : sa conviction était que le désespoir de sa vie était de n'avoir jamais été mère alors qu'en vérité elle avait tout fait pour être sûre de ne jamais le devenir. Ce magnifique entretien en tête à tête – magnifique parce que la destruction d'un mensonge auquel nous nous accrochions représente toujours une victoire – a eu lieu en public et ceux qui étaient présents s'en souviennent peut-être. Si la vérité ne monte pas à la surface, si l'illusion à laquelle vous croyez dur comme fer n'est pas démasquée, comment voulez-vous être libres ? Il n'est pas question de détruire le monde, il ne vous est même pas demandé de ne plus vivre dans le monde, il vous est demandé de ne plus vivre dans *votre* monde.

Reste à savoir, à partir du moment où vous avez la garantie que ce qui a une réalité pour vous ne sera pas détruit mais transformé, si vous êtes d'accord pour cette inévitable part de destruction. Est-ce que je suis capable de faire la différence ? Est-ce que ma compréhension est assez claire pour que je puisse faire confiance ? Et si le *guru* tente de me montrer qu'il y a une corde là où je vois un serpent, vais-je lui faciliter la tâche ou lutter pied à pied pour lui prouver qu'il se trompe et qu'il y a bien un serpent ? Imaginez que le *guru* me pose certaines questions sur ce pseudo-serpent : si ma confiance en lui n'est pas assez solide et qu'il me demande simplement, pour m'amener à voir qu'il n'y a pas de serpent : « Mais où est sa tête et où est sa queue ? », cette question va m'être insupportable parce qu'elle commence à ébranler l'édifice de ma construction mentale. Si je suis alors capable de me souvenir que le *guru* ne veut que mon bien, si je n'oublie pas que l'enjeu est grave, je serai en mesure de passer outre mes résistances. Là aussi c'est une question de qualification. Peut-être serez-vous candidats-disciples pendant des années et deviendrez-vous disciples un jour. L'apprenti-disciple n'ayant qu'une confiance relative se débat et refuse ce qui met en cause ses fausses convictions mais le disciple a compris qu'il ne risque rien et qu'il ne peut pas être détruit dans quoi que ce soit qui ait une valeur, c'est-à-dire une réalité. Il est en mesure de laisser le *guru* jouer son rôle d'agent de transformation et de destructeur des opinions, des illusions, des visions erronées.

*

Notre psychisme est constitué de ce qu'on nomme techniquement en sanscrit les *vasanas* et les *samskaras,* c'est-à-dire tous les dynamismes qui nous composent et dont une grande part est inconsciente. Nos peurs et nos désirs, du fait qu'ils sont profondément enracinés dans l'inconscient, exercent un grand pouvoir sur nous et c'est au moment où ils sont réveillés par les situations concrètes de l'existence qu'un travail fructueux peut s'opérer. Plus la circonstance concrète est intense, vous mobilise, vous remue, plus elle est décisive pour votre transformation. Si au lieu de vous énerver, vous vivez bien le fait d'avoir cassé le verre de votre montre, c'est une bonne chose, mais si vous vivez bien une tempête de votre existence, c'est tout autre chose. Donc le *guru* ne craint pas, dans la mesure où vous en avez la force, que vous traversiez des situations intenses dans lesquelles tout ce que vous portez en vous se trouve ramené à la surface. S'il pouvait vous les éviter, il le ferait – le *guru* n'est pas un sadique – mais si elles sont nécessaires à votre progression, il espère que vous ne fuirez pas celles qui font partie de votre destin, que vous ne tricherez pas. Par conséquent ne comptez pas sur le maître pour vous éviter toujours les situations difficiles. Il peut même arriver que, dans sa vision totalement différente de la vôtre, il donne le petit coup de pouce qui vous propulsera dans une situation critique que vous tentez de fuir alors qu'elle se présente manifestement à vous. Si vous êtes dotés de l'envergure nécessaire, vous en ferez un tremplin car c'est dans les moments forts que vous allez progresser. Quand c'est fini, c'est fini, mais au moment où l'on est en plein bouleversement, comme un marin pris dans une tempête, il s'agit d'en sortir sans chavirer – et tous les marins ne se noient pas, bien au contraire. Il faut ramener à la surface toutes les tendances, les désirs, les haines, les contradictions qui sont dans la profondeur : ne les charriez pas d'existence en existence. Et une part du rôle du *guru* consiste à vous provoquer pour ramener à la surface les dynamismes enfouis.

Par moments, ces remontées de l'inconscient occasionnent quelques secousses et peuvent même créer une atmosphère irrespirable à l'ashram ou dans le monastère si plusieurs disciples vivent une intense *sadhana* en même temps. Vous connaissez cette parole que j'ai si souvent citée de Mâ Anandamayi : « Si vous voulez voir des hommes en bonne santé, ne venez pas dans un hôpital. » Si vous voulez voir des gens déjà libérés, ne venez pas à l'ashram. Quand des disciples demandaient à Mâ pourquoi des personnes qui avaient d'habitude bon caractère étaient devenues franchement insupportables, Mâ répondait : « Comment savez-vous s'ils ne sont pas en train de progresser là où vous les voyez régresser ? Des tendances indésirables de la profondeur sont venues à la surface pour être dissipées. » Autre réponse de Mâ qui m'a beaucoup aidé à certains moments : « Vous ne pouvez pas savoir si quelqu'un est en train de progresser ou de régresser. Seul le *guru* peut le savoir. »

Il est bien évident que vous n'êtes pas appelés à rester toujours au même niveau. Je vous ai dit tout à l'heure : rejoignez le *guru* dans cet autre monde. Mais pour l'instant vous n'y êtes pas encore, vous en êtes simplement plus ou moins éloignés. Les attachements, les illusions, donc le travail qui reste à accomplir, sont plus ou moins importants. Si vous voulez vraiment mourir pour renaître à une autre vie, il faut qu'au moins par moments le maître puisse jouer son rôle de destructeur des anciennes structures.

Ce processus délicat est à la fois le plus terrible et le plus beau qui soit mais il suppose un disciple réellement engagé et un *guru* situé au plan de la liberté. Swâmiji m'a fait mal, et même, sur le moment très mal. Les crises par lesquelles il m'a fait passer sont à présent derrière moi, les amertumes qu'il a pu momentanément m'occasionner pour accélérer le processus se sont dissipées et j'éprouve à son égard une immense gratitude pour cette attitude chirurgicale. Qu'un maître se montre par moments exigeant, voire impitoyable, envers un disciple est une forme supérieure de l'amour, d'autant que le disciple, lui, ne peut plus aimer le maître quand il est sérieusement mis en cause. Cela fait aussi partie du rôle du *guru.*

Bien entendu, ces moments de crises ne se succèdent pas sans arrêt, personne n'y survivrait, mais les plus importantes peuvent durer parfois plusieurs mois. C'est une traversée : on lève l'ancre et on prend la mer. Comme je l'ai dit souvent, ou vous naviguez dans le golfe bien protégé de Saint-Tropez ou vous partez en haute mer pour rejoindre une île lointaine. Cette aventure est très bien décrite dans *Le Mont Analogue* de René Daumal. L'un de ceux que je connais depuis près de vingt ans et dont la passion est la voile m'a dit un jour : « La vraie navigation c'est vingt pour cent de Club Méditerranée et quatre-vingts pour cent d'enfer. » Quand la mer est agitée, qu'il y a du vent et qu'il faut redoubler d'attention, il ne s'agit plus de faire du bronzing à l'avant du bateau. Mais quel bonheur lorsqu'on atteint l'île et qu'on peut en explorer les merveilles ! Vous n'êtes pas tous embarqués dans cette traversée. Et aucun *guru* de toute façon ne peut accompagner dans la traversée cinq cents disciples en même temps. C'est pourquoi la tradition veut qu'un maître n'ait qu'un nombre restreint de véritables disciples même s'il est entouré de centaines (ou de milliers) de fidèles. Les véritables disciples du Christ, ce n'étaient pas les foules qui l'entouraient à certains moments mais les douze apôtres et quelques personnes proches de Lui comme les Saintes Femmes. Vous avez tous droit au même amour, mais vous ne pouvez pas tous recevoir la même aide en même temps. Il y a toute une part de la mise en pratique

que vous accomplissez seuls et que vous devez même vivre impérativement seuls. Swâmiji ne vivait pas à Paris pour me tenir la main. Mais il arrive que certains d'entre nous à un moment précis aient un impératif besoin du guide parce qu'ils s'engagent dans un bouleversement intérieur au long duquel celui-ci les accompagne. Cependant aucun *guru* ne peut accompagner trois cents personnes pendant dix ans dans cette chirurgie bien spécifique. Il y a là une question de qualification de la part du disciple. C'est aussi une question de moment. Tout dépend de l'étape où vous en êtes. Un jour, vous serez peut-être engagés dans cette entreprise intense à laquelle vous vous serez préparés pendant dix ans. Mais vous ne serez pas seuls pour l'affronter. L'ami spirituel sera à vos côtés, particulièrement proche de vous.

Un point doit cependant être précisé. Certains s'imaginent qu'ils vivent ce bouleversement intérieur alors qu'il ne s'agit pas du tout de ce dont je parle aujourd'hui. Il ne suffit pas de se sentir perturbé ni même désemparé ou affolé pour être engagé dans la grande *sadhana* et donc avoir droit à l'aide suivie du *guru*. Ce qui rend la présence du *guru* nécessaire à vos côtés, ce n'est pas le fait que vous soyez perdus au sens ordinaire du mot mais que vous soyez profondément désorientés parce que vous avez eu le courage de vous lancer dans un processus de destruction où vous perdez vos repères habituels. Vous vous apercevez alors que la mise en pratique qui était la vôtre jusqu'à présent ne suffit plus, qu'elle n'est plus adaptée à l'étape que vous êtes en train de franchir. Quand le disciple en est à ce stade, le maître ne peut pas ne pas répondre à la demande émanant de la profondeur du disciple et il ne peut en aucun cas être défaillant parce que celui-ci a impérativement besoin de lui. Il faut que ce soit très clair. Certains sont convaincus qu'ils ont le droit d'exiger l'aide du *guru* parce que tout va mal dans leur existence, qu'ils sont malheureux et qu'ils sont incapables de la moindre mise en pratique. C'est immensément cruel d'être perdu et malheureux, je l'ai été abondamment, et toute personne perdue et malheureuse a le droit d'appeler un psychothérapeute au secours et pourra même être encouragée par l'amour émanant d'un maître mais elle n'est pas pour autant qualifiée en tant que disciple au plein sens de ce terme.

Qu'est-ce qui fait la qualification d'un disciple pour que tout ce que je viens d'expliquer aujourd'hui puisse être mis en œuvre ? *Imperative necessity,* disait Swâmiji, le sentiment d'une nécessité impérative, on pourrait même traduire par le sentiment de l'urgence : je ne peux plus continuer comme cela ; ce que je suis, la manière dont je fonctionne, le monde dans lequel je vis ne me sont plus supportables. Au secours ! Je ne peux plus rester dans mon ancien monde et j'ai impérativement besoin d'aide pour en sortir. Celui qui ne sait pas nager crie au secours jusqu'à ce que quelqu'un plonge pour le sauver. Ce *feeling of necessity* est comparable à ce que peut ressentir une mère quand le destin de son enfant est en jeu. Un homme très amoureux ferait aussi n'importe quoi pour rejoindre sa bien-aimée et on sait à cet égard qu'en période de troubles des femmes ont encouru des risques terribles pour retrouver leur mari. Cette nécessité impérative, vous l'avez certainement éprouvée vous-mêmes de temps en temps. Mais est-ce que vous la ressentez non pas par rapport à tel accomplissement humain – dont je ne nie certes pas l'importance – mais en ce qui concerne ce passage d'un monde dans un autre, cette mort et cette résurrection, la fin de ce que vous avez été et la naissance du nouvel homme ? Est-ce cela que vous voulez ? Il se peut qu'à la surface vous renâcliez en entendant ces paroles mais si dans la profondeur c'est cela que vous voulez, c'est la profondeur qui l'emportera. Il se peut par contre que, parmi vous, d'autres se disent en toute bonne foi : « C'est cela que je veux et je paierai le prix » et que ce ne soit pas vrai. Auquel cas, vous trouverez le moyen d'esquiver les moments difficiles et vous finirez même par partir, quitte à piétiner ce que vous avez porté aux nues.

Parmi les grands handicaps sur le chemin, on mentionne beaucoup le découragement. C'est un obstacle que j'ai longtemps eu du mal à me représenter parce que, même si j'étais bien obligé de me reconnaître un grand nombre de faiblesses, j'étais cependant doté derrière mes infantilismes d'une nature enthousiaste et persévérante. Si ce thème du découragement est si clairement mis en avant dans la tradition, c'est parce qu'il représente une grande tentation. A cent mètres du but, on peut encore se décourager. Quand vous êtes sortis de la rade de Saint-Tropez et en route pour la Martinique, vous ne pouvez pas faire demi-tour au milieu de l'océan Atlantique alors que les alizés vous poussent en direction du continent américain. Vient un moment sur le chemin où vous sentez que vous ne pouvez plus faire marche arrière. Il faut alors continuer sans se décourager. C'est aussi le rôle du *guru* à certains moments de ne plus vous demander votre avis et de prendre la direction des opérations. Un guide de montagne à Chamonix m'a expliqué que certains clients, après avoir beaucoup insisté pour faire une course en prétendant qu'ils avaient déjà une bonne expérience de la montagne, prennent peur au milieu de la course et veulent à tout prix faire marche arrière, ce qui n'est pas possible dans certains cas. Il m'a même dit qu'il avait sans doute involontairement brisé un ménage à tout jamais parce que le mari avait lamentablement paniqué dans un passage difficile alors que la femme gardait son sang-froid et il pensait qu'elle ne pourrait plus jamais respecter celui qu'elle avait vu se plaindre en tremblant de peur. Ce guide me disait : « Il m'est arrivé de faire faire des courses à des hommes importants qui n'avaient aucune aptitude pour faire de la montagne et qui ont mis deux fois plus de temps pour atteindre le sommet du mont Blanc qu'un montagnard moyen. » Il me confiait qu'il avait même été obligé, lui petit guide, de menacer de grands personnages de leur « foutre son poing dans la gueule » pour les forcer à continuer parce que le fait de rebrousser chemin leur aurait été fatal. Après, quand ils avaient terminé la course, ils étaient sauvés – et fiers. Certains qui ont fort bien réussi dans l'existence sont des nullités sur la voie et, par contre, des

« paumés » seront un jour de grands disciples. Et le rôle du *guru* c'est aussi à certains moments de ne plus tenir compte de nos résistances et de nous obliger à continuer alors que tout en nous refuse d'avancer. Swâmiji l'a parfois fait pour moi. Sachant que je ne quitterais pas l'ashram, il pouvait agir parfois en chirurgien. Il y a un prix à payer pour sa libération. Il faut évidemment le payer à bon escient.

Avancez pas à pas, étape après étape, lucidement, consciemment, véridiquement.

DEUXIÈME PARTIE

LE DISCIPLE

« Le disciple n'est pas au-dessus de son maître mais tout disciple bien formé sera comme son maître. »

Luc, 6, 40.

CHAPITRE VII

AI-JE UN GURU ?

L'un de ceux qui fréquentent notre ashram m'a un jour posé une question : « Lors d'un récent voyage en Inde, j'avais une photo de vous et quelqu'un m'a demandé : "Qui est-ce ?" J'ai répondu : "C'est mon *guru.*" Est-ce que j'avais le droit de faire cette réponse bien que je n'aie pas de nombreux entretiens en tête-à-tête avec vous chaque année ? » C'est une question que peut se poser toute personne qui entre en relation avec un maître – et, bien entendu, tous ceux qui m'ont demandé de les guider sur leur propre chemin ainsi que les lecteurs de mes livres qui ne sont jamais entrés directement en contact avec moi mais qui se sentent plus particulièrement rattachés à l'enseignement que je retransmets. Comprendre dans quelle mesure on peut considérer qu'on est disciple d'un maître a une valeur générale et dépasse bien entendu l'ashram dont je me trouve personnellement responsable mais j'utiliserai celui-ci à titre d'exemple pour cerner de plus près certaines vérités qui s'appliquent à toute rencontre avec un maître, quel qu'il soit.

Certains *gurus* mondialement célèbres, nous le savons bien aujourd'hui, ont cinquante mille « disciples » ou plus en Inde et dans de nombreux pays et chacun de ces disciples considère que le maître est son *guru.* Quel type de relation personnelle peut-il y avoir entre cinquante mille fois une personne et un sage ? Si les chiffres que j'ai lus sont exacts, une de ces célébrités aurait, paraît-il, cinq millions de fidèles dans le monde. A l'autre extrémité, on trouve des maîtres comme Swâmi Prajnanpad auprès de qui nous n'étions jamais plus de trois à l'ashram et qui, dans sa jeunesse, prenait en charge jusqu'à sept ou huit personnes séjournant en même temps auprès de lui. Qu'y a-t-il de commun entre ces différents *gurus* ?

Que vous soyez disciples d'un maître qui n'a qu'un tout petit nombre d'élèves ou au contraire d'un sage célèbre qui compte des milliers de fidèles, qu'est-ce qui vous permet de dire réalistement « c'est mon *guru* » ? C'est simple : uniquement la mise en pratique. Si vous mettez en pratique l'enseignement donné par un homme ou une femme, vous pouvez affirmer que vous avez un maître. Sinon, vous pouvez seulement dire : « C'est un homme que j'admire, c'est une femme pour laquelle je ressens une grande vénération, c'est un sage auprès de qui j'ai fait de nombreux séjours » mais vous ne pouvez pas vous réclamer de cette relation très particulière qui relie le maître et le disciple.

Pendant mes années de jeunesse, j'ai estimé à tort que le critère pour reconnaître un *guru* résidait dans l'émerveillement, l'émotion, le choc ressenti en face de lui. Je croyais de toutes mes forces et de toute ma conviction que l'essentiel était ce qui se produisait dans ce contact d'être à être ou de regard à regard. Ces sages étaient des êtres extraordinaires dont le rayonnement, la grâce, l'influence représentaient une aide si intense qu'elle permettait de vivre auprès d'eux des états supérieurs de conscience. C'était avant tout cela que je cherchais. Mais maintenant, je m'exprimerais d'une manière différente. Le plus important n'est pas ce qui se passe en face du *yogi* ou du sage, c'est ce qui se passe au contraire quand on est loin de lui.

Sans aucun doute, je considère Swâmi Prajnanpad comme celui qui a été mon *guru* et pourtant j'ai ressenti un choc beaucoup plus fort en face de Kangyur Rinpoché, de Ramdas et de Mâ Anandamayi qu'en face de Swâmiji, même si à la longue j'ai appris à apprécier la présence silencieuse de Swâmiji et, en le regardant assis devant sa petite hutte, à sentir la beauté grandiose qui se dégageait de son immobilité. Mais ce que je vois clairement aujourd'hui c'est que ce qui vit en moi, à chaque instant, devant chaque situation de l'existence, c'est Swâmiji. Je pourrais dire, en paraphrasant la parole combien célèbre de saint Paul : « Ce n'est plus moi qui vis, c'est Swâmiji qui vit en moi. » Et pourtant je mène une existence tout à fait différente de celle de Swâmiji retiré dans son ashram du Bengale, je n'ai aucune de ses compétences scientifiques ni son érudition en matière de littérature sanscrite et je ne crois pas que Swâmiji aurait jamais donné à un ashram la forme qu'ont prise les différents centres que j'ai animés. Il ne s'agit donc pas d'imiter en quoi que ce soit un *guru*, mais de se souvenir de cette parole que j'ai déjà mentionnée : le *guru* n'est pas un autre que le disciple, il est un avec le disciple et pas deux, il est le disciple déjà arrivé au bout de son propre chemin. Par conséquent, dire ce n'est plus moi qui vis, c'est Swâmi Prajnanpad qui vit en moi, c'est dire aussi c'est enfin moi qui vis et non plus un mental fait d'éléments hétéroclites déposés dans mon psychisme et ressentant pour moi, pensant pour moi et décidant pour moi.

Vous connaissez aussi cette parole de Swâmiji : « Vos pensées sont des citations, vos émotions sont des imitations, vos actions sont des caricatures. » Le *guru* nous libère de cette cruelle situation en nous rendant à nous-mêmes. C'est un des critères essentiels qui vous permettra d'apprécier un *guru* : est-ce qu'il me rend à moi-même ? Et, dans la mesure où le *guru* exerce une très forte attraction sur moi, obtient mon amour et peut-être le don de moi-même, est-ce que je ressens cette attraction pour un autre, extérieur à moi ou, à travers le *guru*, pour mon être véritable, mon propre Soi incarné par celui-ci ? Un sage hindou traditionnel comme le célèbre Swâmi Sivananda de Rishikesh signait ses lettres par la formule *your own Self*, votre propre Soi, signifiant ainsi que le *guru* n'est pas un autre que celui à qui il répond. Quand le *guru* est admiré comme un autre, qu'il nous maintient dans la dépendance, pour ne pas dire dans un certain esclavage qui peut aller jusqu'à l'intolérance et au fanatisme, nous tombons purement et simplement dans l'idolâtrie comme les jeunes nazis ont idolâtré celui qu'on appelait le Führer, c'est-à-dire le guide, parce qu'il incarnait leur espérance.

Ce n'est peut-être pas tout de suite aisé de sentir la différence, mais il faut bien se souvenir de ce point et y réfléchir sérieusement. Est-ce qu'il y a un aspect d'aliénation dans la relation qui m'unit à celui que je considère comme mon maître ? Cela se produit souvent. On ne pense plus par soi-même mais à travers les paroles du *guru*, avant même que ces paroles aient été vérifiées par notre propre expérience. Et le rôle d'un *guru* digne de ce nom sera de tout faire pour éviter cette idolâtrie, pour vous ramener sans cesse à votre propre autonomie. Il faut donc souhaiter que le gourou, célèbre ou non, soit réellement non dépendant de ceux qui l'approchent, mais en communion avec eux. Un autre que notre mental oui, mais pas un autre que nous-mêmes. Si on ne comprend pas ce point, la dévotion si intense au maître que l'on rencontre chez les Tibétains, les hindous et même les soufis, devient à juste titre choquante et inadmissible pour les Occidentaux.

Donc, le *guru* vit en nous lorsque nous sommes loin de lui et c'est là l'essentiel. Je ne dis pas que ce que nous ressentons en sa présence n'est pas important, je dis que ce qui se passe en nous, grâce à lui mais loin de lui, est encore plus important parce que nous ne pouvons pas demeurer toute la journée dans la présence physique du *guru*, même si nous vivons dans son ashram. Et ensuite que se passe-t-il quand le *guru* a abandonné son apparence physique, autrement dit quand le *guru* est mort ? Est-ce que le disciple est désemparé ? Pas toujours. Très souvent, le fait de mourir représente l'ultime bénédiction du maître pour ses disciples car ils ne sont plus en contact avec la forme physique de ce maître mais avec la vie même que celui-ci incarnait. Comme l'a dit le Christ :

« Il vous est avantageux que je m'en aille, car si je ne m'en vais pas, le Consolateur ne viendra pas vers vous ; mais, si je m'en vais, je vous l'enverrai. » Voilà la question à vous poser pour savoir dans quelle mesure vous pouvez considérer qu'un être humain est votre *guru* : est-ce que loin de lui ma vie est changée grâce à lui ? Est-ce que son enseignement vit en moi au point que je le mets en pratique et même, peu à peu, que je ne peux pas ne pas le mettre en pratique ?

*

Le mot *guru* n'est pas synonyme du mot sage. Un sage n'est pas forcément un *guru.* Nous pensons à tort que le sage doit toujours avoir des disciples et fonder un ashram ou une communauté. A la limite, on pourrait être clown dans un cirque et faire rire les gens tous les soirs tout en étant *jivan mukta,* « libéré vivant ». Donc, ne confondez pas un sage et un *guru.* Certains sages mènent une vie paisible retirée de l'activité professionnelle et laissent les visiteurs les approcher. Peut-on dire qu'ils sont des *gurus* simplement parce qu'ils donnent leur *darshan*[1], c'est-à-dire qu'on peut venir passer un moment auprès d'eux, s'incliner, demeurer en silence, recevoir leur bénédiction puis repartir ? Même si l'on habite le village voisin et que l'on va passer un quart d'heure tous les soirs auprès du *yogi* en question, comme le font des milliers d'hindous, peut-on dire pour autant : c'est mon *guru* ? La réponse à cette question ne dépend pas de ce que vous

1. *Darshan* : « vision », rencontre d'un sage.

ressentez lors de ces *darshans* quotidiens. Il faut savoir qui anime de l'intérieur votre ascèse, votre effort, votre vigilance, votre progression sur le chemin.

Généralement, il est difficile d'avoir pour seule ascèse la puissance d'un regard, la lumière d'un sourire, l'amour qu'on a senti émaner du sage. Certes, cela nous touche, nous inspire et nous aide dans une large mesure – je le sais bien par ma propre expérience – mais comment pouvons-nous « mettre en pratique » ce que nous avons ressenti de si convaincant lorsque nous nous trouvons en butte aux difficultés de l'existence, en proie à nos vieilles émotions, soumis à l'emprise de nos peurs et de nos désirs ? J'arrive maintenant, après bien des années, à la conclusion qu'il y a là une grande source d'erreurs et de confusion. Ressentir en face d'un sage ou du *yogi* un avant-goût du Royaume des Cieux ou même vivre une expérience supra-ordinaire, comme c'est arrivé si souvent auprès de Ramana Maharshi ou de Mâ Anandamayi pour des êtres tant soit peu prêts, ne constitue pas un chemin. Beaucoup d'hommes et de femmes qui ont vécu un *samadhi* momentané – comme l'on dit techniquement – n'en ont pas vu leur existence transformée pour autant et quelques années plus tard se sont retrouvés secoués par les épreuves, voire brisés par le désespoir.

Pendant longtemps nous avons une attitude infantile vis-à-vis du maître, ce qui est normal puisque l'enfant en nous est encore si puissant. Les mécanismes décrits par les psychologues jouent magnifiquement. Nous projetons ce que nous avons dans l'inconscient sur ce support de choix qu'est le gourou, vrai ou faux, méritant ou non sa réputation, et nous attendons de lui qu'il fasse pour nous ce qu'ont fait ou n'ont pas fait notre père et notre mère quand nous étions enfants. Cependant, bien que nous attendions tout de la grâce du *guru*, nous sommes rarement capables de nous ouvrir docilement à cette grâce. On peut soutenir, et vous trouverez à cet égard de nombreuses affirmations traditionnelles, qu'il est exact que la grâce du sage est susceptible de transformer entièrement un être mais à une condition qui n'est pratiquement jamais présente, c'est que nous n'opposions aucune résistance à cette grâce, que nous soyons capables d'un don de nous-mêmes, d'un amour, d'une reddition ou capitulation de l'ego – ce fameux *surrender* inconditionnel qu'on entend si souvent mentionner en Inde. Ne vous laissez pas duper par des textes respectables mais qui ne s'appliquent pas forcément à vous, pas plus qu'ils ne s'appliquaient à moi. Nous pouvons nous illusionner profondément en imaginant de façon infantile que quelqu'un va faire le travail pour nous comme s'il suffisait de se rendre auprès d'un sage pour que celui-ci accomplisse ensuite le miracle de nous libérer. Cela ne se passe pas ainsi, que nous le regrettions ou non.

Vous connaissez peut-être la comparaison qu'utilisait Ramana Maharshi à ce sujet : la poudre à fusil est combustible tout comme le charbon. Seulement la poudre à fusil s'enflamme au simple contact d'une allumette tandis que si vous posez une allumette sur un tas de charbon, celle-ci s'éteint. Tout être humain porte en lui la potentialité de réaliser l'*atman* mais tout être humain n'a pas la même maturité pour être éveillé au premier choc d'un regard. Je pense que Ramana Maharshi a transmis l'éveil à un certain nombre d'ascètes hindous qui lui ont rendu visite dans son ashram, et que personne ne connaît, mais que cela n'a pas été le cas de ceux qui ont vécu vingt ans auprès de lui et dont les *vasanas* et les *samskaras* étaient très puissants, c'est-à-dire l'attachement à la vision dualiste et égocentrique de l'existence enracinée dans l'inconscient. Aussi prestigieux que soit le sage dont vous recevez la bénédiction et quel que soit son amour universel pour tous les êtres, vous vous rendrez compte, si vous êtes honnêtes avec vous-mêmes, que cela ne suffit pas à transformer votre existence lorsque vous êtes loin de sa présence physique et qu'après avoir connu tant de moments merveilleux auprès de tel *rinpoché* tibétain ou de tel *mahatma* hindou, vous êtes encore perdus et débordés par les événements quand « tout va mal » dans votre existence.

Rien ne vous empêche de reconnaître tel *yogi*, tel ascète comme un sage admirable mais rien ne vous oblige non plus à vous réclamer de lui s'il s'agit simplement d'un sage dont la présence vous a beaucoup touchés. Par contre, la plupart des *gurus* ont un rôle quelque peu différent, qui n'est pas tant une fonction de présence, de rayonnement et de bénédiction silencieuse, mais plus une fonction technique d'enseignement. Si vous approchez ce type de maîtres, souvenez-vous de la parole célèbre : *C'est le disciple qui fait le maître.* C'est l'état intérieur d'un être humain qui permettra au *guru* de jouer ou non son rôle. Certains entendent une parole, la reconnaissent tout naturellement comme vraie et la mettent en pratique. D'autres l'oublient ou bien s'en souviennent intellectuellement sans jamais tenter de la vivre concrètement. Donc, ne vous posez pas simplement des questions au sujet du *guru*, posez-vous aussi des questions au sujet de vous-mêmes. Le disciple est celui qui en effet suit un enseignement, suit un chemin. Si c'est votre cas, celui qui vous transmet cet enseignement est votre maître. J'ai eu plusieurs fois l'occasion de rencontrer des lecteurs de mes livres qui n'étaient jamais venus me voir mais qui avaient mis en pratique, avec intelligence et persévérance, les grandes lignes de l'enseignement que je retransmets dans ces ouvrages. Ils me remerciaient parce que leur existence changeait peu à peu et il est certain qu'ils sont indirectement disciples de Swâmi Prajnanpad et sont rattachés à cette filiation même s'ils n'ont jamais rencontré Swâmiji.

Cette notion de filiation est primordiale. Au début de mon cheminement, nourri en particulier des livres de René Guénon qui insiste tant sur la *transmission initiatique* – la chaîne traditionnelle remontant à un être hors de la commune mesure tel que le Christ, le Bouddha ou Mohammed – je considérais déjà cette filiation comme très importante. Mais il s'agissait à l'époque d'une conviction qui n'était pas encore étayée par une expérience personnelle. Or, à présent, bien que ce soit un peu subtil donc délicat à bien exprimer, c'est devenu une certitude pour moi. Ces rattachements sont essentiels. C'est d'ailleurs, entre autres, ce qui distingue la psychothérapie de la spiritualité. On sait en général qu'un psychothérapeute a été analysé par un autre psychanalyste ou a fait sa thérapie avec telle ou telle célébrité, depuis Lowen jusqu'à Janov, mais on ne se sent pas rattaché à une chaîne qui remonte loin en arrière. Cette solidarité à travers le temps peut paraître quelque peu mystérieuse, relevant de forces subtiles qui se transmettent sans qu'on comprenne exactement comment. Pourtant c'est vrai et vous en aurez la preuve. Tout disciple est particulièrement rattaché à tel maître comme représentant de cette sagesse unique, universelle qui a pris parmi nous la facette zen, la facette tantrique, la facette soufie, la facette chrétienne. Mais ce rattachement ne doit pas être illusoire, il ne doit pas être purement émotionnel. S'il est authentique, il est efficient, efficace, « opératif », et il se manifeste dans notre existence par une réelle capacité à mettre en pratique l'enseignement reçu. Il s'agit d'une conviction particulière – quelque chose vit en nous, même si ce rattachement n'a pas été solennellement signifié par un rite, un sacrement, une ordination particulière. On a d'ailleurs toujours admis en Inde qu'il existait différents types d'initiation, y compris l'initiation par une parole, par un regard ou par le toucher.

En ce qui me concerne, je témoigne que Swâmi Prajnanpad a été mon *guru* parce que c'est son enseignement qui se présente spontanément en moi du matin au soir dans les différentes circonstances de mon existence. Et aujourd'hui encore je sens combien c'est le *guru* qui me dirige, m'anime, me permet de vivre. Je mesure en même temps la différence avec ce que j'étais autrefois, avant que Swâmiji ne m'ait rendu à moi-même, car je ne sens pas du tout le rôle qu'il joue encore dans ma vie comme « étranger ». Je suis souvent amené à parler de lui, mais je me sens enfin moi-même, capable de vivre sans références concrètes à lui puisqu'il est mort depuis plus de vingt ans et que je ne peux plus lui poser de questions ni lui écrire. Or, les circonstances que j'affronte depuis mon installation au Bost puis à Font-d'Isière et enfin à Hauteville sont tout à fait différentes de celles que j'ai connues auparavant. Pratiquement aucun des problèmes concrets auxquels j'ai à faire face maintenant ne ressemble à ce qui faisait mon existence autrefois et aux échantillons de vie que j'apportais alors à Swâmiji lui-même.

A chaque seconde suffit sa peine, à chaque seconde suffit son oui ; et ce qui me permet donc de dire qu'il ne s'agit pas d'une dépendance ou d'une aliénation à l'égard de Swâmiji, c'est que cette présence de Swâmiji sous la forme de son enseignement est tout à fait vivante et originale, jour après jour, en face de situations dont je n'ai jamais parlé avec lui. Et la réponse vient parce que c'est une réponse qui s'adapte à toutes les circonstances quelles qu'elles soient.

Et pourtant, il est vrai aussi que plusieurs filiations convergent dans l'ashram que j'anime, c'est une constatation, filiations qui sont exprimées par des objets ayant appartenu personnellement au maître et que généralement celui-ci ne donne qu'à un disciple régulièrement initié. Ces « reliques » sont précieuses. Elles témoignent du lien subtil qui nous unit à ces sages et de leur bénédiction. Tous les sages que j'ai rencontrés savaient que j'avais un *guru.* Ces filiations jouent leur rôle ici mais nous nous appuyons sur un seul enseignement qui est celui de Swâmi Prajnanpad. Et je ne vois là aucune difficulté.

Vous pouvez conserver dans votre cœur le souvenir lumineux d'un *yogi* tibétain ou d'un moine trappiste mais vous ne pouvez pas vivre dix enseignements en même temps. Et « mon *guru* », c'est celui dont vous vivez l'enseignement. Par contre, vous le savez, vous pouvez avoir des *upagurus*, c'est-à-dire des auxiliaires ou représentants momentanés du maître. Un *upaguru* n'est pas forcément un sage : un petit garçon peut être un *guru* parce qu'il fera une réflexion qui vous touchera en plein cœur ; un animal peut être un *upaguru* et bien entendu un sage aussi dont une parole ou un geste éclaire le chemin que vous suivez. Par exemple, quand j'ai lu dans un livre d'Alan Watts la parole d'un maître taoïste répondant à celui qui lui demande comment échapper à la fournaise de l'enfer : « Sautez dans les flammes là où elles sont les plus hautes », cela m'a paru une magnifique expression de l'essence même de l'enseignement de mon *guru* : être un avec la réalité de notre vécu intime même le plus douloureux. Ce maître taoïste inconnu a été un *upaguru* pour moi. Mais évitez soigneusement de faire des mélanges qui ne seront jamais fructueux. Ne croyez pas que plus vous accumulerez des enseignements plus vous progresserez, bien au contraire. Plus vous accumulerez des bénédictions, des sources d'inspiration, plus vous progresserez, oui. Plus vous accumulerez des preuves qu'il existe une sagesse en rencontrant des maîtres – parce que le mental est toujours prêt à douter, à prendre peur, à perdre la foi – plus vous serez aidés. Il se peut que vous ressentiez un choc beaucoup plus fort en présence d'un autre sage qu'en face de celui que vous pouvez légitimement considérer comme votre maître.

Vous connaissez suffisamment ma gratitude à l'égard de Swâmiji pour ne pas vous méprendre sur ce que je vais dire maintenant : la présence de Swâmiji ne m'a pas bouleversé autant que la présence de Mâ Anandamayi ou le charme irrésistible de Swâmi Ramdas ou la puissance mystérieuse mais pleine d'amour de Kangyur Rinpoché ou même le comportement quotidien d'un homme comme Taisen Deshimaru auprès de qui j'ai vécu nuit et jour plusieurs mois au Japon et qui m'a donné du matin au soir un démonstration de liberté, un témoignage splendide de ce qu'est l'esprit du zen. Je n'ai pas beaucoup connu Deshimaru en tant que maître zen en France mais je l'ai connu en tant que moine zen au Japon, dans les trains, dans les hôtels, dans des endroits luxueux et dans des lieux enneigés et glacés, dans de très austères monastères et dans des bars de Ginza à Tokyo. Swâmiji ne m'a pas offert ce récital de liberté dans les contextes les plus variés. Il menait, jour après jour, la même existence régulière. Et pourtant lui seul a été mon *guru.* On ne peut pas avoir plusieurs *gurus.* Ce qui anime le disciple, ce qui l'éclaire, ce qui réalistement dissipe les ténèbres dans lesquelles il tâtonne, n'est pas le regard divin de tel ou tel saint mais les paroles, les explications de son maître et la relation qui, peu à peu, s'établit avec lui, faite d'une confiance qui s'approfondit avec l'expérience et le constat que ce qu'il a enseigné au disciple, a aidé celui-ci et a même transformé sa vie.

Il y a, dans la vie, deux sortes d'amour entre un homme et une femme : le coup de foudre, parfois durable, et puis la communion qui grandit et cristallise un beau jour : j'ai là, à mes côtés, le grand amour que je cherchais partout. C'est un peu ce qui s'est passé pour moi auprès de Swâmiji. Je n'ai pas éprouvé le même coup de foudre que lors de ma première rencontre avec Mâ Anandamayi dont le rayonnement dépassait toute l'attente que je portais en moi – et Dieu sait si cette attente était forte et riche de projections. Et puis, peu à peu, j'ai dû me rendre à l'évidence que ce que j'avais tant espéré, c'est-à-dire changer, se produisait enfin grâce à ce Swâmi Prajnanpad.

Donc, un seul enseignement mais un enseignement qui doit être ouvert, tolérant, qui ne doit pas rétracter l'ego sur lui-même. Nombreux, hélas, sont ceux qui considèrent que leur *guru* est le plus grand et la voie sur laquelle ils sont engagés comme supérieure aux autres. L'ego cherche tout le temps sa *self-glorification,* sa propre glorification, fût-ce en étant engagé sur la voie supérieure entre toutes, auprès du maître supérieur entre tous. C'est pourquoi il y a sur les murs de l'ashram que j'anime ces visages et ces photos de tant de maîtres avec qui j'ai eu une relation personnelle, pour que ceux qui y viennent sentent que, s'il existe de nombreux maître, il n'y a qu'une seule vérité, un seul esprit et un seul amour universel.

*

Maintenant encore un point pour répondre à cette question : « Est-ce vraiment mon *guru* ? » Qu'est-ce que je ressens vraiment par rapport à lui ? Quelle émotion ? Posez-vous pour vous-mêmes cette question. Personne ne saura la réponse qui montera de votre cœur à votre esprit. Qu'est-ce que je ressens ? La confiance, la méfiance, la peur ? C'est là que la distinction de Swâmiji entre disciple et apprenti-disciple, *candidate to discipleship,* prend tout son sens. Le titre trop galvaudé de disciple représente un degré déjà élevé d'évolution. C'est donc tout à fait faux de se croire disciple parce qu'on l'a décidé : ce *mahatma* m'impressionne, je lui ai fait le *pranam*, il m'a mis une guirlande de fleurs autour du cou, je suis son disciple. Non. Le disciple est celui qui comprend l'enseignement, qui comprend le maître, et qui consacre son existence entière à progresser sur la voie. Nous pouvons remarquer que c'est une distinction qui existait autrefois. Les premiers chrétiens étaient d'abord catéchumènes. Ils n'assistaient qu'à une partie de la messe et n'entraient que dans une partie de l'église. Et dans tous les enseignements spirituels on retrouve, sous une forme ou sous une autre, des étapes, des degrés, comme on est apprenti puis compagnon avant d'être maître. Il a fallu la confusion moderne pour que certains hindous concèdent le titre de disciples à des milliers de personnes qui les approchent.

« Apprenti-disciple » veut dire que je ne suis pas encore capable d'une relation pure et véridique avec celui que je considère comme mon *guru*. Tant que les émotions infantiles réprimées dominent votre relation avec le maître, vous ne pouvez être que des apprentis-disciples. Tant que vous projetez la peur d'un père trop sévère, le souvenir attendri d'un grand-père indulgent, l'image de la maman disparue sur le visage mongol d'un Tibétain ou sur celui d'un vieillard à barbe blanche, tant que ces projections bien connues de la psychologie moderne dirigent votre relation avec le *guru*, vous êtes encore susceptibles de toutes sortes de réactions qu'un véritable disciple a déjà appris à maîtriser. Savoir à quel niveau vous êtes, sans vous mentir, vous établit sur le sol ferme de la vérité et on est toujours plus à l'aise dans la vérité qu'en essayant de maintenir coûte que coûte un mensonge. En fait, bien peu nombreux sont ceux qui ont vraiment confiance en leur maître. Si j'ai peur, tant soit peu peur, je ne peux pas encore prétendre : c'est mon *guru.* Peut-être le sera-t-il un jour. Si vous avez peur, vous ne pourrez pas vous ouvrir de la même manière à l'enseignement et cette chaîne d'influences dont je parlais tout à l'heure ne jouera pas son rôle pour vous en toute plénitude. Vous ne recevrez pas la transmission d'une aide qu'on appelle d'un nom bien connu chez les soufis, la *baraka,* l'influence bénéfique transmise de maître à disciple.

Je me souviens combien je me suis parfois défendu en face de Swâmiji et je sais combien nombreux sont ceux qui ont peur de leur maître mais qui ne s'en aperçoivent pas clairement et vivent dans l'illusion. Cela explique pourquoi vous ne progressez pas plus mais vous donne une grande espérance pour le jour où la confiance sera enfin totale. Certains iront par exemple se confier à un ami sur un aspect essentiel de leur existence qu'ils feront tout pour cacher à leur maître. Un tel comportement doit être vu en face, reconnu, et non pas nié. Je pense aussi à ceux qui me demandent mon avis sur des sujets précis les concernant mais, si je les interroge pour avoir certains éclaircissements afin d'être en mesure de mieux les aider, bafouillent, rougissent et visiblement ne me disent pas la vérité, même s'ils ne s'en rendent pas compte ou par peur me la disent à moitié en omettant le plus important. Si j'ai peur en face du maître, je ne peux plus lui dire la vérité, j'essaie de noyer le poisson, je réponds à côté, je me défends, je fuis.

Swâmiji disait : « *The way is not for the coward but for the hero.* » C'est une terrible parole. « Le chemin n'est pas pour le peureux ou pour le lâche, le chemin est pour le héros. » Le mot sanscrit vir signifie « homme » dans la plénitude du terme : *the valiant hero,* le vaillant héros. C'est autre chose que l'intelligence, autre chose que la subtilité, autre chose que la finesse, autre chose que les qualités diverses qu'on peut admirer chez un homme et dont la nature vous a plus ou moins pourvus. C'est le courage et le sens aigu de sa propre dignité. Vous ne pouvez considérer un être humain, homme ou femme, comme votre *guru* que le jour où vous n'avez plus peur de lui. Et la première qualité qu'on attend d'un apprenti-disciple pour qu'il devienne disciple un jour, c'est ce courage de se montrer à nu devant son maître, sans rien cacher de ses faiblesses et de ses imperfections.

Il y a vraiment trop de confusion aujourd'hui dans le vocabulaire. La manière dont on use et abuse des termes disciple et *guru* vous induit en erreur, même si votre sincérité n'est pas en cause et que vous vous donnez de la peine pour assister à des réunions, vous déplacer, chercher ici et là. Il ne suffit pas d'avoir une bibliothèque remplie de livres ésotériques, d'avoir participé à des séminaires, séjourné dans des ashrams hindous, reçu des rubans et des petits cordons rouges de nombreux maîtres tibétains et de centrer en apparence son existence sur la spiritualité. La seule question est de savoir si vous êtes vraiment élèves d'un maître. J'ai dix *gurus* signifie que vous n'en avez aucun. Quand la parole d'un maître arrange votre ego et votre mental vous l'acceptez parce qu'elle vous justifie, et quand elle vous dérange, ce n'est pas que vous la refusez, vous ne l'entendez même pas. Vous avez des oreilles pour ne pas entendre.

J'ai eu beaucoup de foi et de dévotion envers Mâ Anandamayi, elle a fait naître en moi une espérance qui ne s'est plus jamais éteinte. Mais je ne savais pas trop en quoi consistait son enseignement, d'une part parce qu'elle a dit des paroles différentes à bien des gens et d'autre part parce que je ne comprenais pas toujours exactement ce qu'elle attendait de moi à partir des quelques entretiens traduits en anglais que j'ai eus avec elle. Je me suis même rendu compte un jour, ce qui ne m'avait pas tout de suite frappé, que je n'avais pas mis en pratique quelques instructions précises qu'elle m'avait données. Le *guru* nous dit quelque chose et nous n'en faisons rien. Ramdas me proposait la répétition constante du *mantram Om Shri Râm, Jai Râm, Jai Jai Râm,* le lâcher-prise, l'abandon radical, toute mon existence soumise à la volonté de Dieu ; reconnaître, voir Dieu en chaque circonstance, en chaque incident et en chaque être humain et répéter le *mantram.* Je ne l'ai pas fait. Je n'ai pas été non plus le disciple régulier d'un maître soufi ou d'un maître tibétain puisque je n'ai pratiqué dans sa totalité ni l'ascèse musulmane et soufie ni l'ascèse tantrique des Tibétains. C'est avec Swâmi Prajnanpad qu'a commencé l'essentiel de la relation d'apprenti-disciple puis de disciple à *guru.* Et l'essentiel, je le redis, c'est que l'enseignement que nous avons reçu s'incarne dans notre existence lorsque nous sommes loin du *guru.*

Certains *gurus* ont avant tout enseigné à travers des lettres. Il existe en Inde des swâmis qui ont fait un vœu définitif de silence et qui n'ont plus jamais ouvert la bouche, qui ont donc toujours répondu par écrit. Une part de l'enseignement de Swâmi Prajnanpad, qui a eu certes son importance, c'était aussi des lettres, brèves mais parfois très fortes, que je lisais et relisais. J'ai toujours considéré à cet égard que les livres parus sous mon nom étaient comme une très longue lettre que j'adressais personnellement à chacun de mes lecteurs.

Pour certains d'entre vous, il est peut-être tout à fait juste et légitime d'affirmer, en montrant une photo : « C'est mon *guru.* » C'est à vous de le sentir et il n'y a vraiment que vous qui puissiez répondre à cette question. Vous trouverez dans mes ouvrages des directives générales, je partage des souvenirs de ma vie auprès de Swâmiji, je propose certains principes traditionnels sur les qualifications d'un disciple et sur la relation de maître à disciple, mais c'est à vous ensuite de sentir si la réponse qui monte du fond de vous-même est positive. Vous seuls le savez. Je peux simplement vous aider à voir clair dans ce domaine. Qu'est-ce que mes livres vous apportent à vous-mêmes ? Qu'est-ce que vous recevez en fréquentant un maître ? Mais surtout qu'est-ce que vous en faites une fois livrés à vous-mêmes ?

Plusieurs de ceux et celles qui sont venus parmi nous ont redécouvert le christianisme. Notre ashram avait joué pour eux son rôle et ils sont devenus disciples du Christ. Si vous ne réussissez pas à vivre l'enseignement qui vous est proposé, cela veut dire que vous n'avez pas encore trouvé, que c'est un autre enseignement qui vous conviendra. En ce cas, cherchez ailleurs. L'enjeu est trop important pour tolérer l'amateurisme. Ou alors, si vous vous contentez d'un à peu près, c'est que vous ne voulez pas vraiment vous transformer. La mise en pratique de l'enseignement que vous recevez constitue le premier critère de votre rattachement à un maître précis. Le deuxième critère est lié à la transmission d'influences. C'est une question d'affinité qui tient à la nature de chacun et, là aussi, seul le cœur peut répondre. Est-ce que j'ai reconnu quelque chose qui ne se raisonne pas, qui ne correspond pas à des repères précis dont on peut dresser la liste mais qui relève du sentiment ? Certains m'ont ainsi parlé de Swâmi Prajnanpad : « Je sentais qu'il y avait un lien entre ce Swâmi Prajnanpad que je n'avais pas connu et moi à travers Arnaud. » Ce sentiment d'appartenance, de filiation est important mais il est entièrement personnel. Il faut que la réponse soit oui, nette, certaine pour que vous puissiez dire : c'est mon *guru.* Interrogez-vous honnêtement. Ensuite c'est à chacun d'apprécier.

Quel que soit le lieu de recherche spirituelle où vous séjournez, deux attitudes différentes sont possibles : une certaine motivation mais vous gardez votre quant-à-soi, et un engagement où vous êtes concernés en profondeur. Certains trouvent un ashram « intéressant » puis trouveront un jour un autre lieu plus intéressant, pour d'autres l'ashram et le maître sont au centre de leur vie.

Un point qui n'est pas toujours facile à comprendre, c'est que le sage a une vision différente de l'ancienne vision, ce que l'on appelle en sanscrit *sama darshan* – une vision égale, la reconnaissance de l'*atman* en tout être humain, que ce soit un ancien ou un nouveau venu, toujours. Il a bien conscience des différences, conscience des progrès ou de l'absence de progrès d'un élève, conscience de la présence chez un individu d'une grand courage ou au contraire d'une lâcheté certaine, mais cela ne modifie jamais sa vision égale. Un sage ne ressent pas plus d'amour pour le plus ancien de ses disciples que pour le nouveau venu qui se présente devant lui, pas plus d'amour pour celui qui met en pratique, qui progresse, qui est l'honneur de l'ashram, que pour le disciple qui mérite le moins ce titre, qui gaspille les chances qui lui sont données ou même que ses propres mécanismes amènent à faire du tort aux autres, à trahir l'enseignement et à bafouer ce qu'il a reçu.

Le sentiment de communion est indépendant de ce que vous faites et ne faites pas, de votre mise en pratique ou de votre paresse. Qu'il y ait des règles propres à chaque ashram, c'est certain, qu'on vous demande certaines attitudes dont vous devez comprendre peu à peu la justification, c'est vrai mais rien ne peut modifier la vérité de cette parole : en communion avec vous. C'est une communion qui s'étend à tous, même aux inconnus, un sentiment de participation, de solidarité, d'unité. C'est pourquoi le comportement d'un sage et celui d'un *guru* ne sont pas toujours compréhensibles selon les critères ordinaires. « Comment, moi, j'ai tellement fait pour l'ashram et c'est tout ce que le *guru* fait pour moi alors qu'il consacre du temps à cette personne qui a même dit du mal de lui ! » Ne tombez pas dans des pièges aussi grossiers et ne croyez surtout pas qu'il y ait ou une injustice ou une préférence. J'ai bien connu cela moi-même autrefois. Ne jugez pas. Ouvrez vos cœurs et vos esprits, assimilez ce qui vous est proposé, ne l'oubliez pas jusqu'à ce que quelques vérités décisives fassent vraiment partie de votre être. De même qu'un cinquième dan de judo aura spontanément le geste juste au moment nécessaire, de même l'enseignement fera partie de votre être même et vous deviendrez des experts de sa mise en pratique. Cela c'est votre affaire. Et si au fond du cœur vous savez « c'est mon *guru* », le maître ne peut que dire oui et répondre à l'attente de votre profondeur.

CHAPITRE VIII

SUIS-JE UN DISCIPLE ?

Tout maître ne peut pas correspondre à tout disciple ou, si vous préférez, tout disciple ne peut pas correspondre à tout maître. Vous connaissez la parole indienne qui dit : « C'est le disciple qui fait le maître. » Il n'y a aucun doute que le plus grand piano de concert utilisé à la Salle Pleyel ne donnera pas grand-chose si vous le mettez entre les mains d'un débutant. Par contre, un piano moyen entre les mains d'un grand virtuose donnera un récital. Je ne sais pas quelle est l'origine de cette parole mais je l'ai souvent entendu répéter : « C'est difficile de trouver un *guru* et c'est difficile de trouver un disciple. » Les *gurus* ne courent pas les rues mais les disciples non plus. Et si on se pose des questions à propos du *guru*, on doit inévitablement se poser des questions à propos de sa propre qualification de disciple. « Qu'est-ce que j'attends du maître » entraîne inévitablement comme contrepartie « qu'est-ce que celui-ci est en droit d'attendre de moi ? ».

Si je comprends quel type de disciple je suis, cela m'aidera à comprendre quel *guru* je peux espérer. Et si vous admettez la nécessité ou la justification d'un *guru*, ne vous contentez pas d'employer ce mot qui est devenu tellement à la mode comme si vous saviez d'emblée de quoi il s'agit. Depuis des années que j'ai l'occasion de parler avec des personnes qui partagent les mêmes intérêts que moi, j'entends souvent employer ce terme à tort et à travers. Il ne faut pas prendre le nom de Dieu en vain et il ne faut pas non plus abuser du mot *guru*. S'il y a une donnée du chemin à propos de laquelle le mental peut facilement « gamberger », c'est bien celle-là : on imagine, on confond ce qu'on a lu, ce qu'on a entendu, ce que l'inconscient projette et ce dont on rêve. Le bon sens disparaît à peu près totalement et il n'y a plus aucune limite à l'affabulation. Cette notion est entourée de toute une aura de merveilleux qui relève plus souvent du temps des projections des disciples et parfois d'éléments réels. On ne peut nier à cet égard certains témoignages authentiques ni même ce qu'en dit une tradition millénaire.

Je me souviens de la manière dont j'envisageais moi-même les choses à l'époque où j'ai commencé ma propre recherche. Jean Herbert dit dans un de ses livres une phrase que je cite de mémoire : « Que de fois il arrive qu'un disciple, qui a longtemps cherché son maître, arrive auprès d'un sage et que celui-ci lui dise : "Mon enfant, je ne suis pas ton maître, cherche encore jusqu'à ce que tu le trouves." » Je m'imaginais donc ce disciple allant de maître en maître jusqu'à ce qu'un jour l'un d'entre eux s'exclame en le voyant : « Ah, mon fils, je t'ai si longtemps attendu », quand ce n'est pas : « Me reconnais-tu ? D'existence en existence nous nous sommes retrouvés et je me suis réincarné une fois de plus pour te faire franchir une nouvelle étape dans cette existence. » Ces récits dans lesquels sont inextricablement mêlées légende et réalité permettent au mental de s'illusionner et de quitter la vérité concrète. Il est très facile de commencer à broder à partir de lectures et de laisser le champ libre à toutes sortes d'imaginations et d'espérances naïves du genre « Il va se passer quelque chose de tellement miraculeux que je vais tout de suite savoir : c'est lui. » Je peux vous dire que de nombreuses personnes qui ont éprouvé ce choc du premier contact ont malgré tout quitté le *guru* en question au bout de quelques années. Certains ont trois ou quatre fois dans leur vie connu le coup de foudre pour un *guru* comme ces hommes ou ces femmes qui, à plusieurs reprises dans leur vie, ont cru trouver le grand amour unique et définitif. Le coup de foudre en question, aussi bien décrit soit-il dans la littérature traditionnelle, n'est pas selon moi un critère sur lequel vous puissiez vous appuyer.

Une des définitions anciennes du *guru* en Inde, c'est qu'il doit être « établi dans le *brahman* et très instruit » (*shrotrya* en sanscrit qui veut dire instruit dans la *shruti,* l'ensemble des connaissances anciennes). Par conséquent, quelqu'un peut être tout à fait libre intérieurement ou en communion permanente avec Dieu sans avoir toutes les qualifications nécessaires pour être un *guru.* De quelle instruction s'agit-il ? Nous comprenons bien qu'il s'agit non seulement de la connaissance des *Upanishads* mais aussi d'une vaste expérience dans le monde relatif pour pouvoir dialoguer, répondre, ne pas être pris au dépourvu, trouver des exemples concrets pour illustrer son enseignement.

Il ne suffit pas d'être attiré ou même ébloui par ce mot *guru*. J'aimerais tant rencontrer un *guru*, j'aimerais tant rencontrer mon maître... D'abord, avez-vous une idée tant soit peu claire de ce que doit être le maître que vous recherchez, étant entendu que cette idée se précisera peu à peu, à travers les expériences, les tâtonnements, peut-être même les déceptions ? Mais ensuite, savez-vous ce qu'est un disciple ? Nous trouvons normal, simplement parce que nous en avons envie, qu'un *guru* s'occupe de nous et nous prenne en charge. Les Occidentaux pensent qu'ils n'ont qu'à vouloir un *guru* pour y avoir droit. C'est assez irréaliste et c'est bien pour cela que vous ne pouvez pas poser la question du maître sans poser aussi celle du disciple.

Pour bien des raisons, nous autres Occidentaux sommes vraiment très mal placés pour savoir en quoi consiste la fonction de *guru*. Nous vivons en effet dans une société qui n'admet pas les inégalités, considérées comme des injustices, et qui veut – ou prétend – que tout est pour tout le monde. C'est vrai que la médecine est pour tout le monde et c'est heureux. Quand nous étions encore au Bost, en Auvergne, et que notre garagiste dont les reins ne fonctionnaient plus et qui devait faire renouveler son sang deux fois par semaine me disait : « Vous savez, moi, pour rester en vie, je coûte tant par mois à la Sécurité sociale », cela me redonnait du courage pour payer mes cotisations à l'URSSAF. Tant mieux si ces traitements coûteux ne sont pas réservés aux milliardaires. Il suffit aujourd'hui que je sois malade pour être soigné par un médecin ou que j'aie besoin d'une intervention chirurgicale pour être opéré et que la Sécurité sociale me rembourse. Mais en ce qui concerne la sagesse ou la recherche du maître, cette approche quantitative ou égalitaire est impossible. La plupart des êtres humains ont suffisamment de bon sens pour ne pas demander en mariage Isabelle Adjani ou Robert Redford même s'ils incarnent pour eux la femme ou l'homme idéal mais n'importe qui pense, avec une inconscience totale, qu'il suffit de dire : « Voilà, c'est moi, prenez-moi comme disciple. Nous sommes des milliards dans le monde à souffrir, vous ne pouvez prendre en charge que quelques disciples, je dois être de ceux-ci. »

Qu'est-ce que je demande ? Avec le recul, il m'apparaît clairement que j'ai rencontré Swâmiji quand j'ai su réellement ce que je demandais, c'est-à-dire après que beaucoup de rêves et d'illusions eurent été détruits d'année en année. C'est peut-être un des sens de la parole célèbre : « Quand le disciple est prêt, le maître se révèle. » Et combien de gens me disent lors de séminaires auxquels je suis convié : « Ah, cette parole n'est pas vraie parce que le maître ne s'est pas révélé. » Je n'ai pas la cruauté de répondre : « Cette parole est vraie mais peut-être est-ce vous qui n'êtes pas prêt du tout. »

Des milliers d'Européens veulent trouver un « maître ». Certains qui ont rencontré beaucoup de sages reconnaissent en toute honnêteté : « Je n'ai pas encore rencontré mon véritable guide. » C'est très bon signe, cela prouve que ce qui compte le plus pour eux n'est pas de dire « J'ai un *guru* » pour pouvoir se rassurer ou se glorifier à bon compte et qu'ils sont peut-être habités par une réelle exigence.

Soyez d'abord clairs sur le type de *guru* que vous voulez rencontrer. Le mental est très habile pour revenir au relatif quand cela l'arrange et se situer à nouveau du point de vue de l'absolu quand le relatif ne fait plus son affaire. En jonglant avec des citations transcendantes des *Upanishads* ou du bouddhisme *mahayana* dans certains cas et en revenant à ses problèmes personnels dans d'autres cas, le mental peut tout rendre incompréhensible. Il ne faut pas virevolter du plan métaphysique au plan tout à fait concret des peurs et des désirs suivant ce qui nous convient sur le moment. Si vous êtes vraiment insérés jusqu'au cou dans le relatif, les difficultés de vos existences, les conflits, il faudra bien que le maître qui acceptera de vous guider vous rejoigne là où vous êtes et que vous utilisiez donc un certain nombre de critères relatifs pour apprécier votre qualification et reconnaître quel type d'instructeur vous recherchez. Si vous êtes moines ou *yogis*, votre chemin peut être constitué avant tout de techniques de concentration et de méditation et la contribution du *guru* se limitera à vous enseigner les modalités exactes de ces pratiques. Mais si vous n'êtes pas engagés dans un yoga technique, votre chemin se confond avec votre existence et c'est la totalité de celle-ci qui doit être éclairée par l'enseignement de votre maître. Est-ce que vous ressentez la nécessité vitale de découvrir un guide qui puisse entrer dans les détails de votre existence ? Et, si c'est le cas, rendez-vous compte à quel point votre demande est peut-être exorbitante. Le *guru*, selon moi, doit avoir le temps de me guider, de me connaître intimement, de me donner des entretiens particuliers. Mais de quel droit puis-je exiger, alors qu'il y a des millions de gens aujourd'hui qui ont entendu parler des *gurus*, qu'un homme que ses efforts, les efforts de son propre maître, son *karma* personnel, tout un concours de circonstances, ont amené à résoudre ses problèmes et à atteindre la libération, s'occupe de moi plutôt que des autres !

Qu'est-ce que je suis pour que le destin m'offre ce privilège incroyable ? Ce n'est pas parce que vous le souhaitez que l'existence est obligée de vous le donner, à moins que vous ne soyez d'accord pour faire anonymement partie des dix mille disciples d'un *guru* qui ne vous connaîtra jamais personnellement. Vous devez être très clairs à cet égard. Dans certains cas, l'aveuglement est total. « Je veux un *guru.* » Autrement dit, je trouve absolument normal que quelqu'un se mette à mon service simplement parce que je le demande. Ensuite, pour vous conduire à quoi ? C'est une question aussi que chacun doit se poser. Qu'est-ce que je demande ? Le *guru* est supposé nous conduire, quel que soit le chemin suivi, à la destruction du mental, à l'effacement de l'ego, à la nouvelle naissance. Est-ce vraiment cela qui m'intéresse et, si ce n'est pas le cas, pourquoi prétendre que je cherche un *guru* ? Si c'est l'ego qui cherche simplement à être consolé, rassuré, protégé, par la bénédiction de Karmapa ou celle de Mâ Anandamayi, il s'agit d'une demande différente. Le malentendu peut parfois être complet : non seulement j'exige d'avoir un *guru* qui me consacre des heures et des heures de son temps mais, en plus, ce que je demande, ce n'est pas du tout la mort de l'ego et la libération.

Qu'est-ce que je suis en tant que disciple ? Ensuite, quel chemin spécifique peut me convenir, d'après ma nature, mon tempérament ? Très concrètement, est-ce que je suis fait pour tout quitter ? Est-ce que je le peux ou non ? Ce n'est pas la peine de rêver. Suis-je capable d'apprendre le farsi pour étudier auprès d'un *pir* soufi ? Et l'enseignement que je veux suivre existe-t-il en dehors d'un cadre religieux ou faut-il que je me convertisse à l'islam ou que je prenne les Trois Refuges pour recevoir les initiations du bouddhisme *mahayana* ? Et enfin, à quels critères vais-je reconnaître celui qui deviendra mon *guru* ? Si vous demeurez dans le flou, ce qui est la spécialité du mental, vous resterez à la surface et vous perdrez quelques années de votre vie pour finir par abandonner un enseignement qui ne vous conviendra pas.

La question du *guru* est trop souvent mal posée parce que la question du disciple, qui elle est préalable, est mal posée. Vous ne consulterez pas le même spécialiste selon que vous souffrez de rhumatismes, de myopie ou de douleurs à l'estomac. D'abord le malade, ensuite le médecin. D'abord le disciple, ensuite le *guru*. Si vous n'avez pas l'être d'un disciple, comment pouvez-vous espérer trouver un *guru* ? Et compte tenu de ce que vous êtes comme disciple, quel type de *guru* pouvez-vous légitimement espérer rencontrer et que pouvez-vous en attendre ensuite ?

Avant tout donc, sachez apprécier votre propre qualification, sachez quels efforts vous êtes prêts à fournir. « Qu'est-ce que je demande vraiment et qu'est-ce que je suis prêt à donner en échange ? » Certaines personnes, par exemple, m'ont écrit tout au long des vingt dernières années pour me dire qu'elles voulaient trouver leur place au Bost d'abord, puis à Font-d'Isière et maintenant à Hauteville. Si l'on s'en tenait à la lettre, c'était une magnifique candidature de disciple. Mais si je répondais : « Ce n'est pas possible tout de suite » ou bien : « Vous ne pouvez pas venir dimanche prochain comme vous le souhaitiez », elles se fâchaient immédiatement. Comment peut-on être à ce point dans l'illusion ? Si je ne me mets pas tout de suite au service du candidat en question qui m'encense dans son premier courrier, il le prend très mal et me critique violemment dans sa seconde lettre.

*

Considérez aussi qu'une grande part de votre recherche se situe à un niveau beaucoup plus profond non seulement que le mental mais même que la *buddhi,* l'intelligence. Une force subtile vous guide. L'inconscient ne se limite pas seulement aux mécanismes qu'étudie la psychologie. Il y a aussi ce que j'ai appelé, d'une expression bonne ou mauvaise, « le grand inconscient », celui qui, de la profondeur, nous pousse inlassablement vers la libération, vers l'absolu, vers l'au-delà du par-delà de l'au-delà comme dit la *Prajnaparamita.* Et en définitive, c'est ce grand inconscient qui mène le jeu.

Apparemment, je pourrais décrire par quel concours de circonstances j'ai rencontré Swâmi Prajnanpad. Mais je vois bien maintenant, avec le recul, que j'ai été attiré vers Swâmiji d'une manière subtile. Et cette loi d'attraction joue en fonction de la puissance de la demande qui attire la réponse. Il s'agit pour moi d'une certitude qui explique pourquoi sur tant de personnes qui cherchent un *guru* si peu le trouvent. Si l'appel est suffisamment unifié et fort, si la nécessité est suffisamment impérieuse, en effet vous attirez la rencontre. Et cette reconnaissance du *guru* qui évite de se fourvoyer avec un faux maître ou de s'engager dans une voie qui ne nous correspond pas s'opère au niveau de la profondeur. Définir certains critères permettant d'y voir plus clair n'est pas inutile mais le plus important c'est une maturité qui permet de sentir sans se tromper. On peut toujours donner à un homme des conseils pour bien choisir sa compagne mais tant que les *vasanas* et les s*amskaras* qu'il porte dans l'inconscient détermineront son choix, il ne pourra tenir aucun compte des conseils en question et tombera éperdument amoureux d'une femme dont la vraie nature ne correspondra pas à la sienne. Il faut toute une maturation. Si j'avais continué de fonder ma recherche sur le merveilleux, j'aurais quitté l'ashram de Swâmiji dès les premiers jours car son approche ne pouvait en rien convenir à l'idéalisme de ma jeunesse. Il était indispensable qu'il en soit ainsi. Toutes les opinions doivent être abandonnées – même les rêves les plus séduisants – pour découvrir le merveilleux de la réalité toute simple que j'ai connue auprès de lui les derniers temps justement quand je n'en rêvais plus. J'ai alors vu Swâmiji incarner cet archétype du sage immergé en *brahman* dont je portais la nostalgie.

En règle générale, les Occidentaux font preuve d'un réel manque d'appréciation en ce qui concerne la recherche d'un maître. Appréciation ne veut pas dire jugement. Si je montre à un enfant une émeraude ronde de très grande valeur et une agate multicolore pour jouer aux billes, il choisira l'agate qui épatera beaucoup plus les copains. Par contre, un bijoutier-joaillier ne s'y trompera pas. C'est cela l'appréciation. On pourrait dire que les Occidentaux ne sont pas connaisseurs en la matière. Ils veulent le *guru* bon marché, ils veulent acquérir une émeraude pour deux cents francs. Cela n'existe pas.

L'ultime message que j'ai entendu de la bouche de Swâmiji concernait le futur ashram du Bost : il n'était pas pour moi, il était pour vous : *« Don't make it cheap ! »,* « ne le faites pas bon marché », à tous égards. Swâmiji savait que c'était le plus important à dire, parce que ce qui pèse le plus lourd dans la balance du sommeil en Occident – non pas en ce qui concerne les chaînes électro-acoustiques que l'on est prêt à payer vingt mille francs pour mieux distinguer le hautbois de la flûte mais en ce qui concerne les *gurus* et la spiritualité – c'est l'incapacité à évaluer le prix de ce qu'il y a de plus précieux au monde. C'est bien pour cela que tant de maîtres, qu'ils soient soufis, zen, tibétains, rendaient autrefois leur abord si difficile – alors que beaucoup, dans le monde moderne, ont accepté de diffuser largement leur message – et commençaient par imposer de sévères épreuves aux candidats afin de tester leur qualification avant de les accepter comme disciples.

Et quelque temps auparavant, Swâmiji m'avait dit dans ces dernières semaines auprès de lui : « Sachez dire non. » Je lui avais expliqué qu'au Bost il y aurait de la neige l'hiver et il avait eu une parole provocante : « Laissez-les mourir de froid dans la neige et n'ouvrez pas votre porte. » Cela voulait dire : Arnaud, si vous vous retrouvez avec trois mille prétendus disciples au bout de trois ans, il vaut mieux faire autre chose. Mais ce sont des réalités qu'un Occidental ne peut absolument pas admettre. Pourtant c'est cette fermeté de Swâmiji qui m'a permis de répondre « non » bien des fois ces dernières années à des demandes pour venir au Bost puis à Font d'Isière. Si je n'avais pas refusé ces demandes, je n'aurais tout simplement pas pu me consacrer à ceux qui s'étaient adressés à moi il y a vingt ans et j'aurais trahi leur attente d'un changement en profondeur. Entre parenthèses, cela signifie que ceux qui sont venus au début quand il y avait encore de la place doivent sérieusement se poser la question que Swâmiji nous a posée à tous : *« Why do you take time and energy from Swâmiji ? »* « Pourquoi prenez-vous le temps et l'énergie de Swâmiji ? » Outre les disciples indiens, nous étions neuf Européens qui nous rendions régulièrement auprès de lui. Un jour, nous avons reçu une lettre photocopiée écrite de sa main disant que plus aucun d'entre nous ne pouvait réclamer de nouveau un séjour auprès de lui mais que nous pouvions de nouveau poser notre candidature. Nous devions donc répondre à un certain nombre de questions d'une manière qui convainque Swâmiji. A la vérité, quelle qu'ait été la réponse, tout le monde a pu de nouveau faire un séjour auprès de Swâmiji. Mais, au moins pendant un certain nombre de jours, j'ai été sérieusement remué et obligé de réfléchir en profondeur à ma relation avec Swâmiji de façon à pouvoir lui répondre.

Si nous admettons que le *guru* rayonne comme le soleil chauffe, c'est une approche. Le soleil brille sur les bons comme sur les méchants, il illumine tous les hommes. Vous pouvez aussi imaginer le *guru* comme illuminant tous les hommes, auquel cas la question de temps et d'énergie ne se pose pas dans les mêmes termes. Mais si vous entrevoyez la fonction du maître à un autre niveau, cette question de temps et d'énergie intervient inévitablement. Vous ne pouvez pas imaginer que les journées d'un maître durent trente heures au lieu de vingt-quatre et vous ne pouvez pas non plus croire que, dans le domaine manifesté, l'énergie du *guru* est inépuisable. Cela n'a jamais existé. Même le soleil n'est pas éternel. Il donne sa vie pour nous, humains, afin de nous chauffer, nous éclairer et faire pousser la végétation qui nous nourrit mais il s'éteindra un jour.

Par conséquent, vous voyez bien qu'il existe deux catégories de *gurus.* L'un peut avoir des milliers d'admirateurs auxquels il dispense le même amour et pour lesquels il est une fontaine de vie. Mais il ne vous connaîtra jamais personnellement. L'autre type de *guru,* comme Lopon Sonam Zangpo par exemple qui n'avait que trois disciples, guide ceux-ci pas à pas, parle avec eux, corrige leurs exercices et les aide individuellement à trancher leurs nœuds. Mais si c'est ce *guru* que vous voulez, eh bien, vous devez être le disciple qui y correspond. Ce qui n'est pas juste, c'est d'être le chercheur moyen correspondant au sage qui a cinq mille ou cinquante mille admirateurs et d'exiger en même temps un *guru* qui ne guide que quinze élèves héroïques entièrement consacrés à leur ascèse

Nous savons que la vie des hommes préhistoriques tournait autour du feu. A cette époque où les hommes ne savaient pas faire de feu, il fallait que la foudre ait enflammé un morceau de bois et ensuite veiller sans relâche à ce que le feu ne s'éteigne pas. S'il s'éteignait, il fallait attendre un nouvel incendie spontané ou aller voler le feu à une autre tribu. Et si deux tribus se faisaient la guerre, l'arme suprême, c'était l'extinction du feu des ennemis. C'est quand le feu s'est éteint et qu'on se réveille tout à coup glacé, incapable de se chauffer, incapable de faire cuire sa nourriture, incapable d'écarter les bêtes fauves, qu'on se rend compte combien ce feu était précieux. Nous sommes certains que les hommes préhistoriques savaient apprécier le précieux feu.

Pour l'Oriental, y compris les soufis, ce qu'il y a de plus précieux au monde, c'est le maître. Vous savez que le titre *rinpoché,* en tibétain, signifie « précieux ». Comme ce terme est juste ! Je vous assure que les Occidentaux n'ont pour la plupart aucun sens de ce dont il s'agit. J'ai rencontré en Inde bien des « ésotouristes » qui voulaient être reçus par les plus grands sages tibétains sans réaliser ce que leur demande pouvait avoir de disproportionnée par rapport à leur propre niveau d'être. Si vous prenez au sérieux ma comparaison avec le feu pour l'homme préhistorique, peut-être pourrez-vous commencer à entrevoir le sens des textes sanscrits qui proclament : *« Guru Brahma, guru Vishnu, guru Deva Maheshvara »,* « le *guru* est Brahma, le *guru* est Vishnu, le *guru* est le Grand Dieu Maheshvara ». Ou pire : « Dieu Lui-même ne peut pas donner la libération, seul le *guru* peut donner la libération. » Vous comprendrez la place éminente que la littérature hindoue ou tibétaine réserve au maître. Et même dans l'islam où aucun homme, en aucun cas, ne doit être divinisé, le *pir* persan ou le *cheikh* arabe est traité avec une vénération que les Occidentaux ne peuvent non seulement pas admettre mais même comprendre : baiser la main du *pir*, embrasser son vêtement.

Ce respect a considérablement disparu dans le contexte moderne à mesure que de plus en plus d'ashrams d'obédience hindoue ou de centres tibétains sont fondés en Europe et en Amérique. Le candidat disciple manifeste l'attitude de l'enfant qui demande et qui veut recevoir ; un enfant de trois ans ne se préoccupe pas de ce qu'il peut donner à ses parents à part ses sourires. Il est facile de s'extasier devant certaines lectures sans se demander un instant si cela nous concerne. « Un disciple voulut devenir élève de tel maître zen. Pendant trois ans, il ne fit rien d'autre que de balayer la neige devant le monastère sans avoir un seul entretien avec le maître... » Croyez-vous que les étrangers qui arrivent dans un monastère zen en espérant bénéficier tout de suite d'une entrevue avec le *roshi* sont prêts à ne rien faire d'autre pendant trois ans que balayer les couloirs ? C'est aussi une question d'appréciation.

Il existe, en Inde, une cérémonie appelée *guru puja* au cours de laquelle le disciple rend un véritable culte à son maître : celui-ci est alors considéré comme une divinité, on lui met des guirlandes de fleurs autour du cou, on appose un point rouge sur son front tandis que sont récités des textes à la gloire du *guru*. Comment un Occidental peut-il admettre une cérémonie pareille ? La plupart du temps, soit il réagit fortement soit il abdique tout sens critique et tombe dans la bigoterie et la superstition qui sont l'opposé de la compréhension : « Mon *guru*, mon *guru*... » Cet attachement infantile n'est en rien une attitude forte, consciente, mesurée. C'est une façon d'être tombé amoureux, d'être ébloui, et gratifié dans son ego. Ce n'est pas à cela que je me réfère. Un témoin m'a raconté un souvenir exemplaire concernant une admiratrice du Swâmi Siddeshvarananda, le premier maître hindou authentique invité à résider en France dès avant la dernière guerre. Il avait beaucoup plu, le jardin de l'ashram de Gretz n'était plus que de la boue. Une femme, venue de Paris et assez élégamment habillée, a cru bon d'affirmer au Swâmi : « Swâmiji, il n'y a rien que je ne sois prête à faire pour vous. » Swâmi Siddeshvarananda l'a prise au mot et avec beaucoup d'amour a répondu : « Faites le *pranam* maintenant, tout de suite. » Cela voulait dire : allongez-vous dans la boue avec votre belle robe. Et, bien sûr, elle n'a pas pu le faire. Je trouve cette histoire éloquente. Si vous demandez à un Tibétain, un Japonais, un hindou d'accomplir trois cents prosternations dans la boue, il les fera sans hésiter un instant. Et pourtant, il n'y aura ni démission ni servilité dans son geste. Nous sommes dans deux mondes dont on voit mal comment ils pourront jamais communiquer, la conception occidentale de celui qui veut *avoir* un *guru* et la conception orientale de celui qui est prêt à être un disciple.

*

Que l'essence du chemin soit la relation du disciple au *guru* ne fait aucun doute. Et, de ce point de vue, le *guru* n'est pas avant tout celui – ou celle – qui enseigne des techniques. C'est encore une particularité moderne d'essayer de prendre un peu à différents *gurus* pour faire sa synthèse personnelle. Quand j'ai commencé ma propre recherche à vingt-quatre ans, comme j'avais compris que ce *M. Gurdjieff* pour qui j'éprouvais un grand respect – respect qui subsiste malgré toutes les réserves que j'ai lues ou entendues sur son compte – avait pendant vingt ans voyagé et séjourné dans des monastères tibétains, dans des confréries de soufis et de derviches, dans des écoles ésotériques difficilement accessibles et qu'il avait fait sa propre synthèse, j'étais arrivé à la conclusion que ces rencontres multiples constituaient la démarche par excellence. Et une part de mes voyages, dans la mesure où l'on peut justifier ce qui est simplement l'expression d'un destin à l'œuvre, consista à refaire ce qu'avait fait Gurdjieff : passer bien des mois auprès de maîtres tibétains, dans des confréries soufies, chez Mâ Anandamayi. C'est contraire à la tradition qui préconise d'avoir un maître et un seul et qui est en cela proche de la conception du mariage selon l'Eglise catholique. Quand le *guru* est mort, on peut concevoir qu'un autre maître poursuive l'œuvre de celui qui nous a quittés mais, en fait, on n'a pas plusieurs *gurus.* Si vous passez trois mois en *sesshin* dans un monastère zen, que vous séjournez quelque temps à Darjeeling ou à Dharamsala pour rencontrer les *rinpochés* tibétains et faites ensuite l'honneur à Chandra Swâmi et à Mata Amritanandamayi de leur consacrer quelques jours, cela ne constituera jamais un chemin digne de ce nom. Ce tourisme mystique n'a plus rien à voir avec la conception traditionnelle du maître et du disciple. Le disciple reconnaît le *guru* et le *guru* reconnaît le disciple. Il y a de part et d'autre un engagement sacré. Et je ne vois pas comment on peut reconnaître cinquante mille disciples et dire vraiment : « Je t'ai appelé par ton nom et maintenant nous avons un chemin à accomplir ensemble. »

Les textes sont là pour le certifier, un disciple n'a qu'un *guru.* Mais n'oublions pas qu'on peut par contre avoir eu plusieurs *upagurus*, *upaguru* ne signifiant pas forcément d'autres personnes ayant la fonction de maître. L'expression *upaguru* s'applique à tout incident de l'existence qui vient confirmer ou éclairer l'enseignement de votre propre guide. Par exemple, Swâmi Prajnanpad racontait qu'il avait eu deux *upagurus* : un fou, considéré comme tel mais sans qu'on l'interne pour autant et qu'on laissait errer librement – et une fourmi. Comme beaucoup d'hindous, ce fou connaissait des textes sacrés par cœur et passait son temps à les réciter d'une voix timbrée et tonitruante. Swâmiji qui était encore jeune étudiant en physique et en chimie, lui avait témoigné de la compassion. Et ce fou s'était mis à pleurer devant lui en disant : « Je tiens les propos les plus sublimes qui existent et ma vie est un désastre, je ne sais pas ce que je fais. La manière dont je me conduis est exactement à l'opposé de tout ce que je dis. » Swâmiji m'a raconté ce qu'il avait alors senti : « Je suis exactement comme lui. J'ai reçu une éducation de *brahmane*, je connais le sanscrit, je peux réciter par cœur les *Upanishads* et la *Bhagavad Gita.* Mais qu'est-ce que je suis par rapport à ces propos sublimes ? Rien du tout. Je ne vaux pas mieux que ce fou. » L'autre histoire, c'est celle d'une fourmi qui voulait faire rentrer un grain de riz de forme très allongée dans le trou d'un mur. Elle prenait ce grain, le hissait le long du mur mais le grain tombait. La fourmi redescendait et recommençait. Swâmiji la regardait en pensant « Voilà un pauvre animal sans intelligence. » Mais, en l'observant mieux, il s'est aperçu que la fourmi modifiait légèrement sa prise sur le grain de riz à chaque fois jusqu'au moment où elle est arrivée, à force de persévérance, à faire pénétrer le grain de riz dans son trou. Swâmiji racontait que cela avait représenté un grand choc pour lui : une fourmi peut montrer une persévérance inlassable et changer à chaque fois son approche au lieu de recommencer indéfiniment la même erreur ! Ce qu'une fourmi est capable de faire, est-ce qu'un être humain ne peut pas le faire également ?

Mais, bien sûr, l'*upaguru* peut aussi être un autre maître. Par exemple Swâmi Prajnanpad insistait beaucoup sur ce qu'il y a de juste à être vraiment *un* avec l'autre, à entrer en communion avec lui. Or j'ai eu l'occasion de vivre très près de Taïsen Deshimaru lorsque nous avons tourné ensemble deux films sur le zen au Japon. Senseï Deshimaru utilisait souvent un mot dans son jargon franco-anglais, avec sa grosse voix : *harmonize,* mettez-vous en harmonie. Et, à cet égard, j'ai observé Senseï Deshimaru dans les endroits les plus divers et insolites, depuis les monastères en tous genres jusqu'aux boîtes de nuit de Ginza... pour ne pas dire plus – mais au Japon ces « lieux de perdition » s'inscrivent dans un contexte totalement différent du nôtre – en passant par les Rotary Club pour hommes d'affaires japonais. Je l'ai vu une journée entière faire jouer des adolescents, je l'ai vu dans de modestes familles d'agriculteurs ou de pêcheurs. Il s'ingéniait à me faire connaître tous les milieux japonais et se montrait différent dans chacun d'eux. Pas comme un caméléon qui change de couleur ou comme une girouette qui tourne à tous les vents mais comme un homme capable de s'adapter à toutes les situations qu'il rencontrait, complètement chef scout avec ces jeunes adolescents, complètement autoritaire, parlant net, clair, avec les hommes d'affaires à Tokyo, complètement moine dans les monastères, complètement client dans une boîte de nuit... (nous avons bu ensemble pas mal de saké au Japon mais je ne l'ai jamais vu perdre sa superbe maîtrise, je peux en porter témoignage). En résonance avec les mots de mon propre maître, « être complètement un avec », il a joué pour moi le rôle d'un *upaguru*, certes dans un style complètement différent de celui de Swâmiji qui était, dans son petit ashram du Bengale, l'incarnation de l'amour mais aussi celle de l'austérité. Deshimaru était ce que certains appelleront un bon vivant et pourtant il était l'exemplaire confirmation de la voie sur laquelle j'étais engagé, m'apportant un éclairage, une preuve, une vérification de l'enseignement de mon propre maître.

Lorsque mon propre fils, à l'âge de six ans, a dit un certain jour de décembre, alors que je déplorais que la forêt que nous traversions ait perdu ses couleurs d'automne : « Bien sûr, pour une forêt en automne, c'est complètement raté, mais pour une forêt en hiver, c'est très réussi », il a été pour moi un *upaguru*. J'ai entendu de la bouche d'un enfant de six ans l'enseignement de mon maître qui m'était rappelé d'une façon magistrale. L'existence nous offre de nombreux *upagurus*, à condition que nous sachions les voir, mais on n'a qu'un seul *guru*. Par contre celui-ci peut être aidé dans sa tâche par des collaborateurs qualifiés, disciples avancés sur la voie, *swâ-*

mis ou *lamas* capables de servir sans songer un instant à se servir.

Enfin, dernier point que je veux redire, être disciple d'un maître ce n'est pas uniquement la relation d'un être humain avec un autre être humain. C'est s'insérer dans un ensemble et ceci est très important. Par exemple, pour devenir disciple d'un maître tibétain, vous devez prendre refuge dans le Bouddha, le *dharma* (l'enseignement) et la *sangha* (la communauté des disciples). C'est aussi s'insérer dans une lignée : le *guru* a eu un *guru* qui lui-même a eu également un *guru*, de la même façon qu'un psychanalyste a été psychanalysé par quelqu'un qui l'a lui-même été. Mâ Anandamayi n'a jamais dit qu'elle était un *guru* car seul un autre *guru* peut décerner ce titre, si je puis m'exprimer ainsi. Selon les hindous, Mâ est une incarnation divine mais elle n'est pas *guru* au sens technique du terme.

La relation de maître à disciple n'est pas seulement un pacte entre deux personnes, c'est l'entrée dans une filiation qui remonte aux *Upanishads* ou aux *Védas*, qui remonte au Prophète Mohammed, qui remonte au Bouddha historique (lequel se rattache lui-même aux Bouddhas qui l'ont précédé à d'autres époques). C'est s'insérer dans un ensemble bien plus vaste que cette relation tout à fait particulière d'un homme à un homme. Que cette mentalité de groupe puisse conduire à des déviations et des dégénérescences, c'est vrai aussi. Mais ce n'est pas une raison pour la renier complètement. Même Swâmi Prajnanpad, qui était si éloigné de toutes les formes dévotionnelles et religieuses (et de tout ce qui peut être récupéré par le mental), avait reçu l'initiation de *sannyasin* de son propre maître, Niralamba Swâmi, lequel l'avait lui-même reçue d'un autre maître appelé Soham Swâmi.

Du fait de cette chaîne initiatique qui a permis la transmission ininterrompue de l'enseignement, la relation avec le *guru* ne peut pas être une relation individualiste et égoïste comme celle que vous pouvez avoir avec un chirurgien : le chirurgien est là pour m'opérer de mon kyste, je paie le tarif – qui plus est je suis remboursé par la Sécurité sociale – et c'est tout. Vous ne vous sentez pas au service d'un ensemble, c'est l'ensemble hospitalier qui est à votre service pendant quinze jours. Et quand vous quittez l'hôpital, c'est terminé. Tandis que cette approche très égoïste « mon *guru*, mon *guru* » est fausse. Il s'agit beaucoup plus de sentir « je suis son disciple », même si l'ego réclame au départ d'avoir un *guru*. Qu'est-ce qu'il me demande, qu'est-ce qu'il attend de moi ? En quoi consiste le fait d'être un disciple ? Etre un disciple, c'est comprendre que cette relation précieuse entre toutes n'est pas la relation d'un individu et d'un ego. C'est prendre sa place dans une lignée qui existait avant nous et qui existera après nous. Il y a d'abord la solidarité des disciples d'un même maître, ce que l'on appelle *gurubaï* en Inde, frère et sœur par le *guru*. Mais il y a aussi la façon dont le *guru* lui-même se situe dans cette réalité : il est au service de la vérité ou de la volonté divine et vous devenez donc serviteurs de la vérité à votre tour – et, pour commencer, serviteurs du *guru*.

Le service du *guru* est une des notions les plus importantes en Inde. J'ai été frappé par une petite phrase d'un livre de Denise Desjardins, « après avoir fini mon service matinal auprès de Swâmiji... ». On ne peut pas être disciple sans participer d'une manière ou d'une autre à ce service du *guru.* Mais ce que les Occidentaux ne comprennent pas, d'où leur indignation, c'est que ce service du *guru* est en fait le service d'un serviteur. Le *guru* n'est pas au service de lui-même, il est au service de la vérité, au service des autres et au service du *dharma.*

Le *guru* est lui-même un serviteur, *das* ; on traduit parfois ce terme sanscrit par *slave* qui veut dire « esclave ». Dans les Groupes Gurdjieff, nous étions en grande partie au service de l'enseignement. C'est écrit en toutes lettres dans les *Fragments d'un enseignement inconnu* et nous l'avions tous admis, même si beaucoup d'imagination s'en mêlait. Et le disciple qui n'est pas encore capable d'être le serviteur de la vérité parce qu'il n'est pas assez unifié, parce que ses émotions et son mental sont encore trop puissants, devient le serviteur du *guru.* Or l'Occidental attend la plupart du temps que le *guru* soit à son service (à la rigueur, je le paie). Y a-t-il un malade qui dise : « Je suis le serviteur du médecin » ? Non, bien sûr. Le médecin est à mon service, moyennant le prix d'une consultation. Et les Occidentaux pensent que, comme un médecin, le *guru* va être à leur service pour les aider à se libérer. Non. Le chemin de cette libération passe par le service du maître.

Il est très intéressant d'observer en Inde, que ce soit dans différents ashrams ou auprès des Tibétains réfugiés sur le versant indien de l'Himalaya, le divorce entre quelques Occidentaux qui ont adopté la mentalité orientale et qui sont convaincus de ce que je dis là et d'autres Occidentaux imprégnés de leur culture et qui n'ont pas ce sentiment du caractère inestimable du *guru*. S'ils ont donné une heure de leur temps dans la journée, ils pensent que c'est déjà beaucoup alors qu'un Tibétain qui consacre dix heures au service de son maître trouve cela normal – hormis certaines périodes où il pratique une ascèse qui le dispense de toutes les tâches matérielles. Cependant le service du *guru* ne consiste pas seulement dans l'exécution de tâches domestiques pour servir l'ashram, mais dans le fait même de servir le *guru*. C'est le service d'un être humain et c'est cette notion même qui est inacceptable pour la plupart des Occidentaux qui justifient leurs critiques à l'égard de l'institution même des *gurus* par des arguments psychologiques divers en présentant la dévotion que leur vouent leurs disciples comme un asservissement, une dégénérescence, une hérésie.

Peut-on admettre dans un tel contexte que ce fameux service du *guru* (*guru seva* en sanscrit) soit une voie de libération ? Vous ne pouvez le comprendre que si vous ne voyez plus du tout le maître selon les critères habituels, les vôtres, et si vous comprenez que le *guru* (s'il est vraiment un *guru*) est lui-même un serviteur, un esclave qui vous conduit à la libération. *« Complete slavery is perfect freedom »*, disait Swâmiji : l'esclavage complet – esclavage à la volonté de Dieu ou adhésion au réel instant après instant – c'est la liberté parfaite. Bien entendu, cela ne fait pas le jeu de l'ego qui rêve de sagesse ou d'illumination à condition que celle-ci lui garantisse non seulement le bonheur mais un certain pouvoir sur les autres. L'ego peut rêver de tout. Or il n'y a pas d'autre chemin que la disparition de l'ego. Et, dans certains ashrams, la voie royale de cette disparition de l'ego, c'est le service du *guru*, considéré comme le service d'un serviteur.

CHAPITRE IX

OBÉISSANCE ET LIBERTÉ

Tout lieu où l'on vous propose une voie de transformation a deux fonctions : l'une c'est de vous donner un enseignement, d'offrir à votre vérification certaines vérités ; et l'autre, de vous servir de terrain d'entraînement pour mettre ces vérités en pratique. On utilisait dans l'Antiquité le terme d'« école » ou de « gymnase » – au sens ancien du mot qui signifiait un endroit où l'on s'exerçait à progresser spirituellement – pour désigner des enseignements qui ne consistaient pas à transmettre un savoir mathématique ou astronomique mais s'intéressaient à la transformation de l'être. L'école de Pythagore en est un exemple célèbre. Une école, un gymnase, un ashram ou un monastère est un endroit particulièrement favorable pour pratiquer du fait qu'il est différent de la vie ordinaire – il représente une coupure par rapport à votre contexte habituel – et qu'en même temps des « événements » similaires à ceux que vous rencontrez dans votre existence quotidienne sont susceptibles de s'y produire.

J'ai écrit dans le livre Ashrams paru en 1962 : « Nous avons tous remarqué que Mataji[1] paraissait attacher au moins autant d'importance aux mille petits incidents de la vie de ses disciples qu'à la solution des problèmes philosophiques et aux divers exercices de la *sadhana.* » Et l'Européen Vijayananda, ex-docteur Weintrob, qui a vécu pendant cinquante ans auprès de Mâ Anandamayi écrit dans *Anandavarta*, le magazine de l'ashram : « Les pratiques spirituelles comme la méditation, le *japa* (répétition d'une prière ou d'un *mantram*) et d'autres sont certainement d'une grande importance. Néanmoins, ainsi que j'ai entendu Mataji le répéter en diverses occasions, leur seul but est de nous aider à écarter le voile qui nous cache la Réalité. Ce voile est fait de désirs, de la colère, de la peur ? Etc. Et c'est dans notre existence de tous les jours que nous avons la chance d'étudier ces écrans au moment où ils se manifestent, de les ramener dans le champ de notre conscience afin de nous en débarrasser. Celui qui souhaite demeurer un certain temps avec Mataji devra passer une bonne part de sa vie dans les gares et les chemins de fer car Mataji séjourne rarement longtemps au même endroit. L'agitation d'une gare, la fièvre qui accompagne les préparatifs d'un voyage sont difficiles à affronter[2]. La plupart

1. Mâ Anandamayi.

2. Pour comprendre toute la saveur de ce passage, il faut savoir que les trains en Inde ne sont en rien comparables aux TGV français ; les voyages durent facilement deux jours et deux nuits dans des trains archibondés, a fortiori les voyages de Mâ où de nombreux disciples l'accompagnent, surchargés de bagages, car même si les disciples transportent peu de biens personnels, ils doivent, à chaque déplacement, emporter tout le matériel de cuisine de l'ashram.

des gens sont complètement emportés par le courant d'excitation qui les entoure sur le quai de la gare. Quelques-uns auront de temps à autre des moments de lucidité où ils seront en mesure d'observer leurs propres réactions et celles des autres. Mais ceux qui, au milieu de leur tourbillon intérieur, peuvent prendre du recul et observer comme des spectateurs désintéressés sont sûrement exceptionnels. Quant à Mataji elle-même, elle est toujours calme, impassible et sereine comme un roc qu'aucune tempête ne peut affecter. Quand on voyage avec Mataji, les choses s'arrangent d'elles-mêmes. Cela n'empêche pas qu'elle nous rappelle parfois à l'ordre. Une fois, par exemple, nous attendions un train qui avait des chances d'être surchargé. Nous ne devions arriver que le lendemain, ce qui signifiait passer la nuit dans un grand inconfort. J'avais pris un billet de troisième et j'attendais le train, prêt à bondir dans le premier compartiment et à retenir, si possible, une couchette, une attitude d'esprit certainement tout à fait indigne d'un *sâdhaka*[1] et plus encore d'un *sâdhaka* qui avait déjà voyagé avec Mataji. A l'instant précis où le train fit son entrée en gare, Mataji passa devant moi et, désignant un vaste amoncellement de bagages, me demanda avec un sourire particulier de surveiller leur bon embarquement dans le fourgon. J'attendis patiemment jusqu'à ce que le dernier des innombrables colis ait été entasssé dans le wagon, imaginant à l'avance ma nuit sans sommeil dans la foule si dense. Pendant ce temps, tout le monde s'était installé et je pensais que je devrais m'estimer satisfait si

1. *Sâdhaka* désigne celui qui suit une *sadhana,* c'est-à-dire une voie d'ascèse.

je réussissais seulement à m'asseoir accroupi sur quelque chose. Mais juste en face de l'endroit où je restais pour surveiller les derniers bagages se trouvait un wagon de troisième. Quelqu'un que je connaissais pourtant à peine m'avait gardé une banquette et il m'aida à monter avec mes valises. »

La soumission à Mâ Anandamayi telle que la vivaient ses disciples les plus proches est quelque chose de difficile à se représenter. Je me souviens d'un moine heureux de méditer dans un ashram solitaire de l'Himalaya que Mâ avait nommé swâmi-en-chef de l'ashram de Delhi et qui, tous les jours, était sollicité par des curieux, des Européens, des membres du corps diplomatique ou consulaire, donc contraint par la force des choses de devenir non plus un « méditateur » mais un administrateur immergé jusqu'au cou dans la vie active – l'inverse de ce à quoi il aspirait. Il travaillait vingt heures par jour et je l'ai même vu tomber endormi en marchant. Voir seulement le sourire radieux de Mâ Anandamayi ne laisse pas soupçonner l'autorité qu'elle exerçait – une autorité non pas contraignante mais libératrice.

Dans l'ashram de Mâ, la distinction était très nette : il y avait ceux qui venaient pour avoir son *darshan* et sa bénédiction et qui étaient très bien accueillis, et ceux qui demandaient avec insistance à être considérés comme disciples et qui étaient mis en question à la limite de ce qui est supportable – mais pas au-delà : ce n'est pas le rôle du *guru* de conduire quelqu'un au désespoir absolu ou à l'abandon du chemin parce que l'épreuve est trop dure. Je pense en l'occurrence à ce que Denise Desjardins et moi avons vécu pendant les années où nous passions plusieurs mois à l'intérieur de l'ashram et étions considérés comme des candidats-disciples et non pas comme de simples visiteurs[1].

Je me souviens d'un incident cité dans un de mes précédents livres. Je rêvais de voir ce que j'appelais à l'époque d'authentiques *yogis* – non pas des professeurs de yoga mais des hommes ayant développé la maîtrise de certaines énergies ou l'éveil de certains pouvoirs. Ils incarnaient à mes yeux toute la légende de l'Inde, toute la science ésotérique du Yoga. Ces *yogis* vivaient dans la haute vallée du Gange où je ne m'étais pas encore rendu, faute d'avoir obtenu le permis du gouvernement indien nécessaire à cette époque. Or un de ces fameux *yogis* s'apprêtait à descendre dans les plaines pour rendre visite à Mâ Anandamayi. Et ce jour-là, Mâ m'a demandé si je pouvais, avec ma Land-Rover, aller chercher des bagages à cent cinquante kilomètres de là. Les routes n'étaient pas goudronnées, il pleuvait, il y avait de la boue. Toujours est-il que, lorsque j'ai quitté l'ashram, le *yogi* en question n'était pas encore là et, quand je suis revenu, il n'y était plus, ce qui représentait pour moi, à l'époque, une terrible déception, un rêve brisé.

J'ai vécu une autre expérience du même type auprès de Mâ, même si elle s'est terminée de façon très heureuse. Mataji utilisait entre autres, pour mettre mon ego en croix et m'enseigner, le film que je réalisais dans son ashram, me donnant parfois des possibilités de tournage absolument exceptionnelles et m'amenant aussi à accepter le gaspillage des dernières bobines sur lesquelles je comptais beaucoup – ou la

1. Lire, à ce sujet, Denise Desjardins, *La Route et le Chemin,* La Table Ronde, 1996.

projection des images qui me paraissaient les plus précieuses dans un appareil vétuste qui ne pouvait manquer de les rayer et donc de les endommager de manière irréversible. Sur les conseils d'un *ashramite* de Mâ, j'avais précieusement conservé trois bobines jusqu'au bout de mon séjour, ce qui m'avait contraint de renoncer à tourner des scènes qui eussent été importantes. Or, ce dernier soir, chaque fois que je filmais, Mâ Anandamayi, devant tout l'ashram, ou bien détournait la tête ou bien faisait une grimace. Ce qui s'est produit était d'autant plus cruel pour moi que je croyais que cette personne, en me demandant de garder ces bobines jusqu'à la fin de mon séjour, avait été inspirée par Mâ. Finalement, Mâ Anandamayi ne m'a laissé tourner qu'une seule bobine, après le coucher du soleil, et j'étais donc persuadé qu'il n'y aurait rien sur l'image. Aussi incroyable que cela paraisse, il y a eu sur la pellicule trois des plus beaux plans peut-être du film, où l'on voit Mâ de nuit au clair de lune entourée de quelques disciples. Pour ces quarante secondes miraculeuses, cela valait la peine de sacrifier trois bobines.

J'ai vécu auprès d'elle une période où mon ego voulait à tout prix qu'elle le reconnaisse et le hasard a fait que je n'ai pas pu la voir en privé pendant des semaines. Mais quand une attitude juste s'est enfin manifestée de ma part après ce qu'il est convenu d'appeler une grande souffrance, elle m'a emmené elle-même en promenade avec elle et Gopinath Kaviraj, assis à côté d'elle dans la voiture et sans permettre que d'autres nous accompagnent. Nous avons également eu souvent l'impression que les autres étaient amenés à nous enseigner eux aussi et que tout le monde, consciemment ou non, servait Mother dans l'accomplissement de sa mission. Elle était un prodigieux générateur d'énergie et le centre d'une énorme activité.

Il est inévitable d'une part, et tout à fait nécessaire de l'autre, que ce genre de choc ou de mésaventure apparente se produise pour vous, quelle que soit la voie que vous suiviez. C'est toujours facile d'entendre la description d'une *sadhana* qui n'est pas la nôtre et de rêver : « Oh moi, si j'avais été à la place de Vijayananda, j'aurais chargé tous les bagages avec une âme de disciple et si je n'avais pas pu dormir de la nuit, je l'aurais passée à prier. » Mais êtes-vous en mesure de vous souvenir de l'enjeu quand certains contretemps se produisent pour vous dans l'ashram où vous séjournez ? Comme partout, vous y rencontrerez en effet des difficultés, vous y vivrez des contrariétés, des déceptions, des agacements, voire certaines épreuves qui seront autant de provocation pour le mental. Il est inutile de lire avec beaucoup de sincérité et de sérieux des livres de spiritualité ou de poursuivre une plongée dans l'inconscient si vous laissez échapper l'*essentiel*. L'essentiel, qui est commun à toutes les voies, c'est cette mise en cause presque incessante de sa « volonté propre ». Et un lieu où vous vous sentez soutenu par les influences spirituelles dont il est imprégné et par la présence du maître est particulièrement propice pour la mise en pratique car ce que vous ne parvenez pas à accepter dans l'existence courante, vous réussirez peut-être à l'accepter là.

Je ne reviens pas sur le thème de l'acceptation de ce qui est, de l'adhésion au réel préalable à toute action juste que j'ai si souvent développé dans mes différents ouvrages mais il est clair qu'il est directement impliqué dans ce dont je parle aujourd'hui. Qu'est-ce qui doit être accepté ? Où est-ce que je peux intervenir ? L'action sur fond d'acceptation est, en effet, le cœur du chemin, de la destruction du mental, de l'érosion des désirs et de l'effacement de l'ego.

Vous avez lu ce que disait Vijayananda : c'est dans ces circonstances de la vie que les peurs, les désirs, les émotions qui sont les écrans à la réalisation du Soi sont ramenés à la surface, se manifestent afin qu'ils puissent être dépassés. Tout ce qui se produit à l'intérieur d'un ashram doit vous rappeler que vous avez l'intention de mettre en pratique l'enseignement reçu et que vous êtes dans les meilleures conditions possibles pour cela. Il n'y a pas de *sadhana* sans implication directe du mental et de l'ego. Je sais bien que lorsque la vie nous donne déjà tant de coups douloureux nous rêvons d'un endroit où tout serait paix, amour, sérénité. Si vous aviez passé huit jours à l'ashram de Swâmi Ramdas, vous auriez eu l'impression de retrouver l'atmosphère bénie de ce qu'il y a eu de plus heureux dans votre petite enfance, mais ce n'est pas à proprement parler la longue et exigeante *sadhana.* Il y avait certes, auprès de Mâ Anandamayi, un aspect absolument divin, des moments où le ciel semblait descendre sur la terre, tant de noblesse, de pureté, de beauté que tout l'environnement paraissait transfiguré. Mais nous y vivions aussi ces chocs qui avaient pour fonction de nous réveiller.

Que vous puissiez trouver au sein de la voie qui est la vôtre des moments de paix en méditant est nécessaire. Que vous sentiez auprès de votre maître la manifestation d'un monde plus heureux, plus juste, plus libre que celui des usines, des bureaux ou de toute autre entreprise dans laquelle vous travaillez, cela correspond aussi à la fonction d'un lieu spirituel. A cet égard, un maître fait tout ce qui lui est possible afin que son ashram représente pour ceux qui y séjournent une lumière, un foyer où ils puissent se réchauffer, un lieu qui témoigne le plus fermement, le plus fortement possible de la réalité spirituelle. Mais l'ashram ne sera jamais et ne pourra pas être un lieu où il n'y ait que des roses sans épines car cela empêcherait ceux qui y viennent de progresser.

Si j'ai cité Mâ Anandamayi puis Vijayananda qui a lontemps vécu auprès d'elle, si j'ai évoqué ces souvenirs personnels, c'est afin de souligner que les incidents qui surviennent dans la vie de tout ashram ou de tout monastère sont la matière première de la mise en pratique. Et cette mise en pratique est fondée sur la reconnaissance d'une autorité spirituelle, celle de l'Abbé du monastère ou du *guru*, à laquelle nous acceptons de nous soumettre.

Comme je le disais dans le premier chapitre de *A la recherche du Soi* intitulé *Guru kripa kévala,* tout est la grâce du *guru.* Si c'est Mâ Anandamayi qui nous demande de nous lever à deux heures du matin pour méditer, nous l'acceptons. Mais si nous sommes réveillés à minuit par un coup de téléphone de notre frère qui nous demande de venir d'urgence nous occuper de ses enfants parce que sa femme ne va pas bien du tout et qu'il l'emmène à l'hôpital, il y a de fortes chances pour que nous soyons purement et simplement mécontents : « Il n'a qu'à résoudre ses problèmes tout seul, il s'affole inutilement, je travaille demain et je serai épuisé. » Que j'aie besoin d'y aller ou non, c'est ce que mon cœur doit me dire. Mais ce qui est sûr, c'est que j'ai reçu son coup de téléphone qui m'a réveillé.

Vous pouvez considérer le monde entier comme l'ashram et tous les incidents de la vie comme des chocs qui vous sont donnés par un *guru* génial, c'est-à-dire votre propre destin, votre propre *karma*, lequel vous apporte toujours, à chaque instant, ce qui est le plus susceptible de vous faire progresser. C'est une loi. « Tout concourt au bien de ceux qui aiment Dieu » mais le mental, lui, discute bien entendu tout ce qui ne lui convient pas.

Si vous voulez progresser, il faut que vous soyez jour après jour, heure après heure sur le chemin. Si vous passez un mois par an dans un monastère zen, c'est mieux que rien. Seulement de quoi avez-vous l'air par rapport aux moines qui méditent toute l'année dans le monastère en question ? Si vous allez passer quinze jours par an auprès d'Amritanandamayi, c'est bien mais c'est très insuffisant par rapport à ceux qui vivent avec elle depuis dix ans et qui ont été soumis à sa discipline – discipline signifiant enseignement – sans un instant de répit. Si vous voulez être à part entière sur le chemin, autant qu'un moine cistercien, zen, tibétain ou un swâmi de l'ashram d'Amritanandamayi, il faut que toute votre existence devienne l'ashram. C'est le cas du disciple soufi. Il passe auprès de son maître la nuit du jeudi au vendredi – le vendredi correspond au dimanche des musulmans – mais le reste de la semaine il travaille au bazar, il est dans son atelier, dans son échoppe, il est auprès de sa femme et de ses enfants.

Pour que chaque journée devienne le chemin, pour que l'ashram soit partout, dans le métro, dans l'autobus, sur une route pluvieuse avec un pneu crevé, au bureau, à l'usine ou pendant les grèves, il faut vous exercer. Et le meilleur endroit pour vous exercer, c'est le lieu que vous avez choisi pour y recevoir un enseignement. La structure même de ce lieu, la discipline qui y règne, vont vous servir de point d'appui. Il est en effet nécessaire qu'un lieu spirituel soit harmonieusement organisé, que ce ne soit pas le désordre – pour ne pas dire la pagaille. Il ne peut en être autrement. Il n'y a pas d'enseignement réel sans un ordre – ce mot qui a si mauvaise presse aujourd'hui. Certains comportements qui, déjà, ne seraient pas justes dans les conditions ordinaires, sont inadmissibles dans un lieu de retraite spirituelle. Ce n'est pas uniquement pour choquer vos egos ou mettre votre mental en cause que vous affrontez dans un ashram – je dis bien affronter – un certain nombre d'exigences. C'est parce qu'elles sont en elles-mêmes nécessaires. Il ne s'agit pas seulement d'un procédé pédagogique pour faire lever en vous des émotions comme a pu le faire Mâ Anandamayi en gâchant mes dernières bobines de films si précieuses à mes yeux. Mais il se trouve que des émotions vont de toute façon surgir dans le cadre de l'ashram et que vous devez donc les utiliser pour votre propre progression.

Vous avez une certaine idée de l'ashram d'autant plus contraignante que vous êtes nouveau venu. Et il est tout à fait normal que pendant plus ou moins longtemps cette idée continue à ne pas être conforme à la réalité du lieu. Vous portez tous en vous « votre » ashram, celui de vos attentes, de votre inconscient, des projections qui vous aveuglent. Osez regarder en face et affronter toutes les déceptions que l'ashram vous a apportées, vous apporte et vous apportera encore, toutes les blessures d'amour-propre, toutes les incompréhensions, ce qui ne signifie pas accorder systématiquement du crédit à toutes les pensées qui vous traversent l'esprit à ce sujet. Un travail de discrimination vous incombe. Et si à certains moments vous ressentez négativement l'ashram qui vous accueille – « Ça devient de plus en plus la caserne, c'est le pensionnat, c'est l'administration, c'est... » –, ne commencez pas tout de suite à discuter. Tout d'abord, vous ne connaissez pas les tenants et les aboutissants, les arrière-plans de ce dont vous ne voyez que la surface et, de toute façon, c'est chaque fois une occasion de mettre l'enseignement en pratique. Dans un cadre spirituel, une compréhension peut se lever en vous, vous incitant à ne pas oublier ce que vous avez reconnu comme vrai, alors que, si vous êtes pris dans une discussion avec un patron qui met plus ou moins votre carrière en jeu, vous risquez d'oublier complètement que cette situation est une occasion précieuse de transformation.

J'ai reçu un jour une lettre de Swâmiji dans laquelle il me demandait : « Savez-vous qui est Swâmiji et ce qu'est "l'enseignement de Swâmiji comme vous dites[1]" ou est-ce que vous croyez savoir et vous avez des idées à propos de cet enseignement ? » C'est vrai, il est très difficile de comprendre qui est le maître auprès de qui nous nous rendons et comment il gère, il anime l'ashram. Car un ashram répond à d'autres lois que les lois habituelles, des lois que vous découvrirez au fur et à mesure de votre transformation. Mais un ashram répond

1. « *Swâmiji's teaching* » était une expression que les disciples de Swâmiji utilisaient entre eux.

aussi aux lois habituelles. C'est ce qui permet d'étudier ces lois et d'en acquérir peu à peu la connaissance et ensuite la maîtrise.

*

L'un des piliers d'une vie d'ascèse se résume en un mot-clé que l'on ose à peine prononcer aujourd'hui tant il suscite de réactions viscérales. C'est pourtant un terme familier dans tous les monastères, la clé de voûte de toutes les voies spirituelles, la condition sine qua non de notre transformation : l'obéissance. Ce thème de l'obéissance n'est pas propre à un enseignement particulier mais il a une valeur générale et il fait partie de chaque voie à des degrés divers. C'est une nécessité à laquelle il n'est pas possible d'échapper sous peine de compromettre sa propre progression. Le moine bénédictin ou cistercien, pour ne prendre que cet exemple, centre sa vie sur quatre piliers : la pauvreté, la chasteté, la stabilité – il entre dans un monastère une fois pour toutes et n'est normalement pas amené à en changer – et l'obéissance. Pour beaucoup d'entre nous ce mot évoque tant de mauvais souvenirs conscients et inconscients qu'il est devenu insupportable. Et dans le monde moderne – ce monde matérialiste qui s'est développé au détriment des valeurs de l'être et dont les caractéristiques se précisent en progression accélérée – la notion d'obéissance paraît inadmissible dans tous les domaines. *En vérité, il s'agit de reconnaître une autorité extérieure bénéfique pour se libérer d'un esclavage intérieur désastreux.*

De toute façon, ne vous faites pas d'illusions, vous obéissez déjà sans le savoir car l'autorité et ce qui nous apparaît comme son contraire, c'est-à-dire la liberté, ne se situent pas essentiellement là où, depuis l'enfance, nous les avons situées. Il ne s'agit pas tant de notre relation avec ceux qui ont un certain pouvoir sur nous – que ce soit le professeur ou le proviseur, le CRS ou le gendarme, le chef ou le directeur, le prêtre qui détient une autorité morale et même juridique dans l'Eglise – ce qu'il est convenu d'appeler « l'image du Père » (encore que l'image de la mère puisse aussi représenter cette autorité). Il s'agit d'abord de ce qu'on pourrait appeler l'autorité des situations.

Des lois sont à l'œuvre dans l'univers et, comme vous faites partie de cet univers, vous êtes soumis à ces lois. Etes-vous seulement libres par rapport à votre corps ? Si c'était le cas, à partir d'un certain âge, vous donneriez à vos organes et à vos cellules l'ordre de ne pas vieillir. Des processus physiologiques ont pouvoir sur vous. Etes-vous libres de ne pas mourir ? Mais qui est libre et de quelle autorité ? Finalement, « moi ». Mais si ce « moi » se réduit à une enveloppe corporelle, si vous vous indentifiez à votre corps physique, les contraintes exercées sur celui-ci par la maladie, les empêchements divers et finalement la mort vous apparaîtront comme une autorité insupportable : on m'empêche de traverser là où je veux, on ne me laisse pas franchir les frontières à mon gré... on peut même m'enfermer en prison. C'est toujours votre corps physique qui est en cause. Mais au moyen du psychisme ou corps subtil, vous pouvez toujours, par l'imagination, vous représenter un pays lointain sans avoir besoin d'y aller. Si vous découvrez une certaine liberté essentielle, fondamentale, par rapport au corps physique, votre corps vieillit mais vous, au grand sens du mot « vous », vous ne vieillissez pas. Nous voilà ramenés une fois encore à la seule issue, la seule réponse absolue qui est la découverte de la conscience non identifiée au complexe psycho-somatique, non identifiée aux différents *koshas* ou revêtements du Soi selon le *Védanta.*

Outre les lois physiques ou physiologiques, vous êtes soumis à des lois humaines nécessaires à toute vie en société (des restrictions, des règlements, des interdictions). Un homme n'est pas libre de s'accoupler avec n'importe quelle femme, cela s'appelle « tentative de viol » et c'est passible d'une lourde peine. Toute la vie concrète en société est fondée sur des règles. Et ce qui est important à reconnaître, c'est cette puissance permanente de l'autorité en général (quelle que soit sa forme) sur ce que vous pouvez appeler « moi ». Il y a bien peu d'instants où vous puissiez vraiment considérer que vous êtes libres. Si vous voulez prendre un train, vous êtes bien obligés d'arriver à la gare à l'heure prévue, le train ne vous attendra pas. Si vous voulez manger, la faim vous ordonne d'aller au restaurant ou d'acheter de la nourriture. Quand vous conduisez, vous êtes soumis à la configuration même de la route. Si la route tourne à droite, elle vous ordonne de tourner à droite ; si la route monte, elle vous ordonne de rétrograder pour passer en troisième ou en seconde. Vous pouvez difficilement discuter la topographie des montagnes et des collines françaises. Donc à chaque seconde d'un trajet qui peut durer plusieurs heures, la route a pleine autorité sur vous et vous trouvez cela normal. Eh bien, notre existence se déroule de cette manière, à l'intérieur d'une autorité permanente qui est celle des circonstances, des situations. Ce que vous devez comprendre c'est qu'en fait vous êtes toujours soumis à une autorité et vous ne pouvez pas échapper à celle-ci, jamais – à quelque niveau que vous étudiiez la situation.

Mais il n'y a pas que les situations extérieures qui ont pouvoir sur vous. Vous êtes également soumis à un déterminisme intérieur dû à l'hérédité, aux influences culturelles de votre milieu, aux événements qui vous ont marqués depuis votre enfance. Vous obéissez à des chaînes intimes de causes et d'effets, à des jeux d'actions et de réactions, vous obéissez à vos glandes endocrines et vous obéissez à votre inconscient. Ce sont précisément les lois régissant ces mécanismes, auxquels vous obéissez aveuglément au doigt et à l'œil, qu'étudient les sciences humaines. Si l'on peut prévoir des comportements, qu'ils soient individuels ou collectifs – fût-ce prévoir combien de trains supplémentaires seront nécessaires le 31 août ou le nombre d'accidents de la route qu'occasionnent les départs en vacances – c'est bien qu'il existe un déterminisme général auquel chacun participe.

Quant à l'orientation globale de votre destin individuel, elle est en grande partie la résultante d'une série de peurs et de désirs enracinés dans l'inconscient, ce que Denise Desjardins, dans son premier livre, appelait les ordres souterrains. Dans son cas, il s'agissait d'une injonction précise de l'inconscient remontant à un traumatisme ancien qui lui interdisait d'avoir des enfants. Ce « pas d'enfant pour toi » est un ordre souterrain qui régit beaucoup de femmes à leur insu à la suite de blessures psychiques remontant à la petite enfance ou même à une vie antérieure si l'on admet cette hypothèse. Ma fonction de guide depuis vingt ans m'a amené à constater que cette ambivalence chez la femme, partagée entre « je veux un enfant » et l'ordre souterrain « pas d'enfant », se produit assez souvent. Ces femmes ne se marient pas parce que le mariage irait à l'encontre de ce qui leur interdit d'enfanter. Et pourtant, certaines sont régulièrement enceintes sans l'avoir souhaité. Un autre ordre naturel, humain, biologique, instinctif, les amène à être enceintes. Leur vie est déchirée entre ces ordres contradictoires dont elles ne sont pas conscientes. Si ces femmes n'entreprennent pas une thérapie pour mettre au jour les mécanismes tout-puissants de leur inconscient, elles sont vouées à un destin tragique ponctué d'avortements vécus dans le déchirement.

En fait, si nous regardons mieux, qui a autorité sur qui ? Si vous dites « sur moi », qu'est-ce que ce « moi » ? Ce moi, ce sujet, mérite certainement d'être examiné de près car en fait, c'est vous qui exercez sur vous-mêmes la plus terrible autorité. Etre libres, vraiment libres, c'est être libres des ordres que vous vous donnez à vous-mêmes. Votre soumission à l'autorité, ce qui a pouvoir sur vous, ce qui vous oblige et vous empêche, c'est avant tout vous-mêmes : certaines inhibitions par exemple qui tiennent uniquement à votre histoire personnelle, vous interdisent d'accomplir des actions qui ne sont pourtant pas criminelles, que vous pourriez très bien accomplir sans danger, sans vous faire de mal et sans faire de mal aux autres, et qui seraient une heureuse récréation dans vos existences. Mais un ordre de la profondeur dont vous n'êtes pas conscients vous intime de ne pas entreprendre telle action : « Non, ça ne se fait pas. » Comment cette injonction est-elle née en vous ? Cela peut être découvert. Est-ce que vous l'avez apportée en naissant ou les parents et les éducateurs l'ont-t-ils gravée en vous ? Le mécanisme joue dans les deux sens pour vous contraindre à faire ce que vous ne voudriez pas faire et vous interdire de faire ce que vous voudriez faire. Les psychanalystes nomment surmoi ces influences extérieures cristallisées en nous. Nous les avons prises en nous-mêmes, nous les avons intériorisées, et maintenant elles parlent à notre place et elles nous asservissent. De cette autorité-là, celle de l'inconscient, celle des tendances profondes, celle des impulsions, vous pouvez vous libérer, si vous le voulez avec détermination et persévérance.

Une autre manière de mieux cerner le déterminisme intérieur auquel vous êtes soumis est d'étudier la constitution même du mental autour du désir et de la peur. Le mental est fait des désirs dont la non-satisfaction est une souffrance et des peurs dont la concrétisation serait une souffrance : « Je serai heureux quand, je serais malheureux si »... S'il y a des désirs et que leur non-satisfaction n'entraîne aucune souffrance ou si l'idée qu'une situation que vous préféreriez éviter pourrait se présenter ne vous fait pas peur, vous êtes sinon sans désirs *(desireless)* du moins libres du désir *(desirefree)*. C'est très simple en vérité. Les désirs qui peuvent très bien ne pas être accomplis (« Si je pouvais, pourquoi pas ? Si j'avais le choix... j'irais bien là... Ce n'est pas possible ? D'accord, ce n'est pas possible ! ») sans que cela engendre une souffrance, ou les éventualités désagréables (« je n'aimerais pas trop, je ne le souhaite pas, si possible je vais l'éviter ») ne relèvent pas du mental, du moment que cela n'a pas autorité sur vous. Voilà le critère. Si le désir vous oblige à agir pour se satisfaire, ce n'est pas vous, c'est le désir qui veut se satisfaire – fût-ce à vos dépens – et qui vous impose sa loi. Et si la peur vous restreint dans votre action, vous n'êtes pas libres non plus.

Au début du chemin, vous ne pouvez guère prétendre que vous satisfaites vos désirs : le désir, lui, veut s'accomplir coûte que coûte et vous ordonne d'agir en fonction de son exigence. La preuve en est que vous luttez parfois avec ce désir, que vous voudriez ne pas l'accomplir, que vous vous condamnez déjà avant même de l'avoir accompli. Puis, vous l'accomplissez ou il s'accomplit tout seul sous forme d'un acte manqué, et ensuite vous déplorez votre action, vous vous faites des reproches, vous avez honte de vous. « Je n'aurais pas dû parler si violemment à ma femme, je l'entends qui pleure dans sa chambre. Je n'aurais pas dû gifler mon tout jeune fils, à présent, si je m'approche de lui, je vois bien qu'il a peur. » Qu'est-ce qui m'a imposé de gifler l'enfant et de parler si brutalement à ma femme ? C'est bien un ordre auquel j'ai été soumis et contraint d'obéir et que je n'assume pas complètement puisque je le regrette. Vous êtes alors bien obligés de reconnaître que ce n'est pas vous qui avez accompli le désir mais le désir qui s'est accompli au mépris de votre véritable intérêt en donnant à votre pensée, à votre corps, à votre porte-monnaie, l'ordre de le satisfaire. Vous pouvez donc considérer ces désirs comme des maîtres – disons même comme des tyrans – qui ont autorité sur vous. Mais à cette autorité-là, vous pouvez espérer échapper.

D'autre part, les peurs (c'est-à-dire le refus de certaines éventualités dont la réalisation vous serait insupportable) ont aussi pouvoir sur vous. Et la même formulation que celle de tout à l'heure devient juste : vous ne pouvez pas dire que vous avez agi librement. La peur vous a ordonné d'agir, vous a contraints à certaines actions ou vous a au contraire empêchés d'agir alors que c'eût été juste de le faire. Vous pouvez aussi comprendre que ces désirs et ces peurs ne vous engagent entièrement qu'à l'instant de l'action ; avant l'action, ce sont simplement les désirs et les peurs d'un des personnages contradictoires qui vous composent et qui ne représentent pas la totalité de vous-mêmes. Les désirs de l'ambitieux en nous ne sont pas les mêmes que ceux du mystique ou de l'idéaliste ; et les peurs de l'ambitieux qui craint de ne pas figurer dans la prochaine promotion de la Légion d'honneur ne sont pas les mêmes que celles du séducteur qui redoutera avant tout l'échec de sa vie amoureuse. C'est seulement au moment où vous accomplissez le désir qu'un de ces personnage vous impose sa loi et c'est en cela que la sentence « Un homme est la somme de ses actes » est juste. Vous pouvez donc considérer qu'il existe un certain nombre de maîtres qui ont pouvoir sur vous sous forme de ces différents dynamismes et propensions que vous pouvez reconnaître en vous. Cette image des personnages n'est pas seulement une manière de s'exprimer. Plutôt que de dire « l'agressivité », dire « le meurtrier en vous », plutôt que de dire « l'ambition », dire « l'ambitieux en vous », permet de voir que ces personnages apparaissent, disparaissent, se remplacent les uns les autres. Chacun à son tour devient momentanément le maître auquel vous êtes obligés d'obéir selon le double mécanisme du désir et de la peur.

*

Gurdjieff disait : « L'homme ne fait rien, tout arrive. Et le miracle, c'est la capacité à "faire". » Gurdjieff comparait l'homme à une machine – et une machine, à moins qu'elle ne soit en panne, ne peut rien faire d'autre qu'obéir – et Swâmi Prajnanpad le comparait à une marionnette dont l'existence tire les fils. Là où j'emploie le mot « obéissance », obéissance à des lois, obéissance à des mécanismes inconscients, obéissance à des stimulis extérieurs, Swâmiji, lui, employait le mot « esclavage » pour qualifier le statut de l'homme-marionnette : *« It is the status of a slave »,* c'est un statut d'esclave. Or vous trouvez normal d'obéir comme des esclaves à ces lois qui vous manœuvrent de l'intérieur mais si on vous demande dans un ashram d'offrir un peu de votre temps pour désenliser une voiture dans la neige, l'ego se rebelle : « Je ne suis pas venu pour ça » et vous obéissez à contrecœur. Pourtant, vous avez la possibilité de gagner de grandes victoires sur ce terrain de l'obéissance, à condition de l'aborder en disciples et non pas uniquement à travers de vieilles émotions infantiles. Vous ne pouvez comprendre le thème de l'obéissance dans les monastères que si vous partez de prémices justes, c'est-à-dire de la conviction que, tels que vous êtes aujourd'hui, de toute façon vous obéissez déjà. Un catholique habitué au langage traditionnel expliquerait : « Vous obéissez au Prince de ce Monde, vous obéissez au Malin, vous obéissez à Satan. » Un scientifique vous prouvera : « Vous obéissez à des lois physiologiques et psychologiques. »

Le mot obéissance serait en effet incompréhensible et inadmissible, s'il s'appliquait à des hommes capables de ne pas obéir, donc intérieurement libres et auxquels on demanderait de se soumettre à une autorité extérieure. Non, il va simplement falloir changer d'obéissance. Au lieu d'obéir aux diktats de mon ego et de mon mental, j'obéis à une autre autorité. Quelle est alors cette autre autorité à laquelle j'accepte volontairement de me soumettre ? Distinguez bien deux types de soumission dans votre démarche. L'une est la soumission aux situations. Je me soumets parce que je ne peux pas faire autrement. « Ici et maintenant, je reconnais que ce qui est est, je cesse de me débattre et de discuter l'indiscutable. » C'est le thème spirituel fondamental, le oui inconditionnel à ce qui est. Nous sommes bien obligés d'admettre, sans perdre d'énergie, l'autorité de ce qui a de toute façon pouvoir sur nous, ne serait-ce que celle des nuages, de la température, des anticyclones ou des zones de dépression. Cette première soumission représente déjà une liberté. Pas la liberté de mon ego ni de mes peurs ni de mes exigences mais un affranchissement par rapport à ceux-ci. Certains diront, en utilisant le langage religieux : « c'est la volonté de Dieu », bien que l'on comprenne aisément pourquoi cette expression, utilisée à tort et à travers afin de justifier les pires abus, soit aujourd'hui sujette à caution. Et pourtant, cette attitude intérieure de soumission à la volonté divine a été le pivot de l'ascèse des plus grands mystiques.

Dans un monastère, la volonté de Dieu ou du Christ est

incarnée par l'Abbé. Et si vous avez la curiosité de lire la Règle de saint Benoît, qui date du VIe siècle après Jésus-Christ et qui, jusqu'à certains amendements post-conciliaires mineurs, a été observée telle quelle dans tous les monastères bénédictins et cisterciens, elle vous paraîtra sans doute, à vous hommes modernes, tout à fait déconcertante. Il faut d'ailleurs reconnaître que même certains moines trop imprégnés de la mentalité actuelle ne la comprennent plus et commencent à la juger, à la critiquer et à savoir mieux que leur fondateur en quoi consiste une vie de moine. Or, la Règle de saint Benoît est centrée sur cette obéissance à l'Abbé qui, étant élu par toute la communauté, est considéré comme le plus apte à remplir ce rôle. La règle inclut d'ailleurs de nombreux conseils donnés à l'Abbé pour assumer sa fonction en toute équité.

Je commence donc par me soumettre sans récriminer à une autorité extérieure qui est celle des événements et des circonstances inévitables, dans la mesure où je ne peux pas agir pour les modifier. Dans la mesure où je peux agir, j'agis. Il faut d'abord que ce point-là soit clair. Mais il y a plus. Il y a l'acceptation d'une autorité humaine qui seule peut vous libérer. C'est bien pour cela que le mot *guru* est généralement traduit en français par « maître ». Pour être libre, je vais me soumettre à une autorité supplémentaire que l'on ne m'imposait pas et que je vais moi-même rechercher : celle du *guru*, du *cheikh*, du *sensei*, du *staretz*. Dans le domaine spirituel, on se réjouit qu'un chercheur ait trouvé son maître, recherche qui peut d'ailleurs prendre des années.

Vous aspirez à la liberté et vous cherchez un maître ! Vous

voulez échapper à l'autorité qui vous pèse et vous étouffe et vous sillonnez les routes de l'Inde, de Bénarès à Darjeeling, pour trouver un maître ! Mais qu'est-ce qu'un maître ? Ce mot revêt un sens très précis. Le maître est précisément celui qui va avoir autorité sur vous. Réfléchissez bien à cela. C'est la clé essentielle pour comprendre les enseignements anciens et mettre en évidence le malentendu si grave des Occidentaux qui s'intéressent à la spiritualité mais qui ne veulent en aucun cas se soumettre à une autorité. Alors la méthode consiste à papillonner sans jamais s'engager. On peut ainsi passer un mois chez Chandra Swâmi ; ensuite on va chez les Tibétains, on reçoit quelques *abishekas* destinées aux laïques ; on peut aussi aller écouter des conférences et participer à des stages. Mais on ne reconnaît jamais l'autorité de qui que ce soit. Or, ce n'est pas moi qui le prétends, c'est toute la tradition qui l'affirme, cette autorité est fondamentale.

Si vous croyez trouver des exceptions, il est facile, en regardant d'un peu plus près, de voir que ceux qui nous apparaissent comme tels, qui n'ont pas eu de *guru*, ont radicalement accepté l'autorité suprême qui est celle de Dieu Lui-même. Ils ne se sont pas mis à l'école d'un maître humain mais se sont soumis de manière totale et parfaite à la Volonté de Dieu. Ils ont commencé par ce qui représente, pour la plupart, l'aboutissement : le lâcher-prise. Vital Rao, âgé de trente-huit ans, abandonne tout et devient *ramdas,* « serviteur » ou « esclave » de Dieu. Donc Ramdas, qui n'a pas eu de maître en chair en os (il considérait son père comme son *guru* parce que celui-ci lui avait simplement transmis un *mantram*), s'intitulait lui-même « esclave de Ram » et reconnaissait l'absolue autorité de Ram dans toutes les péripéties de son existence. « Ram sous la forme d'un policier mécontent frappa Ramdas d'un grand nombre de coups de bâton. O Ram, ta *lila*[1] est merveilleuse et si variée ! » Qui de nous est capable de maintenir cette attitude plus de quelques jours ? Sous l'influence de Ramdas, nous sommes sans doute nombreux à avoir senti : « Allez, moi aussi, je me lance ! » S'il y a un pneu de la voiture qui crève : « O Ram, ta *lila* est merveilleuse ! Tu fais creuver le pneu de ma voiture au moment où je suis déjà en retard ! » Mais si c'est la boîte de vitesse qui pète (il n'y a pas d'autre mot) au fin fond de l'Inde, la reddition complète à la volonté de Dieu, *complete surrender*, devient plus difficile, j'en sais quelque chose. La différence entre Ramdas – qui pendant deux ou trois ans a sillonné l'Inde de temple en temple, d'ashram et ashram, de *guru* en *guru* et de *mahatma* en *mahatma* – et la plupart des Occidentaux qui en font autant, c'est que Ramdas, lui, était soumis en esclave à Dieu et que les Occidentaux en question sont soumis en esclaves à leur inconscient, à leurs peurs et à leurs désirs.

Par conséquent, à part ces exceptions qui existent mais sur lesquelles il ne faut pas se méprendre, le chercheur spirituel se soumet généralement à l'autorité d'un guide.

L'obéissance de Vijayananda à qui Mâ Anandamayi demande de surveiller l'embarquement des bagages est un retournement intérieur qui fait passer l'intérêt d'un ordre juste avant les prérogatives de l'ego. Cela prend vingt-cinq

1. Jeu divin.

minutes pour être sûr que ces bagages ne soient pas dispersés et qu'à la gare d'arrivée il n'en manque pas une partie. Vijayananda, bien qu'il sache que le fait de s'occuper du chargement l'empêchera de trouver une couchette dans ce train bondé, obéit à Mâ Anandamayi. Il ne vous est pas demandé d'obéir au doigt et à l'œil comme des esclaves mais de réfléchir profondément à cette question car l'obéissance est une aide dont on ne peut se faire aucune idée tant qu'on ne l'a pas encore expérimentée. Tout ce que nous pouvons concevoir, imaginer, penser à ce sujet, sera forcément inexact et même gravement inexact.

Procédons pas à pas. Est-ce que je considère que le but est la vision et que je suis aveugle, que le but est la connaissance et que je vis dans l'ignorance ou suis-je certain que je vois très clair et que je comprends tout ? Est-ce que je me considère comme soumis à une illusion fondamentale ? Personnellement j'ai employé ces mots pendant vingt ans et je n'y ai vraiment cru qu'au bout de ce laps de temps. Ce qui fait le disciple, c'est la conviction : tel que je suis, je suis soumis à une vision déformée, à une fausse connaissance pire qu'une ignorance, je vis dans le sommeil. Tous les enseignements spirituels l'affirment, y compris le christianisme qui, dans un langage que nous ne comprenons pas toujours, parle de « l'homme né dans la corruption, né dans le péché, incapable par lui-même de faire le bien ». Utilisant une autre terminologie, on dira que l'homme est prisonnier du mental, asservi à l'ego.

Plus vous acceptez l'autorité du maître, plus vous êtes libres. C'est difficile à entendre parce qu'immédiatement remontent les souvenirs de papa et maman et les « non » de notre enfance. Si nous avons subi jadis une autorité contraignante qui nous a peu à peu rendus étrangers à nous-mêmes, nous prenons peur face à l'autorité du *guru*, bien qu'elle soit d'un tout autre ordre. Il faut donc revenir à la compréhension : qu'est-ce que j'ai réussi jusqu'à présent ? Suis-je parvenu à la réconciliation avec moi-même, à la paix du cœur, à l'absence de peurs, à une réelle aisance ? Non. Et qu'en est-il de mon maître ? Si je prends mon propre exemple, à part certains moments d'émotions où mes projections étaient trop fortes à l'égard de Swâmiji, je voyais bien, dès que j'avais recouvré ma lucidité, que Swâmiji n'était plus au pouvoir de ce qui avait encore pouvoir sur moi et qu'il était fondamentalement libre, donc capable d'une parfaite communion avec moi.

Etes-vous capables de franchir ce pas qui consiste à vous soumettre à un homme libre dont le but est de vous conduire le plus vite possible à votre liberté, à la libération, à l'indépendance, à l'autonomie ? Il est certain que l'ego et le mental ressentent parfois violemment que le maître est « un autre » car dire que le maître est un avec le disciple ne signifie pas qu'il doit me justifier et me donner raison tel que je suis aujourd'hui, c'est-à-dire, en fin de compte, dans mon esclavage actuel. Donc, le disciple se rebiffe et résiste : je ne me soumettrai pas à quelqu'un qui veut m'obliger à faire ce que je ne veux pas faire et qui veut m'empêcher de faire ce que je veux faire. « Si ton mental vit, tu meurs ; si ton mental meurt, tu vis. » Au lieu d'être l'esclave de votre mental qui vous veut du mal, devenez l'élève de votre *guru* qui ne vous veut que du bien. La vraie manière d'échapper à ce statut d'esclave, c'est de vous soumettre à l'autorité d'une personne qui, elle-même, a échappé à ce statut. En vous soumettant à un maître digne de ce titre, vous vous soumettez à vous-mêmes, vous-mêmes enfin déjà arrivés à votre propre sagesse. C'est seulement cette manière de s'exprimer qui peut vous permettre de comprendre. Celui qui, aujourd'hui, est le plus vous-mêmes libres, vous-mêmes autonomes, vous-mêmes guéris, c'est le *guru.*

Je le redis tant je sais combien ces vérités sont difficiles à entendre de nos jours, vous ne pouvez être libérés de l'esclavage intérieur qu'en passant par une obéissance extérieure fondée sur des critères justes. Pour parler comme la Bible, ou vous obéissez à Mammon, le Prince de ce monde, le monde de l'avoir, de la jalousie, de la peur, du désir, ou vous obéissez à Dieu provisoirement représenté par le maître qui en est l'instrument. Vous pouvez faire un certain choix d'obéissance. Swâmi Ramdas racontait que, vers l'âge de trente-huit ans, il était devenu intensément conscient de son esclavage à ses pulsions, ses peurs et notamment ses colères : un jour il avait eu un ultime accès de colère, une colère terrible qui l'avait submergé au point de le faire trembler convulsivement. Cela faisait deux ans qu'il se sentait de plus en plus en porte-à-faux dans sa vie professionnelle, familiale, sociale et, le jour de cette fameuse colère, il a pris une décision : « C'est fini, je ne veux plus être asservi à ces puissances qui sont en moi, je deviens asservi à Ram : esclave pour esclave, je serai l'esclave de Dieu. » Si vous lisez ses mémoires traduits en français sous le titre *Carnets de pèlerinage,* vous verrez comment, dans les conditions particulières de l'Inde d'il y a cinquante ans, il suivait la volonté de Ram telle que certains signes la lui manifestaient.

*

La plupart d'entre nous ne sommes pas prêts à cette conversion drastique car la tendance de l'ego, c'est le refus d'obéir et nous n'avons au départ aucune envie de nous remettre à quelque autorité que ce soit. Ce refus d'obéir trouve son origine dans l'enfance. Si nous observons tant soit peu un enfant, nous voyons immédiatement que son existence autonome commence en se situant par rapport à l'autorité. Au début d'une vie d'être humain, l'autorité est quasi inexistante. L'enfant pleure, la mère le nettoie, il gémit, elle s'occupe de lui – il ne ressent pas qu'il ait à se plier à une volonté quelconque. Puis vient un moment, toutes les mères le savent, où l'enfant dit « non ». « Mets tes chaussures. – Non ! » « On va enlever ton manteau. – Non ! » Pour le faire céder sans trop de drames, on prend l'enfant par la ruse : on lui parle d'autre chose et, pendant qu'il écoute l'histoire, on lui met une cuillerée dans la bouche oubliant que, quelques instants avant, il ne voulait pas manger. Trop souvent, on le dresse par la peur ou le chantage affectif. Je ne suis pas en train de prétendre qu'il faut laisser un enfant tout faire (jeter les objets par la fenêtre, découper les rideaux avec des ciseaux) mais de montrer comment la dualité « ça c'est moi, ça c'est l'autre » s'est mise en place chez l'enfant même s'il ne l'a, bien sûr, pas intellectualisé à l'âge de dix-huit mois.

Une éducation réussie doit donner à l'enfant non pas l'impression d'obéir mais simplement d'être guidé, aidé à grandir et à vivre en sécurité. Mais, la plupart du temps, il ressent les instructions qui lui sont données comme des ordres arbitraires, d'autant que souvent les parents expriment plus leurs opinions, qu'ils tentent d'imposer à l'enfant, que des nécessités objectives irrécusables, quitte à se contredire entre père et mère ou à se contredire d'une semaine à l'autre. L'enfant considère donc l'obéissance comme une espèce d'épreuve de force face à laquelle il possède ses propres armes, à commencer par le simple refus d'obéissance – à l'usure ce sont toujours les parents qui cèdent – puis son chantage affectif à lui, les sanglots, le désespoir – et la mère vient câliner l'enfant cinq minutes après lui avoir donné une gifle. Instinctivement, l'enfant apprend à se rebeller pour ne pas subir l'autorité des parents, des professeurs, du surveillant général vécue comme une série de contraintes. C'est aussi simple que cela mais cette habitude de refuser subsiste ensuite toute la vie.

Or l'autorité sous toutes ses formes et durant toute notre existence nous empêchera de faire ce que nous voulons faire et nous obligera à faire ce que nous ne voulons pas faire. Et qui peut l'accepter vraiment ? Une compréhension peut naître dans certains cas mais, d'une manière générale, le refus subsiste pendant toute l'existence avec le rêve... de quoi ? Qu'est-ce qui serait le contraire de l'autorité ? La liberté. Je suis libre : je fais ce que je veux, je ne fais pas ce que je ne veux pas faire. Les mots autorité et liberté apparaissent comme deux termes contradictoires. Le but du chemin est communément appelé « libération », cette libération implique certainement la liberté mais comment cette liberté peut-elle régner dans nos existences alors que l'autorité régnera toujours elle aussi ? Il est bien évident que, même si je suis *jivanmukta*, je suis obligé comme les autres de m'arrêter au feu rouge. Et cela ne s'applique pas seulement aux feux rouges. Il s'agit donc d'une liberté compatible avec la soumission à l'autorité sous ses différentes formes.

Il est indispensable que vous réfléchissiez très sérieusement à cette question, pas seulement avec la tête mais que vous regardiez dans votre cœur, en témoin objectif, afin de voir vos propres fonctionnements par rapport à l'autorité, que vous ne vous contentiez pas de souffrir et de réagir chaque fois qu'une contrainte extérieure fait vibrer en vous les vieux souvenirs d'enfance. Je porte en moi des empreintes spécifiques concernant l'autorité qu'il faut que je regarde en face et dont je peux décider d'être libre. Je ne vais pas toujours vivre en fonction des colères de mon père ou de la dureté de ma mère quand elle m'a appris à faire sur le pot ou à ne pas manger du chocolat à tort et à travers. C'est la première chose dont je décide d'être libre, une fois pour toutes. Je n'ai plus deux ans, je n'ai plus quatre ans et ce ne sont pas papa et maman que je retrouve partout dans le monde entier. Vous n'allez pas toute votre vie demeurer prisonniers de ce statut d'enfant.

L'obéissance vous permettra de dissocier en vous l'adulte de l'enfant. Il est beaucoup plus difficile à un enfant d'obéir qu'à un adulte, et beaucoup plus difficile à l'enfant en vous d'obéir qu'à l'adulte que vous pouvez être. Un adulte ne se sent pas brimé dans sa dignité, sa liberté et sa sécurité si on lui demande de se plier à certaines règles ou d'exécuter une tâche. Mais l'adulte infantile pense que si on lui demande de faire un travail, ça va le fatiguer, ça va mettre sa santé en cause, estime que c'est indigne de lui qu'on lui parle sur ce ton-là et se sent contraint : « on m'oblige ».

Aujourd'hui, il est banal de le dire, depuis Mai 68 une mutation s'est opérée : on n'admet plus l'autorité. Les professeurs sont obligés de composer avec les élèves, ils ne parviennent plus à se faire respecter, les élèves n'admettent plus qu'on leur impose la moindre discipline. On sait que certains enseignants font des dépressions nerveuses devant l'indiscipline de leurs classes. Les jeunes n'ont que ce mot à la bouche, la liberté. Qu'est-ce que cette passion irréfléchie de la liberté, ce refus de l'autorité sous toutes ses formes ? Où cela peut-il conduire sinon à un désordre généralisé où les individualismes exacerbés s'affrontent sans contrôle ?

Toute personne ayant découvert qu'il existe des enseignements anciens qui peuvent donner un sens à sa vie, qu'il existe même une réalité appelée sagesse, ne peut pas se contenter d'être menée par les idées courantes issues la plupart du temps de réactions infantiles qui perdurent à l'âge adulte. Le point de vue hindou et bouddhiste et le point de vue chrétien ancien sont l'inverse du point de vue actuel. Cette soumission à des lois, à des nécessités, y est considérée comme normale, naturelle et l'on ne se révolte pas inutilement. On cherche la liberté à l'intérieur de cette situation. Un soufi musulman trouve normal de se soumettre aux lois divines et de s'en référer à ceux qui sont investis de l'autorité. De nos jours, un grand nombre d'individus, y compris au sein des cultures traditionnelles, sont rebelles à toute hiérarchie mais le problème est en fait à l'échelle de la société entière. Tout le monde prétend n'en faire qu'à sa tête sous prétexte d'être libre. Rien que des droits, pas de devoirs. Moins on est libre, plus on prétend l'être ; et plus on affirme qu'on l'est et plus on croit l'être, moins on l'est. Où voyez-vous la liberté autour de vous dans cette pseudo-libèration à l'échelle planétaire ? L'art se libère, les jeunes se libèrent, la femme se libère... En quoi la femme s'est-elle vraiment libérée ? La véritable « libération » ne consiste pas à travailler à l'extérieur ou à pouvoir se faire avorter après être tombée enceinte sans l'avoir voulu mais à être libre de son passé, de ses émotions, de son inconscient, de ses peurs et de ses désirs.

Certes, l'ambition de la liberté est normale, naturelle et légitime. Elle est inscrite au cœur de notre être. On nous a à peu près tout enseigné du dehors : « Vos pensées sont des citations, vos émotions sont des imitations, vos actions sont des caricatures », disait Swâmi Prajnanpad. Mais il y a deux dynamismes fondamentaux que vous n'avez pas empruntés à l'extérieur : l'un, c'est l'aspiration à être heureux ; l'autre, c'est l'aspiration à être libre – ces deux termes se confondant d'ailleurs pratiquement. Effectivement, vous ne serez en paix, vous ne cesserez de n'avoir pas de cesse, que lorsque vous vous sentirez enfin libres et enfin heureux. Vous pouvez regarder au fond de votre cœur : rien ne peut effacer ces deux demandes qui sont conjointes. Plus vous êtes libres dans la vie ordinaire, plus vous vous sentez heureux. Et moins vous l'êtes, plus on vous oblige, on vous ordonne, moins vous vous sentez heureux. Le rêve de la baguette magique, pour un enfant, c'est le rêve à la fois du suprême bonheur et de la suprême liberté : tout devient possible.

Celui qui a réfléchi à ces questions a compris, d'une part, qu'il portait en lui la nécessité d'être heureux et d'être libre et que rien ne ferait jamais taire cette aspiration légitime et, d'autre part, qu'au niveau ordinaire qui se présente immédiatement à notre esprit, cette aspiration est irréalisable. Vous pouvez émigrer en Inde si la société occidentale ne vous convient plus ou, si vous voulez à la fois l'Orient et l'Occident, vous pouvez aller vivre au Japon, vous ne trouverez jamais, nulle part sur la planète, cette liberté de rêve. Et pourtant, vous n'y renoncerez jamais complètement. La vie a rabattu vos prétentions mais rien ne peut étouffer ce désir de liberté. Plus la véritable liberté devient méconnue et bafouée dans une civilisation – la liberté intérieure, l'affranchissement des peurs et des désirs – plus la demande d'une liberté impossible grandit, celle d'une société où n'y aurait plus de contraintes extérieures. Vous savez très bien qu'il n'y a pas un pays socialiste au monde qui ait donné cette liberté totale à laquelle les jeunes aspirent. Dans une civilisation ou une société qui sait où réside la véritable liberté, c'est-à-dire un sentiment de liberté intérieure, le désir désordonné de la liberté dans des directions où elle ne pourra jamais être trouvée est bien moindre. Mais aujourd'hui, cette « liberté à tout prix » est devenue la tendance du monde actuel, tendance douloureuse parce qu'elle ne conduit nulle part si ce n'est à des révoltes vite maîtrisées ou au renversement du pouvoir d'un camp à un autre.

Votre aspiration fondamentale ne peut donc être satisfaite qu'intérieurement. Il s'agit de découvrir en vous la conscience d'être qui ne peut pas être perturbée, qui ne peut plus être affectée par les événements et qui ne peut plus être agitée par les désirs et les peurs. Que veut dire « être libre » et comment peut-on être libre, se sentir libre ? Plus rien n'a fondamentalement autorité sur vous, sur votre propre Soi, *your own self.* Et nous retrouvons une fois encore l'idée maîtresse de tous les enseignements spirituels, exprimée sous tant de noms différents : une conscience que Swâmiji appelait *atman,* souverainement libre, « libre comme un nuage dans le ciel » selon l'expression éloquente du zen, libre comme l'espace lui-même. Si vous pouvez facilement accepter qu'un désir ne soit pas réalisé, ce désir a perdu son pouvoir ; si vous pouvez facilement accepter qu'une crainte puisse se concrétiser, « à l'avance, je dis oui », cette crainte a perdu pouvoir sur vous. C'est une manière simple de commencer à comprendre ce que pourraient être la libération et la liberté. Sinon, le mot « libération » semblera toujours désigner quelque chose de miraculeux qui se produit au Tibet, à Bénarès ou au plus haut du Ciel, sans que vous compreniez en quoi vous êtes personnellement concernés – concernés ce soir, demain, tout le temps.

Voilà la découverte. Les contraintes extérieures vous étouffent parce qu'elles vous obligent à faire ce que vous ne voulez pas faire et vous empêchent de faire ce que vous voulez faire. Si vous voulez rouler à 180 km/heure, des gendarmes, avec leur radar, vous arrêteront pour excès de vitesse. Mais si vous ressentez l'autorité extérieure comme brimante, c'est uniquement parce qu'elle contredit la force de vos propres désirs ou accentue vos peurs. Si vous étiez libres par rapport à ces autorités intérieures, en quoi l'autorité extérieure pourrait-elle vous contraindre au plus intime de vous-mêmes ? A la limite, que ferait même au sage l'autorité des policiers qui l'emmèneraient dans un camp de déportation (l'exemple extrême de suppression de la liberté au XXe siècle) puisqu'il n'est plus sous l'emprise du désir et de la peur ? On sait d'ailleurs que certains déportés ont fait preuve dans ces circonstances tragiques d'une liberté intérieure et d'une sérénité incompréhensibles selon les normes habituelles. L'autorité extérieure n'est insupportable que parce qu'elle vient contrecarrer ces désirs (ou l'autre versant du désir qui est la peur) qui, de l'intérieur de vous, ont pouvoir sur vous et vous ordonnent de leur obéir. Les désirs nous utilisent pour se satisfaire eux-mêmes, voilà la vérité. Vos désirs vous utilisent, au mépris de votre véritable bonheur ou de votre souffrance et des conséquences de vos actions dont vous aurez à porter le poids. Et vos craintes, vos peurs trop fortes vous utilisent pour se rassurer. Peut-être que l'argent qui aurait pu financer des vacances familiales heureuses, vous l'avez entièrement investi dans des assurances diverses pour être mieux protégé contre des risques improbables et que vous avez imposé à votre famille des frustrations douloureuses à cause d'une peur qui ne relève que de votre névrose.

J'insiste sur ce point tant il est crucial, cette autorité extérieure, que depuis l'enfance nous avons appris à refuser, qui nous paraît l'obstacle numéro un à notre bonheur et la cause numéro un de nos souffrances, nous ne la ressentons comme telle que parce qu'elle entre en contradiction avec ce qui a déjà pouvoir sur nous, c'est-à-dire nos pulsions et notre inconscient. Vous n'êtes esclaves ni de l'administration ni des capitalistes ni des syndicalistes ni des patrons ni des employés du fisc, vous êtes esclaves de vous-mêmes. Et si vous êtes libres de ce qui a pouvoir sur vous intérieurement, l'autorité extérieure perd son pouvoir elle aussi, puisqu'elle ne peut plus être pour vous une cause de souffrance. Et c'est seulement dans cette issue que vous trouverez cette liberté absolue et ce bonheur non dépendant auxquels tout le monde aspire et qu'on s'épuise à chercher dans le relatif, manœuvré par le jeu des désirs et de leur revers, les peurs.

*

Les conditionnements dus à notre enfance d'une part et à la civilisation moderne d'autre part rendent donc l'obéissance difficile à admettre, même pour ceux qui sont engagés sur le chemin de la sagesse. Mais si vous voyez que vous êtes esclaves de mécanismes implacables qui vous maintiennent dans la souffrance, vous comprendrez que vous ne pouvez vous en libérer qu'en passant par une autre obéissance. D'innombrables lois étudiées par les sciences humaines ont pouvoir sur vous. Et la libération consiste sinon à s'affranchir de toutes les lois du moins à en réduire considérablement le nombre : au lieu d'être soumis à des centaines de lois, celles qu'étudient psychologues et sociologues, vous ne serez plus soumis qu'à certaines lois physiologiques telles que la nécessité de respirer, de manger, de digérer, de vieillir et de mourir. Mais cela ne se fera que si vous choisissez délibérément un autre esclavage, l'esclavage à la vérité, l'esclavage à la nécessité (ou à la justice) des situations, pour reprendre le vocabulaire de Swâmiji, l'esclavage à la réalité totale lucidement perçue. Seul cet esclavage librement consenti vous libère de l'esclavage intérieur.

L'affranchissement que nous proposent les différentes voies spirituelles est une autre forme de soumission mais une soumission bienheureuse, d'où la formule surprenante de Swâmiji : *« Complete slavery is perfect freedom »*, « l'esclavage complet c'est la liberté parfaite », mais l'esclavage non plus à votre ego et à votre mental, l'esclavage à la Vérité, l'acquiescement aux choses telles qu'elles sont, l'adhésion parfaite à la réalité d'instant en instant. Le mot islam lui-même signifie « soumission ». Mon ego ne veut pas qu'il en soit ainsi mais la vérité, c'est qu'il en est ainsi. Ici et maintenant, qu'est-ce qui doit être accompli ? Ici, maintenant, qu'est-ce qui m'est demandé ? Si vous pouvez un jour découvrir ce que j'appelle ce « bienheureux esclavage », vous serez souverainement libres. Vous agirez consciemment au lieu de réagir mécaniquement.

Tous les enseignements convergent dans la notion de liberté. Le Christ nous a promis la glorieuse liberté des enfants de Dieu, les hindous promettent très explicitement la libération, *moksha* ou *mukti* en sanscrit. Beaucoup d'hommes et de femmes, au cœur de toutes les religions, ont aspiré à cette liberté intérieure, ont voulu avant tout que leurs désirs et leurs peurs n'aient plus autorité sur eux. *Et ils ont fait cette découverte (ou des sages les ont amenés à faire cette découverte) qu'une autorité extérieure pouvait les aider à se libérer de ces contraintes intérieures qui régnaient sur leurs existences.* Voilà la vérité en apparence paradoxale.

Comment pouvez-vous échapper à la prison du mental ? En acceptant l'autorité d'une personne qui est supposée ne plus obéir à son mental et qui est capable d'établir avec vous une relation non duelle, où il n'y a plus un ego en face d'un autre ego. Et en obéissant au *guru,* c'est à votre propre Soi que vous obéissez. Le *guru,* nous l'avons vu, n'est pas un autre que vous. C'est là une parole essentielle avec laquelle vous avez à vous mesurer. Quand le maître est avec Jacques, il est entièrement Jacques et quand il est avec Caroline, il est entièrement Caroline. Souvenez-vous : le maître c'est le disciple mais le disciple déjà arrivé au bout de son propre chemin. J'ai mis des années à le comprendre en ce qui concernait Swâmiji vis-à-vis de qui j'étais souvent sur la défensive à cause de cette peur non fondée dont j'ai parlé précédemment : « Il va m'empêcher de faire certaines choses que j'ai envie de faire et il va m'obliger à en faire d'autres que je ne veux surtout pas faire ». Et l'ego, parfois, tremble de peur. Rassurez-vous : le *guru* a non seulement de l'amour pour vous mais il est supposé avoir aussi un minimum d'intelligence. Son but n'est pas de vous détruire, mais de vous montrer de quel esclavage vous êtes prisonniers et comment vous pouvez, peu à peu, cesser d'être l'esclave de votre mental en vous soumettant à la Vérité, à la Réalité, à Dieu.

Permettez-moi d'utiliser une fois encore la comparaison maintes fois employée par Ramana Maharshi : « Un acteur est soumis au texte de l'auteur et à la mise en scène, pourtant il expérimente une immense liberté tant qu'il est sur scène. »

Il est très rare qu'un auteur accepte qu'un comédien change un mot du texte. Et un acteur ne peut pas non plus changer la mise en scène sans perturber les comédiens qui l'entourent. L'acteur est porté par le texte et la mise en scène et, tant qu'il est en scène, il est libéré de son ego. Et comme il n'est pas identifié à l'ego du personnage, il est *jivanmukta* pendant deux heures ! C'est pour cette raison que le métier d'acteur représente une telle fascination, que c'est si frustrant d'avoir en tout et pour tout à dire : « Madame est servie » et que c'est une bénédiction de tenir la scène pendant deux heures en jouant Cyrano.

Le sage est semblable à un acteur complètement libre à l'intérieur du rôle qu'il joue. Si Ramana Maharshi compare le *jivanmukta* et l'acteur, c'est parce que le *jivanmukta* est d'autant plus libre qu'il est soumis, non plus à lui-même mais au mouvement général de l'univers auquel il participe. Il n'est plus égocentrique, il est « cosmocentrique ». Il est un avec la totalité. Mais tant que l'ego proclamera « moi, je fais ce que je veux », vous vous trouverez frustrés de cette bienheureuse liberté.

Vous n'êtes libres que si le rôle s'impose à vous. Si de nouveau vous aviez à vous préoccuper de votre réplique : « Est-ce que ma réplique va être bonne, est-ce qu'elle va faire rire ? » vous ne pourriez plus connaître cette merveilleuse liberté d'esprit que procure le fait d'être porté par l'existence comme l'acteur l'est par son texte. Nous arrivons donc à ce paradoxe : liberté égale esclavage, esclavage égale liberté.

Essayez de faire l'expérience de l'obéissance, et d'abord l'obéissance intérieure aux faits c'est-à-dire l'adhésion à ce qui est, l'économie de l'émotion qui ne change rien aux faits. Vérifiez par vous-mêmes : que se passe-t-il si j'essaye vraiment d'obéir, de laisser un peu mon ego de côté. La vie va sans arrêt vous demander des choses. Allez-vous permettre à l'ego de prendre le dessus, n'en faire qu'à votre tête ou allez-vous répondre à ce que la situation attend de vous ? A cet égard, Swâmiji parlait du rôle des mères d'une façon magnifique, comme s'il avait lui-même mis au monde et allaité de nombreux enfants, expliquant comment l'esclavage de la mère obligée de se lever cinq fois dans la nuit si son enfant est malade, est en fait un chemin de libération. Pour lui, le statut de mère était aussi noble que celui du *yogi*, du *sannyâsin* ou du moine. L'enfant crie, il se passe quelque chose, il est malade, je suis obligée de me lever. J'obéis. Quel *guru* !

Il faut que vous compreniez la nécessité que votre ego soit mis en cause dans un ashram. Acceptez-le d'avance. Si tout est facile, comment voulez-vous progresser ? Vous vous retrouverez démunis devant les difficultés de l'existence. Vous roulez sur une route, tout d'un coup vous vous apercevez que la voiture ne répond plus bien. Vous arrêtez, vous faites le tour de la voiture, un des pneus est complètement à plat. L'existence vous donne un ordre. Maintenant sortir la manivelle, monter le cric, dévisser la roue pour la changer. Etes-vous prêts à accomplir librement ce que vous demande l'existence ou à l'accomplir en esclaves révoltés, c'est-à-dire en maugréant, en refusant de tout votre être, dans la non-unification, en pleine contradiction avec ce que vous êtes en train de faire ? Exercez-vous à l'ashram. Qu'est-ce que vous risquez ? Dans votre entreprise, si vous obtempérez dès que quelqu'un vous demande une chose, vous risquez de passer pour un faible et le collègue se déchargera sur vous de son travail en vous demandant de le faire à sa place. Mais à l'ashram, chaque fois que votre ego est mis au défi, c'est tout bénéfice pour vous. Tout événement qui fait lever un refus est une aide pour voir en pleine lumière le fonctionnement de l'ego et pour comprendre comment vous allez pouvoir lui échapper afin qu'il ne règne plus sur vos existences.

Comment pourrez-vous jamais être détendus si vous vous situez au cœur de ces deux tensions : je suis tendu vers, je suis tendu contre. Voilà le statut de l'ego. Jamais la paix. En Inde, toutes les prières, toutes les citations des *Védas* ou des *Upanishads* se terminent par ce verset que ceux qui ont séjourné dans ce pays ont entendu tant de fois : *« Om, Shanti, Shanti, Shanti, Hari Om Tat Sat. » Shanti* veut dire la Paix. Il est vrai que le Christ a dit : « Je ne suis pas venu apporter la paix mais l'épée », c'est-à-dire qu'il ne nous a pas promis la paix ordinaire, la paix des vaches qui ruminent dans un pré mais une autre paix, « celle qui dépasse tout entendement » ou toute compréhension. Si vous êtes insérés par rapport à « tout le reste » dans un double mouvement de tension, tendu entre le désir et la peur, où trouverez-vous la paix ? Jamais dans cette dualité, cette bi-polarité : j'aime, je n'aime pas – frustrant, gratifiant – sécurisant, désécurisant qui est le mécanisme même de l'ego – idée qu'exprime le mot *dvandva* en sanscrit, les paires d'opposés.

L'ego se sent tantôt gratifié, tantôt frustré dans sa dignité. « Untel ne m'a pas regardé, ne m'a même pas dit bonjour » ou au contraire « quand je suis arrivé, j'ai été très chaleureusement accueilli ». Comment est-ce que je suis traité ? Est-ce que ma dignité est respectée ? La vanité est une caractéristique de l'ego. Votre dignité, au sens où l'ego l'entend, mettez-la donc de côté à l'ashram si vous voulez être libres et heureux. Vous trouverez une tout autre dignité. Ne laissez pas le mental indéfiniment ramener les vérités supra-mentales aux habitudes ordinaires : si je deviens un grand disciple, je serai respecté... La liberté n'a que faire de ce type de respect. Si vous êtes *jivanmukta* tout en étant chirurgien des hôpitaux, le *dharma* demande que vous soyez respecté dans votre fonction et que les malades ou les infirmières ne vous traitent pas comme n'importe qui mais ce n'est pas l'ego qui le demande, c'est la justice, l'ordre universel, la loi objective.

L'ego se sent aussi menacé dans sa liberté telle qu'il la conçoit – on m'oblige ou on m'empêche – et il réagit en affirmant : « Je fais ce que je veux. » Qu'est-ce que ce « je » ? Ce « je » n'existe pas. Je reviens à ce que je disais tout à l'heure, je fais ce que mes impulsions veulent, je fais ce que mes glandes endocrines veulent, je fais ce que mes *vasanas* veulent, je fais ce que mon inconscient veut. Uniquement des mécanismes implacables. Quelle illusion de croire que vous faites ce que vous voulez ! Et à partir de cette illusion, l'ego trouve insupportable qu'on ne lui laisse pas faire ce qu'il veut, tandis que le moine, lui, choisit l'obéissance pour la vie entière. Il s'agit de trouver une liberté intime qu'aucune des vicissitudes de l'existence ne peut entamer.

L'ego se sent menacé dans sa dignité, dans sa liberté mais aussi dans sa sécurité. Il a tout le temps peur : qu'est-ce qui va m'arriver ? « Si on me demande de faire telle ou telle chose, cela va me fatiguer » et il commence à s'inquiéter sans se préoccuper de savoir si cette crainte est fondée ou non. La sécurité réelle ne réside pas là. Elle est dans ce que le Christ a appelé « les trésors que les voleurs ne peuvent pas dérober et que la rouille ne peut pas détruire ». La sécurité est parfaite au cœur même de l'insécurité, lorsque vous avez trouvé la citadelle intérieure du Soi, de l'*atman.* Quand Etty Hillesum, jeune Juive hollandaise, à qui nous devons l'admirable *Une vie bouleversée* (Le Seuil), s'est retrouvée dans un wagon plombé qui l'emmenait à Auschwitz, elle a écrit quelques lignes sur une carte qu'elle a jetée du train et qui a été retrouvée par la suite : « Le Seigneur est ma chambre haute. »

Du fait des expériences que vous avez vécues et des empreintes qui se sont déposées en vous tout au long de votre vie, vous « aimez » certaines choses et vous n'en « aimez pas » d'autres. L'obéissance, intelligemment comprise, est une aide précieuse qui vous permet de dépasser ces goûts, ces dégoûts, ces préférences, ces refus mécaniques pour accéder à une vision plus équanime de la réalité. Si depuis tant de siècles des hommes et des femmes de bon sens décident d'entrer au monastère en sachant qu'ils vont se soumettre à la règle et à l'Abbé ou de vivre dans l'ashram d'un sage en obéissant à celui-ci, il doit bien y avoir une raison. S'il s'agissait d'une erreur ou d'un comportement névrotique, l'obéissance n'aurait pas été tellement vantée par les Pères du Désert puis par des générations de mystiques. D'un certain point de vue, elle constitue le cœur, l'essence de l'ascèse, même si elle contredit complètement la mentalité moderne. La liberté ne réside pas dans la revendication « je fais ce que je veux » mais dans le fait *de renoncer à une obéissance qui vous enchaîne et d'opter pour une obéissance qui vous libère.* Un jour, vous obéirez à ce que Swâmiji appelait la nécessité des situations et à ce que d'autres dénomment la Volonté de Dieu. Et vous serez en paix, définitivement, inébranlablement, libres de toutes vos limitations, de toutes vos finitudes, aussi libres que l'acteur l'est à l'intérieur du rôle qu'il joue. Vous le serez à jamais quelles que soient les péripéties de vos existences.

En attendant, exercez-vous et voyez. En quoi est-ce si insupportable qu'on me demande de faire certaines choses, qu'il y ait autour de celui qui me guide certaines règles, certaines instructions ? Essayez simplement de sentir, d'accueillir d'une nouvelle manière ces chocs donnés à l'ego par le fait que, dans un ashram, certains comportements vous soient imposés alors que d'autres ne vous sont pas autorisés. Ce n'est pas grand-chose comparé à la rigueur de la Règle de saint Benoît ou de l'ashram de Mâ, mais au moins ne laissez pas échapper le peu d'obéissance qui vous est non pas demandé mais offert. Et voyez que chaque fois que vous réagissez à une demande ou à un empêchement, c'est uniquement l'ego qui est touché. Il ne vous est pas demandé, sur le chemin que je propose, de prendre un engagement préalable d'obéissance qui est la condition *sine qua non* pour entrer au monastère de Trappistes, de même que, pour devenir à part entière disciple de Mâ Anandamayi, il fallait faire reddition de sa volonté propre. Ensuite, tous les mécanismes inconscients viennent à la surface pour rendre difficile l'application de cette décision, mais au moins la décision de principe a été prise : à partir de maintenant j'obéis à Mâ ; c'est elle qui décide pour moi. Elle voit clair, je ne vois pas clair. Je suis comme un aveugle qui veut traverser la place de la Concorde et demande : « Est-ce que quelqu'un peut m'aider à traverser ? » Toute la question est de savoir si vous êtes réellement convaincus que votre mental, pour l'instant, vous aveugle. Celui qui en a assez d'obéir à son ego ou à Satan s'en remet à un maître. Et c'est cela qui le conduira à la libération. En vérité l'obéissance ne pose guère de problème à ceux qui s'engagent dans un ashram en Inde ou dans un monastère en France mais c'est une notion qui demeure étrangère à ceux qui ne sont pas nés dans un contexte traditionnel et qui sont imprégnés d'idées modernes prônant cette liberté illusoire dont on parle à tort et à travers.

C'est aussi beaucoup moins évident à l'heure actuelle du fait de l'éclosion anarchique de sectes suspectes, voire meurtrières, dirigées par des gourous qui sont des charlatans quand ce ne sont pas des fous. Il est vrai qu'il existe chez l'être humain une tendance très forte à s'abriter derrière l'autorité de quelqu'un qui puisse le prendre par la main et le guider – tendance qui a été sévèrement critiquée comme renoncement à l'autonomie et à la responsabilité, retour à la dépendance de l'enfant, régression, que sais-je encore... Mais ce n'est pas parce qu'il y a eu et qu'il y a encore des abus parfois dramatiques dans ce domaine, ce n'est pas parce que certaines personnes se sont mises en effet sous la coupe d'un fanatique ou que des peuples entiers ont accepté, pour leur malheur, l'autorité d'un tyran que la nécessité pour l'aveugle de faire appel à quelqu'un qui y voit avant de se lancer dans un carrefour ne demeure pas juste, réelle, vraie et saine.

C'est là qu'il ne faut pas se tromper car toute la question est là. Est-ce que vous vous soumettez à quelqu'un qui est « un autre que vous », qui a, comme vous, ses peurs, ses désirs, son inconscient, ses projections, ses demandes ? Comment un être lui-même soumis à une servitude intérieure pourrait-il vous conduire à une liberté qu'il ne connaît pas ? Le maître est supposé (sinon, ce n'est pas un maître) avoir lui-même, en son temps, accepté l'autorité d'un autre maître et, grâce à l'aide de celui-ci, avoir neutralisé ses peurs et ses désirs, c'est-à-dire avoir atteint au moins ce stade sinon d'être complètement sans désir, du moins qu'aucun désir n'ait pouvoir sur lui. Si vous vous soumettez à un autre ego, un autre égocentrisme, vous êtes perdus. Et c'est malheureusement ce qui se passe trop souvent. On s'abandonne à un homme – ou à une femme – qui a eu la persévérance de pratiquer la méditation ou d'autres exercices, qui a développé certains dons, de qui émane un charisme et une force de conviction mais qui, malheureusement, n'a pas été pris en main par un maître, n'a pas été libéré de ses propres servitudes intérieures et demeure donc « un autre que nous » qui n'est pas neutre. C'est grave, parfois très grave, mais ce n'est pas parce qu'il y a des erreurs possibles qu'il faut renoncer à l'attitude juste, celle-là même qui sera libératrice.

Ce que je vous dis aujourd'hui peut paraître original par rapport à la mentalité moderne mais ne l'est pas du tout par rapport aux anciennes traditions chrétienne, hindoue, bouddhiste et soufie. Je partage avec vous mon expérience. Moi-même, j'ai mis longtemps à accepter l'autorité de Swâmiji. C'est bien pourquoi, un jour où je parlais à Swâmiji des relations entre les disciples indiens et les disciples français, Swâmiji m'a fermement répondu : « Swâmiji n'a pas de disciples, Swâmiji n'a que des apprentis-disciples. » Apprentis-disciples, vous le serez tant que vous n'aurez pas reconnu que votre seule chance de liberté c'est de vous soumettre à l'autorité de quelqu'un qui ne vous veut que du bien et qui n'est pas un autre que vous. Et, bien entendu, Swâmiji ne m'a jamais donné d'ordre prématurément. Avec un amour infini et une patience infinie, il m'a suivi dans les péripéties et les stupidités de mon mental, l'expression des *vasanas* et des *samskaras.* Ce n'est qu'à la fin de notre relation que ma conviction à son égard a été parfaite et que, quoi qu'il m'ait demandé, je l'aurais fait. Mais c'est venu très tard et il ne m'a jamais rien demandé que j'ai regretté ensuite d'avoir accompli. Si vous avez un doute à l'égard de celui qui vous guide, ce doute doit être vu en face et clarifié. Il n'a jamais été dit que les doutes doivent être réprimés pour empoisonner la relation avec le *guru.* Vous avez au contraire le privilège de pouvoir poser les questions qui vous tiennent à cœur. « Je ne comprends pas, je ne peux pas adhérer à ce que vous avez dit aujourd'hui. » Il n'y a que comme cela que vous progresserez.

Et, un jour, le *guru* aura éveillé en vous ce qu'on appelle le gourou *intérieur,* votre sagesse à vous – ou, plus rigoureusement, la sagesse en vous. Vous deviendrez alors votre propre maître comme si, à force de faire traverser la rue à un aveugle, on lui avait rendu la vue. On dit même traditionnellement que celui qui a éveillé en lui le gourou intérieur, qui est devenu son propre maître, n'est plus soumis à la loi : il est devenu à lui-même sa propre loi. Mais encore une fois méfions-nous d'une formule comme celle-là et faisons preuve de circonspection dans ce domaine. Si celui qui affirme être devenu à lui-même sa propre loi est encore l'esclave de son inconscient, de ses émotions et de son mental, il ne pourra qu'égarer les autres autour de lui.

Aucun maître digne de ce nom n'abuse de son autorité. Il conduit chaque disciple vers la non-dépendance. Il est un guide, une porte, un chemin, pour vous conduire à vous-mêmes. Car aujourd'hui vous ne vous appartenez pas. Et vous êtes appelés à la libération, à ne plus être des esclaves. Souvenez-vous aussi du lumineux Ramdas, le serviteur, l'esclave de Ram. Et cette parole de Swâmiji, ne la refusez pas. Réfléchissez jusqu'à ce que vous en ayez à votre tour découvert la vérité et la beauté : « *Complete slavery is perfect freedom* », « l'esclavage complet c'est la liberté parfaite ».

CHAPITRE X

ÉGOÏSME ET COMPASSION

Aussi surprenante – ou décevante – que cette affirmation puisse paraître au premier abord, *vous* ne serez jamais libérés. *Moi*, je ne serai jamais libéré parce que la libération en question c'est justement l'effacement du moi. La psychothérapie guérit l'ego et la voie guérit de l'ego. Mais lorsque nous découvrons le maître et abordons la voie, l'ego règne en nous. C'est *moi* qui veux progresser, grâce à *mon guru* qui va *me* transmettre ses connaissances, sa sagesse et tout ce qui en lui *me* fait envie. Il y a là le risque d'une ascèse faussée à sa source même, risque dont tout chercheur spirituel doit être aussi conscient que possible.

Il est normal et naturel que le chemin commence dans l'égoïsme. Nous sommes attirés par l'idée de la sagesse (ou par les sages qui l'incarnent) à partir de notre égoïsme. Nous en avons assez de notre souffrance, de nos échecs, de notre incapacité à être heureux. Nous pensons que là au moins une voie s'ouvre devant nous quand il nous semble que d'autres portes de l'existence nous sont fermées. Ou bien nous avons entrevu un monde qui nous paraît un peu merveilleux, celui de la réalisation, celui de la libération, celui des états supérieurs de conscience et ce monde nous attire. C'est encore une attitude égoïste. Et même au départ des vocations religieuses, cet égocentrisme demeure, ne serait-ce que dans l'expression « Mon Dieu » : c'est moi qui aspire à trouver Dieu, c'est moi qui progresse, c'est moi qui ressens des états mystiques ineffables, etc. Ce danger d'égoïsme est simplement un peu plus grand dans les voies non dualistes qui ne sont pas fondées sur la relation avec le Bien-aimé des soufis ou des moines chrétiens mais sur une Réalité impersonnelle, neutre. Les formulations védantiques : « Je suis *brahman,* je suis *Shiva* » peuvent très aisément être récupérées par l'ego. Bien sûr, les textes sacrés de toutes les traditions disent unanimement que cet égocentrisme même constitue la prison dont nous avons à nous libérer. Mais il mettra longtemps à disparaître sauf chez des êtres exceptionnellement doués qui nous montrent plus le but qu'ils ne nous indiquent un chemin possible pour nous et que nous ne pouvons pas considérer comme des modèles ou des exemples que nous puissions suivre. Nous avons intérêt à nous inspirer du chemin plus ingrat et plus laborieux de certains moines ou ascètes sur lesquels nous sont parvenus aussi bien des témoignages.

Ce que vous devez déjà entendre parce que c'est une vérité à laquelle vous ne pouvez pas échapper, c'est que la libération représente l'effacement de cet égocentrisme et qu'il faudra bien qu'un jour se produise une bascule où, après avoir vécu essentiellement dans l'égoïsme avec de rares moments de non-égoïsme, vous vivrez essentiellement dans le non-égoïsme. Ce renversement de perspective, vous vous y préparez peu à peu, plus ou moins longtemps, plus ou moins laborieusement. Pourquoi ne pas l'envisager dès à présent ? Mesurez d'abord votre égoïsme, mesurez votre infantilisme. Voyez la puissance de vos demandes personnelles, de vos désirs et de vos peurs. Il est inutile de s'aveugler à ce sujet, de s'illusionner à cause de quelques élans généreux qui s'emparent parfois de nous et qui, en fait, ne sont que des émotions – même si ce sont des émotions plus élevées que les autres ou en tout cas qui diminuent un peu la séparation avec le prochain donc la dualité. J'ai souvent expliqué la distinction entre les émotions qui nous emprisonnent – la jalousie, la colère, etc. – et les sentiments qui sont l'expression d'une communion : par rapport à soi, la paix et la sérénité et, par rapport à ce que nous considérons comme « autre que soi », la bienveillance, la compassion, l'amour, jusqu'à ce que progressivement cette distinction entre moi et tout le reste s'amenuise puis s'efface et que se réalise ce que l'on a appelé « unité » ou, plus exactement, « non-dualité ».

Mais avant de parvenir à ce stade, quelle que soit la voie que nous suivons, il est certain qu'une part du chemin a ceci de douloureux que nous avons l'impression de ne pas progresser ou même de régresser, simplement parce que nous voyons en pleine lumière ce que, jusque-là, nous n'avions pas du tout découvert en ce qui nous concerne. Certaines illusions nous faisaient croire que nous étions plus avancés que nous ne le sommes en réalité. Et au moment où nous voulons nous rapprocher d'une sagesse qui nous paraissait presque accessible, nous commençons par faire certaines découvertes sur nous-mêmes qui ne sont pas spécialement flatteuses. Voici qu'apparaissent au grand jour la puissance de notre sommeil, la force de nos habitudes, les compromis dont nous nous satisfaisons, les illusions que nous entretenons sur notre compte – et surtout notre manque d'amour. Nous ne nous doutions pas que nous étions à ce point centrés sur nous-mêmes, que nous ramenions inévitablement tout à nous-mêmes et que le monde, « mon monde » tournait autour de nous. Cela me frappe particulièrement dans la fonction que j'occupe puisque je reçois chaque jour plusieurs personnes en tête à tête et que la quasi-totalité des entretiens tourne en effet autour de sujets purement égoïstes : « Moi mes problèmes, moi mon mari, moi mes enfants, ma réussite, mes échecs, mon épanouissement... » Je vois très rarement quelqu'un se préoccuper de la manière dont il pourrait venir en aide à autrui et, quand c'est le cas, les motivations qui animent cette personne relèvent, c'est triste à dire, souvent plus de la névrose que d'un véritable souci de l'autre. Il faut une réelle connaissance de soi et de ses mécanismes psychologiques pour être capable d'aimer vraiment.

Je me souviens bien d'une époque où je renâclais beaucoup à cet effacement de la revendication individuelle et où ma demande était avant tout que l'on s'occupe de moi, qu'on s'intéresse à moi, qu'on m'aide à acquérir ce qui me manquait encore et à me débarrasser de ce qui me gênait sur le plan psychologique. Cette approche égocentrique du chemin n'est jamais mise en cause par le seul fait de se passionner pour les exercices de yoga ou pour l'ésotérisme sous toutes ses formes et les différentes techniques d'éveil. Peut-être certains ont-ils même l'idée que toute marque de non-égoïsme relève d'une approche sentimentale de l'existence ou, plus subtilement encore, qu'elle traduit un sens de la dualité. C'est un piège qui concerne surtout ceux qui sont imprégnés d'idées védantiques et pour lesquels toute marque de générosité implique que je reconnais la dualité « moi et l'autre » alors que l'affirmation de la sagesse suprême c'est la disparition de cette dualité ou altérité. Par exemple, nous lisons à propos de Ramana Maharshi : « Le Maharshi n'a jamais accepté de se laisser considérer comme un *guru* et d'admettre qu'il avait des disciples parce que c'eût été reconnaître la dualité. Or le Maharshi ne voyant plus que le un dans l'état de non-dualité, comment pourrait-il y avoir la distinction de *guru* et de disciples ? » J'ai entendu certains piliers d'ashrams védantiques du sud de l'Inde critiquer et même accabler l'« ignorant » qui, comme saint Vincent de Paul ou Mère Teresa, ose affirmer qu'il faut servir les autres, alors qu'« il n'y a pas d'autres puisque tout est un ».

Si vous êtes familiers de ces notions et que vous les reprenez à votre compte, ce danger d'égoïsme vous menace certainement. Quand vous essayez d'avoir la sensation des différentes parties de votre corps ou de l'énergie circulant en vous, d'éveiller la *kundalini* et de déployer les *chakras*, d'être conscients de votre respiration, de ralentir ou d'accélérer le rythme de celle-ci – c'est-à-dire de pratiquer telle ou telle technique de yoga hindou ou tibétain – votre égocentrisme n'est nullement mis en cause. D'autant que la plupart des Occidentaux qui se passionnent pour ces méthodes oublient très facilement ce qu'on appelle les deux premières étapes du yoga telles qu'elles sont décrites dans les *Yoga Sutras* de Patanjali, *yama* et *niyama,* ensemble de préceptes éthiques qui ne peuvent être mis en pratique que si l'égoïsme a considérablement disparu et qui représentent déjà une très grande liberté par rapport aux demandes et aux peurs de l'existence ordinaire. Il ne s'agit pas en l'occurrence d'une « petite morale de curé » mais des préliminaires indispensables à une pratique avancée du yoga.

Quand j'ai approché Swâmi Prajnanpad, j'ai rencontré un métaphysicien, enseignant dans une voie totalement non dualiste (il n'y avait ni *puja* ni prière ni relation avec un Bien-aimé, qu'il soit le Allah des musulmans ou le Dieu des chrétiens). L'enseignement de Swâmiji comportait un aspect scientifique et même quelque peu ésotérique puisqu'il avait de très grandes connaissances des écritures hindoues, en particulier des *Upanishads.* Il y avait aussi, auprès de Swâmiji, de quoi satisfaire l'ego : j'ai trouvé un *guru* qui est une mine de connaissances et qui va peu à peu me transmettre celles-ci. Enfin, Swâmiji faisait preuve d'une rigueur critique pour parler de la morale habituelle, de la religion ordinaire et de l'idéalisme qui me faisait penser que nous étions bien loin des préceptes de mon éducation religieuse. Après avoir été fasciné par le yoga hindou, par le tantrisme tibétain, après avoir découvert tout un ésotérisme chez les soufis, après avoir lu à peu près tout René Guénon et même des ouvrages sur les mystères de l'Egypte antique, j'avais fini par trouver au fin fond du Bengale un maître qui me paraissait incarner l'image même du *guru* dont j'avais rêvé, inconnu des circuits habituels des voyageurs en Inde, un *guru* « initiatique ». Or progressivement j'ai découvert que Swâmiji, en fait, à travers tant de connaissances, une telle expérience, me conduisait tout simplement vers le non-égoïsme. J'ai dû beaucoup réfléchir pour comprendre cette toute simple et évidente vérité : l'état-sans-ego, *egoless state* (autre expression pour désigner la libération), sur lequel Ramana Maharshi s'est expliqué toute sa vie en brèves réponses, ne pouvait pas être autre chose que l'état dans lequel l'égoïsme s'est complètement effacé.

L'apport spécifique de Swâmi Prajnanpad a été de me montrer la puissance (pour ne pas dire la toute-puissance) de mon égocentrisme, même après dix-huit ans de méditations diverses et de ferveur religieuse. Que de fois j'ai cru, à force de prières durant des retraites dans un monastère ou en face de Ramdas ou de Mâ Anandamayi, que je dépassais cet ego dont je comprenais bien qu'il était ma prison. Combien de milliers de *pranams* j'ai pu faire de tout mon cœur dans toutes sortes de lieux saints, convaincu chaque fois que j'accomplissais ce que l'on appelait en Inde *surrender*, reddition de l'ego à la vérité, à la volonté de Dieu. Et j'ai découvert en pleine lumière auprès de Swâmiji que cet égocentrisme avait à peine été entamé. L'égoïsme avait même récupéré de toutes les manières possibles les bénédictions que j'avais reçues et tous les élans sincères de ce que j'appelle « le mystique en nous ». Les personnages que j'avais peu à peu reconnus en moi – le vaniteux, l'ambitieux, le séducteur, l'enfant perdu, etc. – trouvaient leur compte dans ce chemin spirituel et avaient réussi à tirer la couverture à eux. La réelle prise de conscience de l'ampleur de notre égoïsme est une connaissance qui ne court pas les rues et que je n'hésiterai pas à qualifier d'« ésotérique ». Rien ne peut remplacer cette vision que chacun doit affronter en lui-même. Eh bien oui, il y a un égoïsme inévitable qui se confond avec la puissance de l'enfant en nous. Et cette expérience directe de son égoïsme peut être ressentie soit comme une émotion fine qui nous pousse à progresser – mais c'est encore l'ego qui souffre d'être égoïste – soit comme un sentiment réel – et là je commence à dépasser l'ego.

Je garde un souvenir précis de cette période intense que j'ai vécue auprès de Swâmiji, après ces longues et laborieuses années de *sadhana*. Une fois passé le premier moment de déception – parce que je cherchais un accomplissement peut-être un peu plus mystérieux, un peu plus fascinant – cela m'a montré l'unanimité du chemin. Au fond, ce Swâmi Prajnanpad qui est un homme de « connaissance », par conséquent si loin d'un frère convers dans un monastère de Trappistes, me guide sur l'unique chemin qui consiste à émerger de l'égoïsme. Je suis totalement frère du moine cistercien malgré les divergences apparentes entre ces voies.

Ce qui peut vous aider, c'est d'être touchés dans votre orgueil – bien sûr l'orgueil relève encore de l'ego mais, pendant des années, vous n'avez que lui à votre disposition – par la compréhension que l'égoïsme est avant tout de l'infantilisme. Je ne peux plus accepter de demeurer émotionnellement un enfant. L'enfant est fait pour demander et recevoir, l'adulte est fait pour entendre la demande et pour donner. Ce n'est pas vraiment insupportable de se considérer comme un adulte égoïste mais, ce qui est plus difficile à admettre, c'est que cet adulte égoïste soit tout simplement infantile. Un orgueil bien placé ne peut pas tolérer cette humiliation de fonctionner comme un enfant et de ne pas passer dans le camp des adultes et peut-être même de ces adultes accomplis que nous appelons les sages.

Au fond je m'étais, il faut bien le dire, accommodé de mon égoïsme. Le mental est si rusé qu'il avait toujours réussi à m'empêcher de voir ce lien total qu'il y a entre disparition de l'égocentrisme et libération. Il m'aveuglait à cette vérité pourtant évidente comme le nez au milieu de la figure. Et là où le mental a perdu pied grâce à Swâmiji, c'est quand j'ai vu que cet égoïsme était de l'infantilisme et que je n'ai plus pu supporter ce statut d'enfant. J'ai compris que la sagesse et l'infantilisme étaient incompatibles et que la seule manière d'échapper à cet infantilisme était d'émerger de l'égoïsme. Et échapper à l'égoïsme, c'est laisser provisoirement de côté les suprêmes considérations sur la non-dualité et l'illusion de l'altérité et, de toutes ses capacités de sensation, de sentiment et d'intelligence, reconnaître l'autre.

Je voudrais citer une fois encore à cet égard la réflexion de Frédérick Leboyer qui termine un des trois tomes des *Chemins de la Sagesse* : « La vie spirituelle, ce sont tous les miracles qui commencent à se produire dès que l'on fait passer l'intérêt des autres avant le sien. » N'entendez pas « miracle » au sens magique où vous verriez l'eau jaillir d'un rocher comme dans l'Ancien Testament. Le mot miracle se réfère à des événements inhabituels, c'est-à-dire des lois qui, d'ordinaire, ne se manifestent pas dans nos existences. Le plus grand changement qui puisse se produire dans vos existences, le changement le plus visible et le plus spectaculaire, viendra avec la compréhension de cette vérité : le chemin consiste à faire passer l'intérêt des autres avant le sien. Tant que vous resterez prisonniers de vous-mêmes tout en cherchant à échapper à la souffrance, à vous libérer de vos complexes, à sortir de votre solitude, vous piétinerez sur place. Tout le début du chemin qui, dans certains cas, ne s'adresse et ne peut s'adresser qu'à l'ego, est uniquement une préparation à cette bascule, à ce passage d'une attitude égocentrée à une perspective allocentrée.

*

Jusqu'à présent, le maître-mot explicite ou implicite de mon existence était « moi » et, quand cette bascule s'est opérée, le maître-mot de mon existence devint « l'autre ». Vous sentez bien que cette conversion ne peut pas s'accomplir immédiatement. Il faut vous y préparer mais il faut surtout la vouloir. Il faut au moins faire place dans votre cœur à l'idée que c'est vers cela que vous vous acheminez parce qu'une part de vous veut seulement entendre : « Moi, mon *guru*, ma progression... » Et voilà où est l'impasse. Et « moi » pourra faire des efforts louables (se lever la nuit pour méditer à trois heures du matin, suffoquer de chaleur dans les ashrams de l'Inde, renoncer à des vacances passionnantes pour faire une retraite dans un monastère), tant que le pivot de votre existence sera « moi », vous progresserez à peine. Il s'agira tout juste d'un chemin préparatoire. Et quand ce qui vous animera, là où vous aurez votre centre de gravité personnel, ce sera « l'autre », alors les vrais changements apparaîtront, alors votre paysage intérieur et extérieur se transformera, alors un chemin rocailleux et laborieux se transformera en une route grande ouverte devant vous.

Ne vous méprenez pas cependant sur cette manière de s'exprimer : « le jour où votre centre de gravité sera l'autre » car il faut avoir déjà une certaine compréhension pour bien entendre cette phrase. Le non-égoïsme ne vous est pas immédiatement accessible. Tant que l'inconscient est trop puissant, les tentatives de non-égoïsme sont malheureusement corrompues par cet égoïsme latent – quelle que soit votre bonne volonté de surface. Attention au « non-égoïsme » issu de la névrose : certains croient qu'ils ne vivent que pour les autres, alors qu'ils pèsent en fait sur les autres, qu'ils imposent leur dévouement et leur sacrifice aux autres sur la base d'un immense aveuglement et d'un immense mensonge.

Et pourtant, je maintiens cette formulation : vous devez d'abord avoir un centre de gravité en vous – c'est la première condition – mais ce centre de gravité ne se trouve plus dans l'égocentrisme mais dans l'altérocentrisme – si je puis me permettre de forger ce terme.

Tant qu'il n'y a en vous aucun axe tant soit peu stable, vous vivez au gré de vos émotions : égoïste un jour, altruiste le lendemain, généreux le matin, rancunier l'après-midi... Les chocs accidentels de l'existence font naître, disparaître et se remplacer des humeurs, des associations d'idées, des émotions diverses ; un personnage en vous prend le pouvoir pendant une heure ou cinq minutes, disparaît, laisse la place à un autre. Puis, quand le disciple se lève en vous qui, lui, est compatible avec toutes vos vicissitudes extérieures et intérieures, vous acquérez un début d'unification. Vous êtes moins contradictoires, dispersés ou, si vous préférez, à l'intérieur de vos contradictions et de vos dispersions, apparaît peu à peu un centre plus stable, plus invariable. Mais ce centre s'exprime encore par « moi » : ma vigilance, ma présence à moi-même, ma conscience d'être, ma vision du changement, le fameux témoin dont parlent les enseignements. C'est une étape mais ce n'est qu'une étape. Je dirais presque : vous commencez à être. Le *guru* a quelqu'un en face de lui – et pas un matin l'ambitieux, le matin suivant l'enfant perdu et le surlendemain l'obsédé sexuel – quelqu'un qui ne réapparaît pas pour disparaître à nouveau, à qui l'on peut parler et qui se souviendra de ce qui a été dit. Parce que ce qui convient à l'ambitieux, l'idéaliste en vous ne s'en souvient pas et vice versa.

Mais ne vous attardez pas à ce stade. Quand vous sentez que vous commencez à être un peu plus structurés, un peu plus « cristallisés », vous êtes mûrs pour entendre le véritable enseignement. Préparez-vous alors à vous effacer en tant qu'ego – pas en tant que Soi ou « Je suis » suprême. Et la manière la plus réaliste, la plus solide, la moins récupérable par le mental, de s'effacer en tant qu'ego, c'est de tenir le plus grand compte de tout ce que vous ressentez aujourd'hui comme autre que vous, c'est-à-dire non seulement les êtres humains mais l'ensemble de votre environnement. C'est une conversion, un retournement intérieur qui vous donnera une qualité de sentiment, de joie, que vous ne pouvez pas imaginer à l'avance et qui sera une réelle découverte.

Jusqu'à présent, vous avez ressenti le monde par rapport à

vous et vous auriez souhaité que le monde existe uniquement en fonction de vous et pour vous. L'enfant veut que papa et maman soient là pour lui : s'occuper de lui, répondre à ses désirs, ne jamais le mettre en cause. Puis la vie le déçoit mais cette demande persiste, plus ou moins refoulée, donc oubliée. Ce qui serait merveilleux, c'est si tout pouvait graviter autour de moi, si tout pouvait exister pour me satisfaire. Les appareils de chauffage sont là pour *me* chauffer, les fenêtres sont là pour *me* donner de la lumière ou *me* protéger du froid. Mais quelle considération avez-vous pour tout ce qui vous entoure et que, pour l'instant, vous ressentez encore comme séparé vous ? Je ne parle pas des moments extraordinaires que vous avez pu vivre lors d'une méditation féconde où vous avez momentanément réussi à échapper aux distractions et aux associations d'idées en descendant profondément en vous-mêmes ; si ce sont des moments qui ne se reproduisent plus pendant six mois, nous ne pouvons guère en tenir compte. Je parle de l'existence qui représente seize heures de veille et huit heures de sommeil tous les jours.

Essayez d'entrevoir ce que pourrait être ce retournement : l'autre, l'autre, l'autre, que je vois pour lui-même, en lui-même, et non plus par rapport à moi. Voilà un chemin efficace qui n'est pas mystérieux, donc avec lequel on ne peut guère vous appâter ; voilà une ascèse qui ne vous distingue pas du voisin, qui ne vous donne pas un prestige spécial. Je sais bien qu'il est plus fascinant d'entendre parler du sens de certains symboles initiatiques ou de pratiquer des techniques tant soit peu secrètes de yoga hindou ou tibétain. Mais je sais aussi que seule cette *sadhana* de non-égoïsme peut conduire quelque part. Je n'ai jamais vu un sage ni en Inde ni ailleurs dont la *sadhana* ait été purement égoïste. Je n'ai jamais vu un ascète qui ait passé son existence à se concentrer sur ses propres mécanismes ou son propre soi et qui ait atteint la libération – mis à part les cas rarissimes que j'ai cités tout à l'heure et qui ne peuvent en rien nous éclairer sur le chemin mais seulement sur le but. Quant au non-égoïsme des sages que j'ai rencontrés, il ne faisait de doute pour personne tant leur amour et leur sollicitude à l'égard des autres s'exprimaient à travers leur existence, dans leur comportement et leurs propos.

Voyez d'abord la part d'égocentrisme dans votre *sadhana* et comprenez en même temps que cet égoïsme est d'une inintelligence bien naïve parce que c'est tourner le dos à ce vers quoi vous prétendez vous diriger. Du fin fond de votre égoïsme, vous voudriez le statut glorieux du sage, vous voulez la libération, vous voulez échapper au sommeil dans lequel l'humanité se débat. Exprimé ainsi, le but est tout à fait satisfaisant pour l'ego. Mais, à partir de là, sentez ce qu'il y a de contradictoire, de stupide donc d'indigne de vous, de chercher théoriquement un but qui représente l'effacement de l'égoïsme en mettant toujours en avant votre demande égotiste. Combien j'aurais mal réagi si, lors de mon arrivée à son ashram, le matin de mon premier entretien prévu, Swâmiji m'avait annoncé : « Vous n'aurez pas votre entretien aujourd'hui, je dois consacrer une heure à un Indien venu de très loin pour rencontrer Swâmiji. » Un entretien de perdu. Le lendemain : « Vous n'aurez pas votre entretien aujourd'hui, Swâmiji sent nécessaire de se reposer afin de conserver suffisamment d'énergie pour pouvoir remplir sa fonction. » Deuxième entretien perdu ! Le troisième jour : « Vous n'aurez pas votre entretien aujourd'hui, l'un des Français se trouve dans un grand désarroi, Swâmiji tient à lui écrire une lettre longue, minutieuse, et il a besoin d'une heure pour écrire cette lettre. » Privé trois jours de suite de mon entretien, je me serais senti si frustré, si désemparé : « Mais qu'est-ce que je suis venu faire au Bengale ? Je suis venu pour avoir mes entretiens. J'ai droit à mes entretiens. » Autrement dit, j'aurais réagi d'une façon totalement égoïste. Alors que celui qui serait capable de faire passer l'intérêt des autres avant le sien aurait en trois jours progressé non pas deux fois mais dix fois plus que s'il avait eu ses trois entretiens. C'est une évidence, une certitude.

Mais ce que je dis aujourd'hui ne concerne pas uniquement ceux qui font des séjours en Inde. Cela vous concerne tous. Peut-être d'ailleurs que ceux qui font moins de séjours dans un ashram progresseront beaucoup plus vite – c'est au moins le cas pour certains. Vous ne pouvez progresser que si vous acceptez d'entendre que vous êtes appelés au non-égoïsme. Je ne dis pas que ce soit facile, sinon je serais vraiment oublieux de mon propre cheminement auprès de Swâmiji. Je vous ai dit moi-même combien j'ai renâclé mais j'ai bien fini, un jour, par l'entendre.

Le plus vite possible, ouvrez-vous à cette idée de non-égoïsme. La libération viendra quand je cesserai de ne m'intéresser qu'à moi, de ne parler que de moi et de ne me préoccuper que de moi ou de ceux que je considère comme « les miens » (ma femme, mon fils), pour m'intéresser vraiment à l'autre, pour reconnaître la réalité de l'autre. Et c'est en allant jusqu'à la perfection de cette relation avec l'autre que vous pourrez dépasser l'altérité et, un jour, comprendre en effet que vous et l'autre n'êtes qu'un. Vous êtes simplement des vagues du même océan. Mais cette expérience de conscience bénie passera d'abord par la pleine reconnaissance de l'autre qui va de pair avec l'effacement des émotions et l'apparition du sentiment. L'émotion implique que je voie l'autre par rapport à moi, elle m'enferme sur moi-même ; le sentiment implique que je me situe par rapport à l'autre, que je m'ouvre à l'autre et que je ne sois plus égocentrique mais « altérocentrique » – tout en demeurant centré, c'est-à-dire stable.

*

Dans l'ascèse classique, pour le soufi autant que pour le Tibétain, l'hindou ou le moine chrétien, ce mouvement vers l'autre va en s'élargissant. Avant d'avoir suffisamment purifié le psychisme, *chitta* – incluant ce que nous appelons, nous, l'inconscient – le mouvement vers l'autre ne peut être que progressif. C'est un chemin, en effet. Et dans toute voie d'ascèse, on commence par s'exercer avec ceux qui partagent les mêmes intérêts spirituels : l'Abbé du monastère et les moines, le maître et les disciples du maître. Mais si l'on s'arrête à ce stade-là, il s'agit simplement d'un égoïsme élargi qui a souvent été une plaie de la spiritualité. « Nous, notre petit groupe, nous nous connaissons, nous avons un langage commun, un certain jargon. En dehors de notre groupe, le reste de l'humanité n'est pas intéressant. » « Nous, les disciples d'Untel... » Je le dis bien, c'est une des plaies de la vie spirituelle et c'est sans doute l'un des critères qui permettent de reconnaître les sectes : se replier complètement sur elles-mêmes et se couper du monde qui est alors ressenti comme hostile. Mais il faut tout de même des points d'appui au départ, même s'ils sont destinés à être dépassés. Cet « autre » qui prend de plus en plus d'importance pour nous, pour lequel nous avons de plus en plus de considération, c'est d'abord le *guru*, ce sont ensuite les autres disciples. On est, en Inde, *gurubaï*, c'est-à-dire frère et sœur par le *guru*. Cette fraternité est supposée être bien plus importante que la fraternité de la première naissance, celle de nos frères et sœurs par la chair. C'est la fraternité de la seconde naissance : ceux que vous côtoyez dans votre vie spirituelle, à l'ashram, deviennent les auxiliaires précieux de votre progression vers le non-égoïsme. Vos vieilles émotions sont encore là, vos vieilles jalousies se réveillent de temps à autre, vos refus se manifestent aussi, vous voyez bien que subsistent en vous des demandes, des antipathies et des sympathies. Mais, au moins, vous êtes clairs en ce qui concerne votre chemin.

Si je voulais paraphraser une phrase célèbre, je dirais qu'on ne naît pas disciple, on le devient. Il faut mériter ce vocable sacré de « disciple ». Tant que votre démarche spirituelle est fondée sur « moi », vous êtes encore en période d'apprentissage. Vous devenez disciples le jour où la priorité devient « l'autre ». C'est à cela que l'on distingue ce que Swâmiji appelait « candidat à l'état de disciple » et « disciple ». Et même dans les ashrams où l'on ne fait pas cette distinction de langage, il est très facile de reconnaître ce que j'appellerais

« les vrais disciples ». Tous ceux que j'ai perçus pendant mes années de recherche comme de vrais disciples étaient tout simplement des êtres non égoïstes faisant passer l'intérêt des autres avant le leur – pas névrotiquement non-égoïstes comme je pouvais l'être, au moins par moments, de peur que l'égoïsme me fasse perdre l'amour que je cherchais partout. Par contre, je n'arrivais pas à ressentir comme d'authentiques disciples de superbes *swâmis* magnifiquement immobiles en méditation. Ils n'avaient pas franchi ce stade et leur démarche était encore purement égocentrique.

Donc le point de départ, traditionnellement, de cet élargissement, de ce retournement, de cette conversion, c'est d'abord le *guru.* Mais c'est une notion tellement perdue en Occident qu'il nous manque un point d'appui précieux. Nous, Européens, qui cherchons à avancer sur la voie, nous n'avons plus le sens de ce que peut être vraiment un *guru* et la relation avec un *guru.* Nous voyons celui-ci à travers notre inconscient, nos projections, nos frustrations. Quelle qu'ait été leur bonne volonté, nos pères et mères ont été le plus souvent décevants pour nous, ils ont si souvent trahi nos attentes que nous continuons, comme l'ont montré beaucoup de psychologues, à chercher un père et une mère et que nous approchons le *guru* en état de demande. Certes, le *guru* est certainement là pour entendre notre demande et pour donner. S'il avait encore besoin de recevoir, il ne pourrait pas assurer sa fonction parce qu'il ne serait pas libre et non dépendant en face de vous et qu'il s'établirait une certaine dialectique d'échange qui n'a pas sa place dans un ashram, du moins à ce niveau. Il n'y a pas de dialectique d'inconscient à inconscient entre le *guru* et les disciples. Le *guru* est donc là pour nous. Mais, tant que vous considérerez, vous, que vous êtes en face du *guru* seulement pour demander et pour recevoir, vous n'aurez pas entrevu ce dont il s'agit vraiment. Vous ne serez tout au plus que des candidats au statut de disciple à part entière.

Je dois dire que mes observations personnelles ont parfaitement confirmé la tradition orale et écrite des Orientaux dans ce domaine. Quand ils abordent l'ashram, la plupart d'entre eux ont au moins le sens (je dirais presque inné) de ce que l'on appelle « le service du maître » – c'est-à-dire un commencement de non-égoïsme. Pour le maître, un disciple oriental est prêt à tout. J'entends encore résonner à mes oreilles ces paroles tant de fois prononcées : « C'est pour Mâ, c'est pour Swâmiji, c'est pour Khalifa Sahib, c'est pour le Cheikh, c'est pour le Rinpoché... » Et si c'est pour le maître, j'abandonne immédiatement ce que je suis en train de faire parce que le *guru* a besoin de mon temps et de mon énergie, je renonce à cet achat auquel je tenais parce que le *guru* a besoin d'une somme d'argent pour agrandir le monastère ou l'ashram afin que d'autres que moi puissent y séjourner.

Certains penseront sans doute que je suis juge et partie en la matière mais je n'ai pas attendu d'assumer moi-même la fonction de guide pour être convaincu de ce que je partage avec vous aujourd'hui. Je sais notamment le rôle que l'amour et le service du *guru* ont joué dans mon propre cheminement. Je vous souhaite à tous d'approcher des disciples orientaux autre part que dans des ashrams envahis de visiteurs étrangers qui finissent par donner le ton, je vous souhaite de rencontrer des Tibétains auprès d'un *rinpoché* tibétain, des hindous traditionnels auprès d'un *guru* hindou et des soufis auprès d'un *cheikh* ou d'un *pir* dans l'islam, pour que vous découvriez un jour que la plupart des Occidentaux sont complètement ignorants, pour ne pas dire infirmes dans ce domaine. Soyez ce que vous êtes mais ne vivez pas dans le mensonge et l'illusion totale : je suis engagé sur un chemin mais en ce qui concerne le cœur même du chemin, c'est-à-dire la relation au *guru*, je suis à côté du chemin réel. Ces mots « service du *guru* », je les ai entendus partout depuis que je voyage, parce que le *guru* représente un autre que vous bien particulier. C'est quelqu'un dont vous attendez beaucoup, à qui vous demandez beaucoup, donc à qui il vous est plus facile de donner – ne serait-ce que pour recevoir.

Le *guru* revêt un caractère précieux, y compris précieux pour votre ego. Si vous étiez très malades et qu'il n'y ait qu'un seul médecin au monde pour vous soigner, vous auriez tout intérêt à ce que ce médecin ne meure pas. Le disciple qui a trouvé son *guru* est dans une situation similaire. Le *guru* devient immensément important pour lui et il comprend que son égoïsme et son infantilisme ne peuvent plus intervenir là comme ailleurs. On ne peut plus s'amuser sous peine de manquer l'essentiel. Cela devient grave et sérieux.

Je ne veux pas aller beaucoup plus loin sur ce point. Ce que je vous dirais vous paraîtrait tout à fait étonnant et il vous serait assez difficile de l'entendre de moi, que certains considèrent comme leur *guru*. Puissiez-vous, dans votre propre intérêt, découvrir cet aspect essentiel et incontournable de tout cheminement : il y a des moments où je fais passer le souci du *guru* avant le mien. Et toute ma progression se mesurera à l'augmentation de ces moments. Plus j'ai pu commencer à dire « Swâmiji d'abord » au lieu de « moi d'abord », plus j'ai changé. Combien il m'a fallu d'années pour le comprendre !

Vous êtes tous des êtres humains donc des manifestations de l'*atman*, vous êtes tous un dans la vérité métaphysique qui vous échappe encore et tout intérêt authentique, sincère, pour l'autre, toute considération pour l'autre, tout geste non égoïste accompli en faveur de l'autre, vous fait progresser. Chaque fois que vous êtes pour l'autre, vous êtes le premier bénéficiaire de cette attitude, toujours. Et je ne parle pas là des relations comme il en existe tant dans l'existence, fondées sur les sympathies et les antipathies mécaniques. Ce n'est pas parce que vous vous entendez très bien avec quelqu'un, que vous êtes amis avec lui et que, pour lui, vous voulez bien faire quelque chose, que vous avez vraiment commencé à dépasser votre égoïsme. Je parle d'un intérêt réel dans lequel « votre monde », celui de vos préférences et de vos refus, n'a plus sa place. Je vois l'autre en lui-même avec un sentiment de compréhension, il n'est plus question de savoir s'il m'est sympathique ou antipathique, il est seulement question de savoir que c'est un être humain. Je vois le Christ en tout homme, dirait un moine ; je vois l'*atman* en tout homme, dirait un védantin hindou. Il est là avec sa demande, sa souffrance et je lui donne une valeur sacrée que je ne discute pas. Ce que j'appelle « non-égoïsme vis-à-vis des autres disciples » ne se réduit pas à quelques services rendus. Témoigner de l'amitié à l'un d'entre vous en allant le chercher à la gare ne suffira pas à vous transformer. Dans le monde actuel, malgré l'individualisme quasi omniprésent, il existe encore – Dieu merci – des personnes empreintes de gentillesse et capables de rendre service. Mais c'est une attitude différente, un sentiment qui va beaucoup plus loin, une attitude de disciple, une attitude de chercheur engagé sur le chemin dont je parle. Je découvre qu'il n'y a pas que moi au monde et que l'autre n'existe pas qu'en fonction de moi pour me plaire ou me déplaire par son comportement. Je découvre que l'autre existe en lui-même et, depuis trente ans, quarante ans, je ne m'en étais pas aperçu... Je ne connaissais l'autre que par rapport à moi : le cercle de ma famille et de mes relations, mon père, ma mère, mon frère, ma femme, mes enfants, mes amis – et mes ennemis.

Il y a ceux dont toute la *sadhana* demeure égoïste, que ce soit moi mes souffrances, moi mes malheurs, moi mes échecs, ou que ce soit moi mes méditations, moi mes découvertes, moi mes progrès... Mais ceux qui progressent réellement, qui changent, ce sont toujours ceux chez qui commence à apparaître un élément de compassion réelle pour l'autre. Et ce non-égoïsme, je vous ai dit qu'il commençait avec le *guru* et il se poursuit à l'ashram parce que c'est là que les conditions sont les meilleures pour vous rappeler à la vigilance. Il est impérativement nécessaire que vous ayez maintenant cette nouvelle vision : l'ashram est l'endroit où je peux commencer à considérer l'autre en lui-même, à m'intéresser à lui et pas seulement à moi, à devenir adulte et, peu à peu, à n'être plus celui qui demande et qui a besoin de recevoir mais celui qui entend et qui est prêt à donner sans rien attendre en retour, pour la seule dignité d'être adulte. Bien sûr ce non-égoïsme ne peut pas être réservé à votre entourage proche ou aux membres de votre « secte » et, un jour, vous devrez l'étendre à tous ceux que votre *karma* vous amène à rencontrer, à ceux que le Christ a appelés « votre prochain », dont vous vous sentez le prochain.

Commencez. Ne dites pas : quand je serai libéré, je m'intéresserai aux autres – quand ce n'est pas je me ferai *guru* ! Si vous raisonnez ainsi, vous ne serez jamais libérés. En attendant d'être libérés, commencez déjà à être un peu adultes les uns par rapport aux autres. C'est une affaire entre Dieu et vous ou entre vous et votre réalité la plus profonde. Cela ne peut pas être fait en référence à l'entourage : « Est-ce que l'on voit mon geste ? » C'est fini ! Votre dignité est de le faire sans que cela se voie parce que vous avez justement envie de devenir enfin adultes.

Dans un de ses livres sur la psychologie et la psychanalyse, Pierre Daco, célèbre écrivain et producteur de radio, cite une parole dont il ne donne pas l'origine : « Tous les enfants rêvent de devenir adultes, quel dommage que les adultes y aient renoncé ! » Rêvez donc de devenir adultes, de passer de l'autre côté de la barrière, de ne plus stagner dans le camp des enfants, de faire partie du camp des adultes dont l'expression aisée et spontanée est de donner. Il n'y a pas d'autre chemin vers la libération que celui-là en dehors du chemin strictement mystique qui ne vous concerne pas, celui de Thérèse d'Avila ou de saint Jean de la Croix qui, à la différence de saint Vincent de Paul, n'ont pas senti qu'ils étaient appelés à soigner les malades, abriter les miséreux, accompagner les mourants mais qu'ils étaient destinés à être, dans notre société, des témoins de la réalité de Dieu, des témoins du surnaturel. On dit parfois que Vincent de Paul a aimé Dieu à travers les hommes et que Jean de la Croix ou Thérèse d'Avila ont aimé les hommes à travers Dieu. Mise à part cette voie contemplative qui est aussi celle de l'ermite – et aucun de vous n'est réellement engagé sur ce chemin – il n'y a pas d'autre chemin réel que celui du non-égoïsme. Sinon vous vous illusionnez et vous êtes tout au plus des amateurs, quelle que soit votre sincérité.

Vous ne pourrez pas vous y tromper en ce qui vous concerne. Si vraiment vous commencez de temps en temps à faire passer l'intérêt des autres avant le vôtre, une joie nouvelle s'emparera de vous. Soyez vigilants parce que le mental cherchera à récupérer cette joie pour la corrompre. « Regarde comme tu es magnifique dans le non-égoïsme. » Courage, persévérance. Si vous tombez sur le chemin, relevez-vous vite et continuez votre route.

*

Dans un ashram, il y a le *guru*, vis-à-vis duquel vous tentez de devenir adultes, il y a les autres et il y a aussi tout ce que nous appelons « l'environnement ». Par rapport à cet environnement (végétaux, animaux, objets, outils, matériaux), votre attitude aussi peut changer radicalement. Il s'agit de découvrir que chaque élément de la création existe en lui-même et pas seulement pour vous. Il n'y a pas un grain de poussière qui ne témoigne pas du *brahman*, qui ne proclame pas le « Je suis » unique et éternel. Aucune expression ou manifestation de la réalité n'est en dehors de la Réalité. Dans les anciens textes religieux de la tradition chrétienne, on trouve un certain nombre de témoignages à cet égard : le saint ou le moine voit toute la création comme l'œuvre de Dieu. Dans *Les Carnets du Pèlerin russe,* le pèlerin nous dit qu'il entend le langage de la création, d'autres témoigneront que toute la création chante la gloire de Dieu. Souvenez-vous aussi de saint François d'Assise qui loue le soleil, la lune, les étoiles. Ce qui se cache derrière cette manière de s'exprimer propre aux mystiques, c'est une découverte, une réalisation bien réelle et précise dont vous trouvez des témoignages aussi éloquents dans d'autres traditions.

Aucun théologien catholique ne peut trouver à redire à cette formulation. « Toute cette création est l'œuvre de Dieu. » Toute cette création, y compris les objets « inanimés », est l'expression de cette grande réalité que les hindous ont appelée *brahman* ou, d'un point de vue personnel, *atman.* Vous avez tous lu et entendu que les atomes, les particules, ne sont pas figés, inertes, immobiles. Avez-vous même idée de la puissance qui est contenue dans chaque élément de la matière, puisque théoriquement – sinon pratiquement – on pourrait construire une bombe atomique à partir de n'importe quel fragment de la création ? La puissance colossale et parfois terrifiante – quand on pense à certaines de ses applications – de l'atome réside dans chaque atome.

Mais c'est à vous de faire le premier pas pour essayer de voir le monde autour de vous avec un regard nouveau. Apprenez à voir le monde en lui-même, par lui-même, comme l'expression ou la manifestation de cette réalité unique et éternelle que vous cherchez à réaliser en vous et hors de vous. Permettez-moi une boutade : si vous n'êtes pas capables de respecter un être humain, vous ne serez pas plus capables de respecter une casserole de cuisine – et vice versa. Je me souviens d'avoir vu au Japon, dans un de ces immenses couloirs des monastères zen qui n'ont qu'un rez-de-chaussée à cause des tremblements de terre, une femme de ménage avec un seau à la main, un balai, un fichu autour de ses cheveux, poser seau et balai pour s'incliner devant un moine zen dont le vêtement, le *kesha*, montrait qu'il n'était plus un moine débutant. Et j'ai vu (ô combien je suis heureux et privilégié de l'avoir vu) le salut du moine zen à cette femme de ménage, la manière dont il a répondu à son salut en s'inclinant lentement devant elle et en demeurant quelques secondes immobile. Quelle leçon, quel enseignement. C'est peut-être dans les monastères zen qu'on perçoit plus encore qu'ailleurs ce respect si oublié aujourd'hui. Cela, c'est le chemin de la vérité. Respect pour les êtres humains, aussi humbles soient-ils, et respect pour les objets.

Certes, il y aura bien encore un jour où vous jetterez un peu brutalement un objet qui ne fonctionne pas comme vous le voudriez. Le mental est très habile pour nous proposer toujours le « tout ou rien ». Ou c'est tout tout de suite ou alors j'abandonne. N'imaginez pas qu'à partir de maintenant vous n'aurez plus jamais un moment d'inattention ou un geste d'impatience vis-à-vis d'un objet. Allez de l'avant, exercez-vous, progressez et, au moins, mettez-vous en chemin.

Faites ce que vous pouvez. Ce qui vous est impossible aujourd'hui vous sera possible dans deux ans.

Il paraît que le simple fait de voir Ramana Maharshi ouvrir une enveloppe ou un paquet était en soi-même un enseignement. Au moins à l'ashram où les conditions sont favorables, exercez votre vigilance et apprenez à respecter, à considérer tous les objets et à reconnaître l'objet en lui-même. Je n'ai jamais vu cette poignée de porte que par rapport à moi : « Elle marche, tant mieux, ça me permet d'ouvrir et de fermer la porte. Le jour où elle sera coincée, je râlerai sûrement. » Je n'ai jamais imaginé que cette poignée de porte était une expression du *brahman*. Et si cette poignée de porte est une expression du *brahman*, c'est également le cas de cet interrupteur. En outre, tous ces objets vous permettent de poursuivre votre *sadhana*. S'il n'y avait pas de poignée de porte, comment feriez-vous pour entrer et sortir de cette salle ? S'il n'y avait pas d'interrupteur, comment ferions-nous pour ne pas mener nos réunions dans la pénombre ? Ou alors, respectez la lampe à pétrole ou la bougie.

Cet amour pour les objets, c'est aussi une école, un enseignement, une voie. Je raconterai une fois encore la leçon que Swâmiji m'a donnée un jour et que par chance j'ai entendue. Nous étions assis auprès de lui sur une sorte de couverture grossière pliée en huit. Cette couverture était rangée dans un coin de la chambre de Swâmiji, nous l'approchions nous-mêmes de Swâmiji pour avoir notre entretien et nous la remettions à sa place initiale une fois l'entretien terminé. Un jour, à la fin de l'entretien, j'ai pris cette couverture et je l'ai plutôt lancée que posée pour la remettre à sa place. Swâmiji m'a arrêté : « Qu'est-ce que vous venez de faire ? » Il a poursuivi : « Comment traitez-vous cette couverture sur laquelle vous venez d'être assis pendant une heure, qui a rendu votre position un peu plus confortable et vous a mis à même d'entendre un peu mieux Swâmiji ? Cette couverture a donc joué un rôle sur le chemin vers votre propre liberté. » Cette couverture était, en effet, associée à l'entreprise la plus sacrée qui soit. « Et comment est-ce que cette couverture est venue entre vos mains ? Est-ce que vous tenez compte de la peine des agriculteurs qui ont cultivé le coton ? Est-ce que vous tenez compte du labeur de ceux qui ont filé ce coton, qui l'ont teint, qui l'ont tissé, du travail de ceux qui ont ensuite transporté cette couverture d'un lieu à un autre ? » Je voyais se déployer sous mes yeux la contribution de chacune des castes de l'Inde pour aboutir à la confection de cette couverture : la caste des agriculteurs, puis celle des commerçants, les négociants qui l'ont mise sur le marché. Toutes ces fonctions s'harmonisaient, au lieu de rivaliser dans un système de concurrence pour gagner plus d'argent que le voisin. Je comprenais ce qu'était le *dharma* : le *dharma* d'un *shudra*, qui peine au soleil pour cultiver le coton ; le *dharma* d'un *vaïshya*, d'un homme qui possède le sens des affaires, finance certaines entreprises et permet de déplacer les biens d'un lieu à un autre pour les mettre à la disposition de l'acheteur. Toutes ces activités revêtaient soudain une noblesse extraordinaire puisqu'elles avaient toutes contribué à me permettre de progresser ne serait-ce que d'un pas auprès de Swâmiji. Je n'avais pas senti la gratitude que je devais à tous ces gens car si j'avais été assis sur ce ciment lisse caractérisque de l'Inde, j'aurais été très inconfortable donc moins disponible pour écouter Swâmiji. Et moi, pauvre imbécile, qui aurais été capable de penser que tous ces agriculteurs passent à côté du secret ésotérique de l'existence et que ces commerçants qui ont été intermédiaires entre le producteur et l'ashram, qui ont acheté et vendu la couverture, sont simplement des bourgeois qui s'enrichissent dans les affaires. Qu'est-ce que j'ai fait de cette couverture ? Cette couverture, je l'ai reprise, bien sûr. Et je me suis trouvé là, en face de Swâmiji, avec cette couverture entre les mains, ressentant l'aube d'un sentiment : je suis assis depuis des mois sur cette couverture et je l'ai toujours traitée sans la moindre considération. Cela aussi, c'était vraiment l'enseignement de Swâmiji.

Cette couverture a instauré une complicité entre Swâmiji et moi. A la fin de chaque entretien, au moment où je la prenais pour la ranger, nos regards se croisaient et nous savions très bien tous les deux à quoi nous pensions en même temps : à cette leçon que Swâmiji m'avait donnée ce jour-là. Je posais alors soigneusement la couverture, le plus consciemment possible, en essayant d'être habité par un sentiment de gratitude. L'intelligence du cœur – pas la stupidité de l'émotion – a beaucoup à nous dire au sujet d'une simple couverture et le cœur purifié peut donner à chaque objet de l'existence une dimension nouvelle.

Ne croyez pas qu'il y ait une progression quelconque hors de ce dont j'ai parlé aujourd'hui : le non-égoïsme ou le non-infantilisme vis-à-vis du *guru*, le non-égoïsme vis-à-vis des autres, tous, pas seulement ceux avec qui vous sympathisez, et ce respect vis-à-vis des objets. Je sais par expérience que la vie est moins paisible dans le monde moderne qu'à l'ashram de Ramdas. Parfois on est pressé ou impatient et on repose brusquement un marteau ou un sécateur. Mais de là à traiter du matin au soir les objets avec lesquels vous êtes en relation n'importe comment, il y a une marge. Même si vous ne pouvez pas toujours mettre en pratique cet enseignement, au moins, que votre conviction, elle, ne soit pas floue ou mensongère. Il n'y a pas de progression si vous ne percevez pas le caractère sacré de chaque objet, le respect que vous lui devez, la considération qui doit monter spontanément de vous comme un sentiment. Et traiter les objets comme cela se fait mécaniquement dans notre société sans aucune vigilance, c'est tourner le dos au chemin. « L'autre », c'est aussi bien ce micro que cette poignée de porte sur laquelle ma main se pose, que cette tasse de thé. C'est cela aussi le prochain. Vous ne verrez jamais un moine trappiste traiter n'importe comment son matériel, cela fait partie de la vigilance et de la garde du cœur. Mais quel chrétien aujourd'hui dirait : « Mon prochain, c'est cette casserole de cuisine, c'est cette tasse de thé, c'est ce micro, cette poignée de porte » ?

Au risque d'être accusé de paganisme et de panthéisme, je partage de tout mon cœur avec vous le message que j'ai reçu en Asie, à savoir que toute la création est sacrée. Toute la création témoigne du *brahman*, toute la création mérite notre amour. En cessant d'être égocentriques, vous pourrez être un avec l'univers. Et si vous voulez dépasser l'altérité, dépasser la dualité, il faut d'abord vivre consciemment la dualité, la vivre dignement, la vivre en êtres humains conscients et non pas en machines. La dualité est tout le temps là présente. Si pour l'instant je sens qu'il y a moi et tel objet, très bien. Eh bien, je vivrai consciemment cette dualité. Et en vivant consciemment cette dualité, peu à peu vous découvrirez la non-dualité. Vous verrez les contours de votre ego s'effacer et vous verrez chaque objet vous parler un langage que vous n'aviez jamais entendu. Chaque objet deviendra un support de méditation. Pourquoi cette expérience serait-elle réservée aux moines zen ou aux grands saints ? J'ai toujours été frappé d'entendre les commentaires faits à propos du premier film que j'ai tourné autrefois sur le bouddhisme zen : « Oh ! Cette beauté des gestes ! » Qu'est-ce que vous attendez pour faire passer cette beauté des gestes dans votre existence ? « Ce qui m'a le plus frappé dans le film, c'est le moment où les moines boivent le thé. » Qu'attendez-vous pour boire le thé comme eux ?

L'autre à l'ashram, c'est le *guru*, ce sont les autres disciples et tous les objets avec lesquels vous êtes en contact. C'est en reconnaissant pleinement la dignité de l'autre que vous dépasserez la distinction entre moi et l'autre et que vous atteindrez la non-dualité, la découverte du *brahman* unique et éternel – du moins c'est le seul chemin pour lequel je puisse témoigner et sur lequel je puisse vous guider. Et le meilleur endroit pour vous y exercer, c'est l'ashram dans lequel vous séjournez régulièrement. Alors vous découvrirez que le monde entier est l'ashram et vous pourrez partout et toujours aimer votre prochain comme vous-mêmes.

CHAPITRE XI

SI TON MENTAL MEURT, TU VIS

En Inde, on fait très souvent la distinction entre disciples et *devotees.* Le *devotee* est un fidèle, un admirateur et on peut dire qu'il a une relation « exotérique » avec l'ashram et avec le maître, comparable à celle du chrétien qui va régulièrement à la messe ou au temple le dimanche. Le disciple, lui, a une relation différente. Beaucoup de récits de disciples de Mâ Anandamayi ou de Ramana Maharshi sont en fait des témoignages de *devotees* qui ont vécu, auprès de ces maîtres, des moments certes inoubliables mais qui n'ont pas établi avec eux la véritable relation, laquelle suppose une *sadhana* forte qui implique l'existence du disciple à tous les niveaux et dans tous les domaines. C'est vraiment une relation d'être à être.

Qu'en est-il pour vous en France ? Et si vous avez déjà rencontré votre maître, comment vous situez-vous par rapport à lui et que pouvez-vous attendre de lui ? Vous pouvez affiner la compréhension théorique de la relation de maître à disciple mais il s'agit surtout de voir comment vous, vous vivez celle-ci de façon très concrète.

Vous ne pouvez pas espérer une relation au *guru* qui sera seulement vécue à travers la finesse du sentiment et la lucidité de l'intelligence. L'intervention du mental dans ce domaine fait partie du chemin. Premièrement il est inévitable que vous ayez à l'avance vos idées sur ce que doit être un maître, sur ce que doit être son attitude à votre égard et sur ce que peut être votre relation avec lui – opinions qui viennent de lectures que vous avez faites ou de récits que vous avez entendus. Deuxièmement il est inévitable – mais vous pouvez le vivre le plus consciemment possible – que les mécanismes de projection et de transfert bien étudiés en psychologie jouent en ce qui concerne le *guru*. La première illusion à perdre, c'est de croire que la relation avec le maître va être idyllique d'un bout à l'autre – idée que l'on peut se faire facilement à travers certains témoignages sur le regard divin de tel ou tel *jivanmukta*. Ce sur quoi s'appuie votre possibilité de libération c'est que le *guru* est supposé être, lui, neutre, libre, sans peur, sans rien qui puisse être encore ravivé dans l'inconscient, donc capable de ne pas réagir à vos réactions.

Le psychanalyste qualifié est en mesure de gérer son contre-transfert grâce à la conscience lucide de ses propres réactions en face de ses patients. Mais, aussi inacceptable que soit cette affirmation pour un psychanalyste, un *guru* est libre du contre-transfert. Comme un navigateur essuie tempêtes et rafales, il reçoit les projections de l'inconscient des uns et des autres, mais on ne reconnaît rien en lui de ce que les psychanalystes décrivent comme contre-transfert.

C'est sur cette neutralité du *guru*, neutralité invariable à travers les heures, les jours, les mois, les années, que vous pouvez fonder votre espérance d'une transformation d'un autre ordre que celle que vous attendez d'une psychanalyse. Mais pour cela, vous aurez à vivre ce que la tradition hindoue nomme *manonasha*, destruction du mental, *vasanakshaya*, érosion des propensions, *chitta shuddhi*, purification du psychisme. Les secousses, les révoltes, les doutes, les désarrois du mental quand la *sadhana* devient vraiment intense, vous avez pour la plupart encore à les connaître. Dans quelle mesure réaliste chacun est-il capable de s'ouvrir à l'influence du *guru* et dans quelle mesure l'inconscient et le mental de chacun vont-ils interférer ? Il est bien entendu que la présence active de l'inconscient et du mental du disciple est totalement admise dans cette démarche. Il n'est pas demandé au disciple une attitude irréaliste. Les disciples peuvent rêver à propos du *guru* mais le *guru* n'est pas supposé rêver à propos des disciples. N'imaginez pas un ashram euphorique où tout ne serait que paix et sérénité... ! Cela se gagne. La paix et la sérénité sont au bout du chemin et non pas au départ de celui-ci et elles se paient le prix complet. Il n'y a ni marchandage possible ni soldes dans ce domaine.

Le disciple traditionnel à travers les siècles avait dans l'ensemble plus de facilité à s'ouvrir à l'influence du *guru* que n'en ont la plupart des Occidentaux aujourd'hui et que je n'en avais moi en face de Swâmi Prajnanpad. Une mentalité simple de non-protection, de confiance, de foi, en anglais *trust*, était beaucoup plus communément répandue autrefois. Ce que j'ai tant de fois lu, entendu, compris, en Asie ne correspond pas à ce que j'ai pu vérifier en Europe. Pour la tradition hindoue, tibétaine ou soufie, s'ouvrir à l'influence du maître, s'imbiber du maître, joue un rôle très important : « Soyez réceptifs, laissez le maître pénétrer en vous, grandir en vous, laissez-vous féconder par le maître, laissez le maître vivre en vous »... Mais sommes-nous, nous autres Européens, beaucoup plus avancés pour cela ? Pourtant est-ce que nous voulons suivre un chemin réel et changer vraiment ou cette transformation radicale sera-t-elle toujours réservée à quelques disciples tibétains auprès d'un maître inaccessible ?

Bien sûr, je le redis tant c'est essentiel, il est affirmé que le *guru*, ayant suivi jusqu'au bout son propre chemin, non seulement n'est pas un autre que vous mais qu'il est même plus vous-même que vous. Il vous comprend mieux que vous ne vous comprenez, il perçoit votre profondeur et votre évolution possible beaucoup mieux que vous, il veut beaucoup plus votre bien que vous ne le voulez et il n'est pas emprisonné par votre propre mental. Mais que ces affirmations ne vous induisent pas en erreur et ne vous fassent pas imaginer que tout le temps, toujours, à tout moment, le *guru* peut tout savoir sur vous sans que vous ayez besoin de rien lui dire. Certainement il a des possibilités de sentir quelque peu inhabituelles. De temps en temps, certains disciples sont même convaincus que le maître lit les pensées, tant il semble au fait de ce qui les concerne intimement. Le maître a une vue beaucoup plus fine et pénétrante que la moyenne. Mais j'ai entendu Swâmiji employer l'expression : « *Some more information is required* », « un peu plus d'information est nécessaire ». Et j'ai vu Mâ Anandamayi convoquer l'un, convoquer l'autre, puis les deux personnes ensemble, consacrer plusieurs heures pour élucider un problème ou régler un différend entre les disciples. Ne décidez surtout pas que vous n'avez rien besoin d'expliquer à votre maître, sous prétexte qu'il sait tout et voit tout. N'attendez rien de miraculeux. Plus vous donnez d'informations au *guru*, plus il est en mesure de vous aider. Seulement c'est à vous de savoir quelles sont les informations nécessaires à lui donner et à ne pas parler avec lui comme vous bavarderiez avec un ami parce que vous avez simplement besoin de vous épancher.

En principe, s'il y a une personne avec laquelle vous ne risquez rien, c'est bien le *guru* ! Et pourtant vous verrez, dès que l'ascèse deviendra un peu sérieuse, que vous allez vous croire menacés par lui et tenter de vous en protéger. Il faut tenir ensemble ces contradictions : une part de moi – une bonne part de mon intelligence, une petite part de mon sentiment – comprend que le *guru* ne peut m'être que bénéfique. Mais à partir de là, le mental commence à rêver sur la manière dont le *guru* va m'être bénéfique et la manière dont le mental rêve correspond rarement à la réalité. Je ne l'ai que trop appris moi-même pour risquer de l'oublier.

Cela dit, tous mes souvenirs à cet égard sont aujourd'hui des bons souvenirs. Une fois que l'on a atteint la rive, même les tempêtes sont des bons souvenirs. Ma plus profonde gratitude à l'égard de Swâmiji, une gratitude qui dépasse tout niveau ordinaire de reconnaissance, une gratitude inimaginable, est associée aux moments qui m'ont été les plus pénibles, où il m'a fait mal, les moments cruels où il me privait de la possibilité de l'aimer parce que son attitude faisait lever un refus trop fort en moi. Je sais aujourd'hui que ce sont ces moments-là qui ont été décisifs, et pas seulement les instants merveilleux où mon cœur se dilatait tellement je l'aimais. De même, je n'ai jamais cru que, dans ma nouvelle activité, je serais entouré d'amour ou de gratitude par tout le monde, vingt-quatre heures sur vingt-quatre. Je savais que les émotions que j'avais projetées sur Swâmiji, mes refus à son égard à certains moments, ceux que je guide à mon tour les connaîtraient aussi. C'était accepté d'avance. Mais, bien sûr, il ne faut pas que ces malaises se prolongent trop longtemps. Si j'en étais encore à nourrir mes rancunes contre Swâmiji aujourd'hui, où en serais-je et où en seraient ceux qui me font confiance ?

Vous aurez donc, si vous voulez progresser, à tenter de revenir inlassablement en vous au « disciple » parmi tous les autres personnages qui vous constituent et tous les états d'âme qui se succèdent, le disciple en vous, celui qui n'oublie pas son but et qui peut croître. Le disciple s'affermit, grandit en force, en compréhension, en clarté de vision à travers les années. Retrouvez, autant que vous le pouvez, ce centre de gravité quand vous êtes envahis par des émotions liées à la *sadhana*, liées à l'ashram, liées au maître. C'est là que la partie se joue. Est-ce que le disciple en vous est submergé comme un rocher à marée haute ou est-ce que « quelque chose » subsiste encore et se souvient que vous êtes asservis par votre mental et que vous ne voyez pas la réalité telle qu'elle est, et que vous êtes emportés par l'intoxication des émotions et l'engrenage des pensées ? La vigilance est aussi nécessaire dans le cas particulier de votre relation avec le *guru* qu'avec votre fils aîné, votre épouse ou votre maîtresse, votre patron ou qui que ce soit d'autre. Seulement, dans toutes les relations ordinaires de l'existence, l'autre vous renvoie la balle, si je peux dire. L'autre a ses propres projections. Vous lui souriez, il vous sourit ; vous émanez de la négativité, il y a toutes les chances qu'il se ferme à votre égard. Vos émotions font lever les émotions des autres, vos comportements déclenchent des réactions chez les autres. Ce jeu d'actions et de réactions sans fin constitue l'essentiel des relations humaines à des degrés divers selon que les êtres humains sont plus ou moins libres de leurs émotions conflictuelles.

Toute votre espérance est donc fondée sur le fait que le *guru* ne joue jamais le jeu des relations ordinaires. Même si le disciple en vous est emporté au point que le maître n'a plus personne en face de lui, le *guru* lui n'est jamais « dépassé » par ce qui se passe en vous. Et je pourrais aller plus loin : en présence du *guru*, vous n'êtes jamais perdus, même si pour l'instant vous n'êtes plus rien d'autre que l'émotion, les pensées et l'identification. Le *guru* est vigilant pour vous. Quand vous êtes emportés, identifiés en face du *guru*, le *guru* est disciple pour vous. Quand vous n'êtes plus nulle part, vous subsistez dans le *guru* parce que lui tient le fil pour vous. Vous avez l'impression de vous noyer et pourtant vous restez tenus par un fil qui vous relie au maître-nageur.

Le guide n'est pas là uniquement pour vous donner des instructions techniques et partager avec vous des idées précieuses entendues sans émotions, dans le calme et l'ouverture du cœur. Il est là avant tout pour vous accompagner dans le processus de purification de votre propre psychisme, de l'usure de vos projections et de la réserve de souffrances que vous avez à vivre, « l'inévitable *karma* ».

Il y a en chacun de vous ce que l'on appelle « la dette karmique », une certaine quantité de souffrances que vous ne pourrez pas éviter de traverser mais que vous pouvez vivre le plus consciemment et le plus intelligemment possible, de manière à en épuiser le stock. Dans les conditions ordinaires de l'existence, on essaie de fuir à tout prix les situations douloureuses, on continue donc de porter la souffrance à l'état potentiel et, si les circonstances réveillent cette souffrance latente, on réagit, on se débat, créant ainsi un nouveau *karma*. Dans ce processus sans fin, on ne se sent jamais libre. Il faut aller jusqu'au fond de soi-même, jusqu'à la dernière extrémité de soi-même, pour un jour se trouver sur l'autre rive. Si vous voulez seulement aller mieux, vous sentir plus détendus, dissoudre certains complexes, c'est précieux déjà mais cela relève de la psychothérapie, pas de la *sadhana*, laquelle est un processus de mort et de renaissance.

Vous venez au *guru* avec votre espérance, votre mental et vos illusions et le *guru* est votre propre allié contre votre propre mental. Chaque fois que vous serez vigilants, vous sentirez que vous êtes esclaves de ce mental et que vous voulez en être libres. Mais chaque fois que le mental l'emportera sur la lucidité, vous ne sentirez plus le *guru* comme votre allié mais comme votre adversaire. Deux craintes se lèvent : il va m'obliger à faire ce que je ne veux surtout pas faire et il va m'empêcher de faire ce que je veux tellement faire. Et ces peurs ne sont bien sûr que des projections et des idées fausses. Comme disait Gurdjieff, un ivrogne n'a qu'une peur, c'est que le maître l'oblige à boire. Ce dont vous avez le plus peur c'est de ce que vous portez déjà en vous. Il est saisissant de voir jusqu'où peut aller l'aveuglement dans ces peurs absurdes. Mais elles sont bel et bien là, le tout est d'en sortir.

En même temps, du fait que vous sentez une différence entre le *guru* et les êtres que vous côtoyez habituellement, une projection positive se manifeste à son égard qui n'est plus de peur ou de révolte mais qui consiste à vouloir faire de celui qui vous guide, homme ou femme, un être parfait selon vos critères de perfection. Vous n'avez pas tous la même image subjective de la perfection que vous attendez du maître. Et dès que le *guru* n'incarne plus cette perfection telle que, vous, vous la voyez, cela vous fait mal et vous déstabilise. Suivant les fonctionnements de chacun, un aspect du *guru* qui ne gêne pas du tout l'un sera insupportable à l'autre. Ceux qui ont vécu en Inde savent comme moi que, dans les différents ashrams, les *gurus* sont souvent malades ou fatigués. Et le nouveau venu se pose bien des questions : pourquoi le sage n'est-il pas invincible et invulnérable, pourquoi est-il malade – peut-être d'une maladie inguérissable ? Cela nous est difficile à accepter entre autres parce que nous avions besoin, quand nous étions enfants, que papa et maman soient parfaits, ne soient jamais malades, soient toujours disponibles et que cela nous paraissait effrayant si nous les sentions tout d'un coup affaiblis et vulnérables. Nous portons cette crainte dans l'inconscient. Tenez compte de tout cela. Aucun *guru* n'est Superman. Tout *guru* – même le plus sublime – est un être de chair, d'os et de sang. Combien s'engagent tout feu tout flamme sur le chemin et, au moment où « ça commence à bouger en eux » prennent peur et reculent. Et pour se justifier à leurs propres yeux, ils n'ont pas d'autre solution que de prendre le *guru* en faute !

*

Normalement, si vous étudiez le piano, vous progresserez à peu près régulièrement ; si vous pratiquez le judo, avec quelques vicissitudes, de mois en mois vous serez meilleurs judokas. Abordant la voie avec l'expérience de la progression dans d'autres domaines, vous vous engagez et vous établissez une relation avec un maître, convaincus que de mois en mois vous allez être plus sereins, vous allez connaître des états de conscience plus harmonieux, vous aurez une maîtrise de vous-mêmes de plus en plus grande. Cela ne se passe pas ainsi au cours de la *sadhana.* Au bout de deux ans, il peut arriver que vous ayez l'impression d'aller plus mal. En outre, les gens autour de vous ne se gênent pas pour vous dire : « Dis donc, depuis que tu fréquentes ce maître, tu as changé ! Toi qui étais si heureux (ou heureuse), souriant, dynamique, tu es en train de te laisser détruire, méfie-toi... » Non seulement ce genre de réflexions ne vous encourage pas mais il peut même vous perturber. Ma bibliothèque contient plusieurs témoignages à l'appui de ce que je dis, à commencer par ces mots de Mâ Anandamayi : « Les gens me demandent : comment se fait-il que ceux qui viennent à l'ashram sont bien pires qu'avant ? » Et Mâ répond : « Comment savez-vous que certaines tendances indésirables qui étaient enfouies dans la profondeur ne sont pas venues à la surface pour pouvoir être dissipées ? »

Vous aurez à vivre bien des tribulations durant ce processus de mise à jour des dynamismes profonds, des haines et des révoltes latentes, des rêves et des enthousiasmes qui vous habitent. Tout doit être ramené à la surface et dissipé. Un « récurage » s'impose et il faudra le mener jusqu'à son terme. Souvenez-vous : « *You will have to pay the full price* », « vous aurez à payer le prix complet ». *Chitta shuddhi,* la purification du psychisme, se pratique dans tous les ashrams, même si l'on ne s'allonge pas pour revivre des souvenirs d'enfance comme dans la méthode des « *lyings* ». Ce nettoyage s'accomplit sous la forme d'émotions très fortes, de moments durs et difficiles mais qui sont traversés avec une toute autre attitude et une toute autre compréhension que dans la vie ordinaire. Dans la vie ordinaire aussi on est malheureux, secoué, révolté, on déteste celui ou celle que l'on croyait aimer, on prend peur, on est submergé par les angoisses, on a l'impression que l'on n'a plus qu'à se suicider... et puis de nouveau on est plein d'enthousiasme. Tout le monde vit un jour ou l'autre des émotions fortes, des moments pénibles ou douloureux. Il en est de même sur la voie mais un disciple les vit avec une conscience, une présence à soi-même, une compréhension des processus à l'œuvre en lui tout à fait différentes de ceux qui sont emportés par le jeu de l'action et de la réaction. Disciple ou pas, vous avez à vivre votre *karma.* Ce stock d'émotions latentes, quelle que soit leur origine, est en vous et le maître, quel que soit son amour, ne peut pas vous éviter des moments de crise. La compassion du *guru*, puisqu'il ne peut pas, d'un coup de baguette magique, vous conduire sur l'autre rive, va consister à vous permettre (et, s'il le faut, à vous y pousser en fonction de vos possibilités) de vivre ces moments difficiles le plus intensément possible pour atteindre l'autre rive le plus rapidement possible. Ce que nous portons dans notre psychisme s'actualise au cours de notre existence, nous avons donc tous à passer par un certain nombre de situations dont les causes sont en nous, *latencies* comme on dit en Inde. Cela a été mon histoire et toutes les questions que j'ai pu poser à d'autres disciples ont amplement confirmé la validité générale de mon expérience – par conséquent de la vôtre.

Vous n'êtes pas seuls parce qu'il y a une aide certaine à attendre du *guru*. Il y a une aide préalable en ce sens que le *guru* vous a préparés, vous a enseigné à l'avance comment il faudra vous comporter dans ces moments difficiles : « Pas ce qui devrait être mais ce qui est », « être un avec », « ne pas se laisser emporter », « reconnaître, s'il y a émotion, que le mental est à l'œuvre ». Au moment où vous êtes remués de fond en comble, souvenez-vous-en. Le *guru* vous prépare et le *guru* est là aussi lorsque vous traversez ces crises mais, s'il peut vous prendre avec amour dans ses bras, il ne peut pas les vivre pour vous. C'est à vous de vous conduire en disciples.

Ce que je tiens à souligner, c'est qu'en dehors des souffrances que la vie vous impose – ce n'est pas lié à la relation avec le *guru* si vous perdez votre emploi, si votre femme vous quitte ou si vous êtes affectés par la mort d'un parent proche – vous aurez l'impression que certaines souffrances sont par contre liées à votre engagement sur la voie. Elles ne sont pas causées par le *guru*, mais c'est grâce au *guru* que des émotions très fortes viennent à la surface. L'ashram n'est pas seulement un lieu de paix. Le Christ Lui-même l'a dit : « Je ne suis pas venu apporter la paix mais l'épée. »

Je suis bien conscient que de tels propos ne sont pas, en eux-mêmes, spécialement réjouissants. Nous préférons lire et relire : « Quand le regard divin du Maharshi s'est posé sur moi, j'ai ressenti une paix ineffable, tous mes soucis ont disparu, je n'avais plus aucune question à lui poser... » Mais on apprend parfois que ceux-là mêmes qui disent ces belles paroles, deux ou trois ans après leur béatitude en face du sage, sont en clinique pour dépression. Je ne suis pas méchant en disant cela. Il y a des êtres qui ont séjourné dans l'ashram d'un sage surhumain et que cela n'a pas empêchés de se suicider. Tout ceci est vrai et le nier ne servirait en rien la cause de la sagesse. La voie ne consiste pas uniquement en instants bénis, elle consiste surtout à affronter ses propres démons intérieurs, à se voir tel que l'on est, sans se mentir, et à vivre en disciples les crises occasionnées par la *sadhana* elle-même. Ce que je partage avec vous quelque peu brutalement, je l'ai vécu moi-même auprès de Swâmiji et, je le redis, c'est pour cela que j'ai le plus de gratitude envers lui. Vous saurez un jour en toute certitude que ces passages difficiles auront été les grandes bénédictions de votre vie et les grandes grâces du *guru* parce qu'ils auront été réellement libérateurs. Oui, il faut s'ouvrir au *guru*, il faut s'imbiber du *guru*, il faut laisser le *guru* vivre en vous, même si votre relation avec lui doit vous amener à des crises, susciter des doutes et peut-être même des révoltes. Comprenez que non seulement ces moments où le *guru* vous devient insupportable sont inévitables mais que, par le fait même d'être inévitables, ils constituent une grande partie du chemin.

Votre *sadhana* ne repose donc pas sur un terme de la relation, le gourou, mais sur les deux termes, le gourou et le disciple, le disciple auquel il incombe de demeurer vigilant, actif, et de ne pas oublier son but. Et si le disciple en vous a disparu, il faut beaucoup de patience au *guru* pour vous apprivoiser, vous apaiser afin que le disciple réapparaisse. Mais plus vous pourrez vivre les chocs et les secousses sans que le disciple soit submergé, plus vous progresserez vite et moins cette progression sera pénible.

Essayons de voir plus précisément comment les choses se passent. Du fait même que vous abordez l'ashram et le maître avec certaines attentes, que vous avez vos propres projections liées à votre histoire personnelle, des émotions vont de toute façon se lever en vous, simplement parce que le monde à l'ashram ne correspond pas à votre monde. Parce que les faits et gestes du maître, son comportement, le sourire qu'il vous donne ou ne vous donne pas, l'entretien qu'il vous accorde ou ne vous accorde pas, la question à laquelle il répond ou ne répond pas, ne correspondent pas à votre espoir, déjà des souffrances apparaissent. Mais elles surgissent parce que la potentialité qu'elles se manifestent existe en vous. Ce qui vous perturbe tant laisse un autre serein. Le même geste du même maître déclenche en vous refus, souffrance et fermeture du cœur, tandis que le cœur d'un autre s'ouvre deux fois plus. Les mêmes situations, les mêmes aspects de la vie à l'ashram, les mêmes attitudes du *guru* font naître en vous des réactions très différentes.

Du fait de notre capacité à projeter ce que nous portons dans l'inconscient, il peut aussi arriver que nous fabriquions une émotion à partir de quelque chose qui n'a jamais existé. Par exemple, à la fin d'une rencontre avec un sage, un participant peut partager son émerveillement : « Tu as remarqué comme le maître était rayonnant d'amour aujourd'hui. » Et celui à qui s'adresse ces propos peut être sidéré : « Quoi ? (sous-entendu : Tu te moques de moi ?). Je n'ai même pas compris comment il a pu se montrer aussi dur, aussi sévère. » Et si le sage demeure simplement immobile et silencieux : « As-tu vu cette béatitude sur son visage ? – Quoi ! Je me demandais pourquoi il avait l'air tellement douloureux. » Je n'invente rien. Tel est le jeu du mental qui peut même parfois prendre des proportions plus fortes encore. Vous n'échapperez pas à cela quelle que soit votre bonne volonté, car c'est tout l'inconscient, tant qu'il n'a pas été mis au jour par une démarche méthodique, qui projette son propre contenu sur l'extérieur.

Il faut que vous admettiez à l'avance que l'attitude consciente et même intentionnelle du *guru* d'une part et d'autre part l'émanation même du *guru*, c'est-à-dire ce qu'il est et non pas seulement la manière dont il agit, n'ont pas uniquement pour but de vous donner la paix. C'est le but ultime certes mais le maître fera d'abord lever en vous des réactions pour que vous puissiez les assumer et en être libres. Le *guru* pourra jouer son rôle dans la mesure où vous lui demanderez de vous aider en profondeur, dans la mesure où vous serez un peu moins des enfants perdus qui mendient l'amour – parce qu'on ne donne pas de nourriture solide à un nourrisson. Votre manière de jouer de cet instrument qu'est le *guru* va attirer des réponses de sa part adaptées à votre niveau d'être actuel. Et si vous avez l'envergure nécessaire, le comportement du maître entraînera des remous intérieurs que vous aurez à vivre le plus lucidement possible afin de vous libérer de la capacité même de souffrir.

*

Je voudrais aussi attirer votre attention sur un phénomène dont j'ai souvent été témoin depuis vingt ans. Il arrive que des personnes viennent demander au *guru* une instruction précise parce qu'ils ne savent plus où ils en sont et que seule une directive du maître pourrait, à leurs yeux, les tirer du désarroi. Il y a là tout autant de sincérité que d'illusions. Un ou deux personnages en vous, sur le moment, se trouvant en difficulté, sont prêts à demander une instruction au *guru*. Et puis ces personnages disparaissent et d'autres viennent sur le devant de la scène qui ne se souviennent même pas que vous avez reçu la moindre directive et qui n'en tiennent donc aucun compte. Par exemple, à l'issue d'un, deux ou trois entretiens, le maître et vous arrivez ensemble à la conclusion que vous allez entreprendre des démarches afin de changer votre activité professionnelle que vous estimez trop insatisfaisante. Six mois après, indirectement, le maître apprend que vous n'avez pas levé le petit doigt pour faire la moindre tentative dans ce sens. Ou bien, après avoir longuement expliqué au maître que vous avez une liaison difficile avec une femme mais que vous ne mettez pas fin à cette relation, quelque temps après, le maître apprend, toujours indirectement, que quinze jours après ces entretiens vous avez rompu avec la partenaire en question sans même vous souvenir que vous aviez pris la décision contraire. La facilité avec laquelle vous croyez en toute bonne foi prendre une décision en face du *guru* (ce n'est même pas une instruction de celui-ci, c'est une décision prise ensemble) pour oublier ensuite celle-ci dans les jours qui suivent sans en informer votre maître et sans que cela vous pose aucune question ni sur vous ni sur votre relation avec le *guru*, est hélas monnaie courante mais en dit long sur le manque de sérieux de ceux qui s'imaginent qu'ils ont un maître.

Une fois que vous avez reconnu la part d'illusion naïve qu'il y a dans ce genre d'affirmation, « Je ferai ce que mon *guru* me dira », que vous prenez la ferme résolution de ne plus faire perdre son temps au *guru* et de tout mettre en œuvre pour concrétiser les décisions que vous aurez prises ensemble (ou alors, ne le sollicitez pas en lui demandant de vous conseiller dans la conduite de votre existence), souvenez-vous qu'il n'y a jamais aucune directive ni aucune décision qui ne comporte que des avantages et aucun inconvénient. « Moi, je ne choisis pas, mon maître va me donner la réponse juste et, comme c'est la réponse juste parce que, lui, il voit clair, cette solution n'aura que des côtés heureux. » Eh bien, non ! Le favorable n'existe pas sans le défavorable et, même si la décision est prise par quelqu'un qui voit clair, cette loi ne va pas cesser de jouer. Si le maître prend sur lui de vous dire : « Faites ceci... » – souvent parce que le seul bon sens le dit et que toute personne intelligente autre qu'un *guru* vous l'aurait dit – et que vous le faites, l'existence vous apportera à la fois le concave et le convexe. Combien de malentendus cela peut créer ! Le *guru* vous a encouragé à pratiquer un sport quelconque et vous vous luxez l'épaule. « Ah, il est beau le conseil du maître ! Trois mois le bras dans le plâtre ! Bravo, la claire vision du sage ! » Ou encore : « Swâmiji, dites-moi ce que je dois faire. Mon fils est devenu vraiment agressif avec sa mère, comment puis-je le ramener à la raison ? » Croyez-vous qu'en un entretien avec vous un maître puisse faire disparaître l'agressivité d'un enfant à l'égard de sa mère ? Il peut vous donner une indication et, si vous avez confiance en lui, vous pouvez la mettre en pratique. Mais vous en acceptez toutes les conséquences, celles qui vous paraissent heureuses et celles qui ne vous paraissent pas heureuses. Aucune décision prise avec le *guru*, même prise pour vous par le *guru*, n'aura que des avantages. Ce sera une décision qui aura un sens précis par rapport à ce que vous êtes, qui tentera de donner une orientation favorable à votre évolution mais, comme chaque fois qu'une action nouvelle est initiée, elle entraînera forcément des conséquences, certaines heureuses correspondant à notre attente, et d'autres non. Et si, quand les inconvénients que vous ne voulez pas assumer se lèvent, vous concluez : « Le maître m'a très mal conseillé », où allez-vous ?

L'immense malentendu, normal au départ, c'est que vous avez envie d'être heureux tout de suite et que tout ce que vous entrepreniez réussisse. Et quand vous êtes mûs par un désir, identifiés à une de vos entreprises, ce que vous voulez avant tout c'est que votre projet aboutisse, alors que, pour le maître, là n'est pas l'essentiel. Certes, dans la mesure où vous pouvez être relativement heureux, il vous aide à être heureux. Il ne cherche pas systématiquement à ce que vous souffriez pour progresser plus vite. Prenons comme exemple un cas bien simple : vous commencez une nouvelle liaison amoureuse. Ce qui importe plus que tout pour vous, même si vous avez l'étoffe potentielle d'un disciple, c'est que cette relation amoureuse soit un succès. Et ce qui importe avant tout au maître, ce n'est pas que « ça marche » et que ce soit le grand bonheur, c'est que vous progressiez sur la voie. Si c'est un succès et que vous progressez sur le chemin, tant mieux ; si c'est un échec et que vous progressez sur le chemin, tant mieux. Cela ne peut pas être autrement. Ou encore, même si votre SARL périclite et que vous êtes acculés au dépôt de bilan et à la faillite, si cela vous fait progresser sur le chemin, le maître se réjouit pour vous. Mais vous, vous n'êtes pas d'accord pour payer ce prix-là. Dans toutes vos entreprises, ce que vous voulez c'est la réussite : « Swâmiji, aidez-moi à ce que ma relation amoureuse marche », « Swâmiji, aidez-moi pour que la société que je viens de fonder avec mon frère soit prospère et que je gagne de l'argent. » Certains accomplissements, certains succès peuvent être utiles à votre progression et le maître sera complètement à vos côtés pour que vous réussissiez dans vos entreprises. Mais, encore une fois, ce n'est pas l'essentiel pour lui. L'essentiel sera toujours ce qui peut vous transformer en profondeur, fût-ce un cancer. Comment savoir si telle maladie, telle épreuve, n'est pas une bénédiction sur votre chemin ? Le maître voit la bénédiction qui se cache derrière l'épreuve, dans la mesure où il sait qu'il s'agit de l'inévitable *karma*, du prix à payer et de l'espérance d'être un jour vraiment libre.

Je répète ce que disent tous les maîtres : ce n'est pas facile. Vous aurez à payer avec ce qui fait votre existence aujourd'hui et ce qui se présentera demain, les événements intérieurs et extérieurs de votre propre vie – et notamment avec des souffrances qui font partie de toute façon de votre destin et que vous aurez à vivre sans conflit de tout votre cœur pour en être libres. Aucun maître ne peut vous éviter les souffrances. Et, dans la mesure où il le pourrait, il vous volerait la possibilité même de progresser. Pour être définitivement libre, libre jour après jour, mois après mois, année après année, dans toutes les circonstances, même les plus critiques, il faut être allé jusqu'au bout de la possibilité même de souffrir. Au lieu d'essayer de les fuir, il faut donc affronter les moments douloureux quand ils se présentent. A cet égard, le *guru* n'a pas à jouer le rôle d'un « stupéfiant » en se contentant de vous dire les paroles heureuses que vous rêvez d'entendre. Cela soulage un peu votre souffrance sur le moment et, de temps en temps, cela peut être momentanément justifié. Mais la *sadhana* ne peut pas consister uniquement en consolations. Le maître compatit parce qu'il sait combien c'est cruel pour vous de souffrir mais vos épreuves ne lui paraissent pas tragiques de la même manière qu'à vous.

Je sais ce que ces paroles peuvent avoir de difficile à entendre. Personnellement, il m'est arrivé, à certains moments, de ressentir Swâmiji comme inhumain. Mon cœur saignait, j'avais tellement mal, seul dans ma chambre. Pourquoi ne le sent-il pas et ne me fait-il pas appeler ? Ce n'est pas possible que Swâmiji me laisse souffrir comme cela sans intervenir. Cela durait deux ou trois jours. Puis, en un entretien, il me remettait sur pieds. Ce n'était pas très difficile, il connaissait mes points sensibles et me disait les paroles que j'avais besoin d'entendre. Maintenant je sais bien que le fait de m'avoir laissé ainsi dans ma souffrance représentait de sa part le comble de l'amour et aussi le comble de la liberté parce que, si vous n'êtes pas libres de vos propres souffrances, vous ne pouvez pas laisser quelqu'un souffrir sans que cela vous perturbe. Mais le *guru* n'est pas seulement le médecin des cœurs et des âmes. Il est parfois un chirurgien qui sait combien l'opération que vous redoutez va en fait vous être bénéfique. Vous, vous voulez tout de suite quelque chose pour ne plus souffrir : Docteur, une piqûre, un calmant. Et le *guru* veut éradiquer définitivement en vous la cause même de la souffrance. Mais pour cela, il faut passer par la souffrance – la souffrance consciente, assumée et acceptée. Et une part de ces souffrances, vous la vivrez à l'ashram et vous la vivrez notamment dans la relation avec votre maître.

Ce qui est important, c'est qu'un jour vous soyez établis dans la liberté intérieure, que vous ne vous égariez pas comme un voyageur perdu dans la forêt ou le désert. Donc, plus encore que votre cancer, c'est votre libération qui importe. Plus que la prospérité ou la faillite de votre entreprise, c'est votre libération qui importe. Plus que la réussite ou l'échec de votre nouvel amour, c'est votre libération qui importe. Je sais de quoi je parle car je me souviens de mon propre cheminement. Si une part de moi voulait la libération, était prête à payer le prix, d'autres parts voulaient seulement la réussite de mes films ou celle d'un grand roman d'amour.

Cette libération ne fait pas l'affaire de l'ego et du mental. L'ego et le mental veulent avant tout subsister, ils veulent accumuler les réussites et non pas mûrir. Ils n'ont pas l'intention de mourir à un niveau d'être pour vivre à un autre niveau, ils aspirent au contraire à rester dans le monde ancien. L'ego et le mental sont là avec toutes leurs demandes et ils viennent auprès d'un maître pour prendre, pour recevoir, pour être gratifiés, rassurés, glorifiés. Mais le maître ne peut pas être le serviteur de votre ego et de votre mental. Il tient grand compte d'eux mais toujours avec l'intention de vous conduire au-delà et en sachant pertinemment que pour cela vous aurez à payer un prix certain en souffrance, quel que soit son amour pour vous.

Il faut bien voir en face, cependant, que le fait qu'un maître accepte de s'occuper de vous ne signifie pas que vous êtes certains de vous transformer. Vous pouvez considérer qu'il existe de plus ou moins grands *gurus.* Selon la parole de Swâmiji : « *There is the big doctor in Calcutta and the village doctor in Channa. Both are doctors.* » Il y a le grand docteur à Calcutta et le médecin de village à Channa : tous deux sont médecins, aucun ne fait d'exercice illégal de la médecine. Un *guru* peut ne pas avoir la stature de Ramana Maharshi ou d'un grand *rinpoché* tibétain et pourtant ne pas se rendre coupable d'exercice illégal de la sagesse. Mais même un grand *guru* n'a pas que des succès. On sait que certains êtres ont été émerveillés par Ramana Maharshi et que cela ne les a pas empêchés de vieillir mal dans leur peau. D'autres ont vécu des années proches d'un *guru* et l'ont quitté, comme Judas qui a été aussi proche du Christ que les autres apôtres et qui l'a pourtant trahi. On ne peut attribuer à aucun maître un pourcentage de réussites à cent pour cent. Je sais bien qu'il est dit : « Vous jugerez l'arbre à ses fruits » et il est vrai que vous pouvez d'une certaine façon apprécier un *guru* d'après la transformation de ses disciples les plus proches. Cependant ce n'est pas un critère absolu : les plus grands sages sont entourés de disciples qui non seulement paraissent ne pas évoluer mais, au contraire, s'enfermer toujours plus dans leur égocentrisme. On ne peut donc pas juger un *guru* uniquement d'après les échecs patents ou apparents de certains de ses disciples.

Je connais l'argument qui consiste à dire qu'un maître aurait dû tout de suite voir que certains disciples n'avaient pas l'envergure nécessaire et en conséquence ne pas les accepter. Ce n'est pas ainsi que cela se passe. Comment se fait-il que des maîtres supposés clairvoyants acceptent de tels candidats, leur consacrent du temps et de l'énergie, répondent à leurs questions, commencent avec eux un certain travail, donc acceptent de les guider ? Comment se fait-il que ces maîtres ne prévoient pas à l'avance que dans deux ans, cinq ans, dix ans, le disciple en question partira sans avoir achevé sa propre *sadhana*, peut-être même en critiquant amèrement le maître et l'ashram ? Vous connaissez peut-être aussi ces représentations chrétiennes sur lesquelles on voit des saints qui gravissent les barreaux d'une échelle et dont certains chutent dans l'abîme, même après être parvenus à un échelon élevé. En règle générale, un *guru* sent les capacités d'un disciple. Mais les complexités du psychisme humain sont telles qu'il n'est pas toujours possible d'estimer avec certitude comment évoluera une destinée. Certains disciples ne donnent leur pleine mesure qu'au moment de leur mort. Mais comment connaîtrons-nous la dernière pensée du disciple prêt à quitter son corps ? Peut-être quelque chose a-t-il été déposé en lui dans la profondeur qui n'a pas émergé dans son existence. Il peut avoir connu une vie de souffrances, de révoltes, d'incohérence et, au moment si crucial et précieux de la mort, tout ce qui a été semé par le *guru* affleure brusquement à la surface.

En vérité, aucun effort du disciple et aucun effort du *guru* ne sont jamais complètement perdus. Mais au départ, la plupart de ceux qui s'engagent et manifestent même un intérêt de plus en plus grand envers l'enseignement ne sont en fait pas unifiés dans la profondeur. Ils portent en eux un ensemble de propensions latentes que le travail va faire surgir tôt ou tard mais c'est à eux – c'est à vous – de se situer à ce moment-là. Le *guru* tente tout ce qui est en son pouvoir pour aider ceux qui le sollicitent mais c'est en fin de compte entre les mains du disciple que tout repose. Comment va-t-il se comporter à certains moments critiques de sa *sadhana*, quelle est sa motivation profonde ? Certains resteront en se contentant de ronronner, d'autres abandonneront en cours de route, d'autres encore iront jusqu'au bout de ce processus de transformation.

Il y a quelques années, à l'Ecole des Langues O, il y avait en classe de tibétain soixante-dix élèves en première année. A

Si vous souhaitez approfondir les idées exprimées dans cet ouvrage, vous pouvez entrer en relation avec l'"ashram" qui retransmet au Québec l'enseignement d'Arnaud Desjardins: "Mangalam", en Estrie, animé par Eric Edelmann, un des plus anciens élèves d'Arnaud, et où Arnaud se rend lui-même chaque année.

Pour toute information, adressez-vous à la correspondante permanente d'Arnaud Desjardins au Québec:

Edith Charest
3330, Av. Dumas, app. 2
Québec (Québec)
G1L 4S5
Tél.: (418) 623-7524

Mardi:	10h à 19h
Mercredi et jeudi:	10h à 16h

la fin du troisième trimestre, il en restait neuf. La vogue du tibétain incitait les élèves à étudier cette matière mais, comme c'est une langue difficile, la plupart d'entre eux abandonnaient. Les gens commencent tout feu tout flamme puis s'arrêtent sans même savoir pourquoi. Pourquoi la voie serait-elle le seul domaine où ce mécanisme ne joue pas ? Les néophytes s'enthousiasment pour un enseignement, ils en parlent autour d'eux, clament monts et merveilles sur le maître dont ils se réclament... Et lorsque l'ascèse devient un peu difficile, ils reculent. Il peut arriver que vous commenciez vraiment la *sadhana* en sentant que vous avez une possibilité réelle de changer : vous mettez en pratique, vous faites même preuve de courage, un certain lien s'établit avec le maître, mêlé bien sûr de projections et de transferts, et vous franchissez certaines étapes. Et puis, tout d'un coup, une tempête se lève et il ne s'agit plus de petits obstacles à franchir mais d'une véritable barrière.

La mise en cause de l'ego et du mental va s'avérer plus profonde. Vous allez atteindre une zone à laquelle vous ne donnez pas le droit au *guru* de toucher, un bastion très puissant qui s'est probablement mis en place dans votre enfance suite à un choc douloureux, quelque chose de l'essence de votre être relatif. Irez-vous jusqu'au bout ou non ? Tout le monde n'est pas prêt pour une certaine forme de mort à soi-même. Même ceux qui ont vraiment progressé renâclent : ils veulent bien « jusque-là » de courage et de mise en cause d'eux-mêmes mais pas plus ; jusque-là de souffrance et de prix à payer mais pas au-delà. C'est un moment crucial et il est plus aisé alors de partir quand on n'a jamais commencé à progresser. Il est difficile pour un navigateur d'abandonner une traversée en plein milieu de l'océan.

C'est paradoxal mais souvent constaté : ceux qui quittent un ashram en n'ayant pas vraiment commencé le chemin le quittent rarement en critiquant. Mais ceux qui partent après avoir progressé sont obligés d'accabler l'ashram de critiques pour se justifier eux-mêmes. C'est une loi. Deux ans plus tard, le même disciple dont le maître avait dit qu'il progressait traîne ce maître dans la boue. Ce qui s'est passé n'est pas mystérieux et se révèle très éclairant quant à la relation de disciple et *guru* : à un moment la pression est devenue trop forte. Et quand il s'est agi de franchir une étape décisive, le disciple en question n'a pas eu l'audace de poursuivre. Comment aurait-il ensuite le courage de le reconnaître ? Un mécanisme presque implacable l'empêche d'admettre : « C'est trop dur, j'abandonne, je n'ai pas la force de continuer. » Le mental crie si fort que le disciple n'entend plus que lui : « Le maître ne me comprend plus, il a changé, il se trompe. » Qui va gagner, vous – auquel cas vous êtes sauvés – ou votre mental – auquel cas vous êtes perdus ? Si c'est le mental qui l'emporte, sa vision mensongère se présente comme parfaite et irréfutable. Inévitablement, pour que vous vous masquiez à vous-même votre défaite, en toute conviction vous ne voyez plus que les dangers de l'ashram et les erreurs du maître. J'en ai souvent été le témoin, que ce soit en Inde ou en France.

Si la pratique à certains moments devient un peu héroïque, tant mieux, c'est peut-être votre chance d'aller jusqu'au bout du chemin. Et quand c'est fini, c'est fini. Après la guérison, il n'y a pas de rechute. Vous allez progresser et il faut continuer à progresser. Les morceaux que l'on étudie après dix ans de piano sont plus ardus que ceux que l'on étudie la première année. Mais, sur la voie, quand surgissent les difficultés, le mental avec son cortège de pensées et d'émotions s'affole, trouve tout difficile et n'écoute plus. Si vous pactisez avec lui, si le disciple en vous n'est pas assez présent pour se souvenir : « Il y a émotion donc il y a pensée qui va inéluctablement dans le sens de l'émotion donc tout ce que je pense est absurde », au moment d'aller plus profond dans la destruction du mental vous perdez vos repères et vous vous mettez à douter de tout ce en quoi vous avez cru. Cette montée de doutes est très connue, elle est signalée dans tous les textes qui traitent de cette question. C'est inévitable. Qui va gagner ?

Dans les périodes où vous êtes complètement désorientés par ce qui monte à la surface, vous risquez donc de douter de votre maître. Quand l'émotion et la pensée mènent le jeu, nous souhaitons même plus ou moins consciemment la mort du *guru* parce que nous lui prêtons des intentions qui n'étaient pas les siennes, nous le sentons comme un ennemi. Le *guru* est l'ami de votre essence et l'ennemi de votre mental – pas l'ennemi de votre ego. Pauvre ego, pauvre enfant qui gémit encore en nous. Dans ce combat entre vous et votre maître contre votre mental, qui va gagner ? Je n'ai pas dit : « dans ce combat entre vous et lui », j'ai dit « dans ce combat entre vous et lui d'un côté contre votre mental de l'autre, qui va gagner ? ». Si c'est votre mental qui gagne, vous avez perdu. Sachez-le. Jusqu'où êtes-vous prêts à aller ? Qu'est-ce que vous voulez ? Et lorsque surgiront ces crises que vous avez à traverser, essayez de vous souvenir des paroles que je dis aujourd'hui, fondées à la fois sur mon expérience de disciple pendant vingt ans, puis d'enseignant pendant plus de vingt ans.

Pour certains dont le mental a gagné, leur échec se proclame une merveilleuse victoire. Ils ont triomphé : eux ils ont vu clair, eux ils ont quitté l'ashram à temps, eux ils ont vu là où le maître se trompait, eux ils savent que cet enseignement ne peut conduire nulle part. Un swâmi qui vivait auprès de Mâ Anandamayi a rompu avec l'ashram et s'est fait interviewer dans la presse pour dire du mal de Mâ. Il l'a haïe. Au-delà de l'anecdote, ce qui est important c'est chacun de vous, aujourd'hui, demain, dans un an, dans cinq ans.

On ne peut rien contre la vérité. C'est toujours elle la plus forte. Ceci dit, je ne veux pas tenir de propos pessimistes. Pourquoi ne seriez-vous pas assez courageux ? Pourquoi ce que d'autres ont tenté et réussi ne pourriez-vous pas le vivre à votre tour ? Mais il faut être prévenu et préparé pour affronter les grandes offensives du mental. N'abandonnez pas. Cramponnez-vous à la petite part en vous qui n'est pas submergée. Les passages de grande aridité dans la relation avec le maître sont bon signe. Si vous vous contentez d'écouter des causeries qui ne vous perturbent jamais, cela ne vous fera pas progresser beaucoup. Le mental n'est pas mis en cause et l'ego peut même être valorisé. Mais si vous vous engagez sur le véritable chemin, des tempêtes surgiront à un moment ou à un autre dans lesquelles le maître sera impliqué et où vous le sentirez comme odieux, haïssable, parce qu'il vous fait mal.

Dans votre désarroi de ne plus comprendre le maître qui devient à la fois l'homme que vous aimez le plus au monde et que vous haïssez le plus, tantôt c'est l'amour qui l'emporte et tantôt c'est la révolte. Et puis, quand le disciple réapparaît en vous, votre vision change. C'est dur mais vous vivez une vraie *sadhana*, vous n'êtes plus un amateur. Et en même temps, mesurez l'échec que représente le fait de partir. Je me dégonfle ? *The way is not for the coward but for the hero.* Le chemin est pour le héros et moi je me dégonfle ? Le simple fait de sentir que c'est certes dur mais que cela correspond à ce que vous avez voulu peut vous aider à ne pas lâcher. Vous avez longtemps cherché un maître, vous en avez trouvé un, soyez à part entière sur le chemin.

Il est évident que, dans ces moments-là, de belles paroles comme « le *guru* a pour vous un amour infini et une patience infinie », « il est vous-même arrivé au bout de votre propre chemin », « laissez-vous imbiber par la grâce du *guru* », perdent leur sens. « Swâmiji est sans amour, maladroit. Je suis venu à lui parce que je souffrais, je souffre encore plus à cause de lui. Je me suis confié à lui pour me reconstruire parce que j'avais du mal à vivre, il me fragilise encore plus. » Aujourd'hui je sais que ce sont précisément ces instants-là qui ont été décisifs et qui font que, depuis plus de vingt ans, je suis guéri de la peur. Ce ne sont pas les deux *samadhis* que j'ai vécus en relation avec Mâ Anandamayi dont la grâce était tellement puissante, ni l'émerveillement des temples tibétains avec leurs rituels – les chants, les cymbales, les gongs – ni les nuits bénies parmi les soufis afghans. Rien de tout cela n'a été inutile mais ce qui a été vraiment libérateur c'est cet aspect de la *sadhana*, sur le moment cruel, dans lequel le *guru* est impliqué.

Le maître n'est pas là pour vous éviter les souffrances autant qu'il est possible mais pour vous conduire au-delà de la souffrance. Il n'est pas là pour que toutes vos entreprises réussissent, il est là pour que toutes vos entreprises vous fassent progresser sur le chemin de la sagesse. Et il n'est pas là pour que vous soyez uniquement émerveillés par son amour, sa compassion, son regard. Swâmiji m'a parfois « mis sur le gril » et quand cette mise en cause douloureuse vient de quelqu'un qu'on voudrait tellement aimer, grâce à qui l'on sent peut-être pour la première fois qu'on va vraiment oser aimer et que c'est justement lui qui vous fait mal et donc qui vous empêche d'aimer, cela nous paraît impardonnable de sa part. Car ce qui peut nous arriver de plus beau, c'est d'aimer en étant sûrs de ne pas être trahis. Mais une autre part en moi, au moment même où je lui en voulais tant, savait que cette chirurgie serait décisive. Puissiez-vous vous en souvenir au moment opportun et sentir à votre tour : c'est le prix à payer, maintenant l'espérance de guérir est réelle, voici la vraie *sadhana*, celle que j'ai tant voulue, je veux être à la hauteur de la compassion que me témoigne le maître en manifestant son exigence.

CHAPITRE XII

L'ÉVEIL DU MAÎTRE INTÉRIEUR

Aucun maître digne de ce nom ne laissera s'établir avec le disciple une relation de dépendance. Au contraire, il conduit celui-ci à trouver en lui-même son point d'appui stable, à dépendre de lui-même, à devenir *self-dependant,* première étape vers *independant,* la suprême liberté qui naît avec l'effacement du sens de l'ego individualisé et séparé.

Il est dit et répété que le *guru* humain éveille dans l'intelligence et dans le cœur de son disciple le *inner guru* ou gourou intérieur. Mais cette expression, pour célèbre qu'elle soit, n'est pas exempte d'interprétations erronées. De même qu'au cours de l'histoire les hommes ont fait tout dire à « la volonté de Dieu » et ont persécuté, torturé et massacré au nom d'un Dieu d'amour et de pardon, les suggestions les plus étranges, les plus contraires au chemin de la vérité, ont été attribuées à cette voix des profondeurs. Tous les messages de l'inconscient ne sont pas des paroles de vie, bien loin de là. Le chemin de la sagesse est un long apprentissage, une purification habilement menée. La notion de *guru* intérieur est tout à fait concrète et réaliste et ne tolère aucune divagation.

Avec les deux termes *vasanas* (propensions) et *samskaras* (empreintes laissées par les impressions anciennes), l'enseignement hindou résume tous les dynamismes actifs que nous portons en nous et dont la complexité dépasse ce que nous sommes d'abord prêts à admettre. Ces dynamismes entreposés dans le psychisme, *chitta,* à l'état latent, non manifesté, se manifestent à un moment ou à un autre suivant les sollicitations extérieures. Du fait de ces tendances contradictoires qui nous habitent, il n'est pas juste de se considérer comme le disciple unifié d'un maître ou d'un enseignement. Il est plus approprié de considérer : en moi, parmi tant de désirs et de peurs contradictoires, le disciple a fait son apparition, le disciple est né. C'est un personnage parmi tous ceux qui nous composent mais d'un autre ordre que les autres parce que, lui, est susceptible d'avoir un but permanent, la libération, la sagesse, la sanctification ou la déification, un but identique à travers les années, à travers les événements de notre vie, les périodes heureuses et les périodes tragiques, toutes les vicissitudes de l'existence et les successions d'états d'âme, d'humeurs, d'émotions que celles-ci entraînent.

Plutôt que parler de la jalousie, dire qu'il y a en nous le personnage du jaloux est une différence de langage qui peut vous aider beaucoup. Vous découvrirez plus ou moins clairement à l'intérieur de vous-même un certain nombre de personnages : l'homme social (nom, prénom, qualité, profession, etc.) – l'ambitieux – le mystique – l'obsédé sexuel – le meurtrier – l'artiste – l'idéaliste – l'enfant perdu – le vaniteux – le désespéré – le raciste – le romantique – l'angoissé financier – l'optimiste – le tyran –, liste qui n'est pas exhaustive. Cet inventaire des différents personnages qui apparaissent et disparaissent en nous, avec leurs points de vue contradictoires sur l'existence, est une manière de décrire la complexité de l'être humain ; vous pouvez aussi considérer chaque *vasana* comme un personnage, chaque demande, chaque peur et je dirai même chaque émotion. Au centre, comme un pivot, un axe, apparaît un jour le disciple. Mais je vais aujourd'hui remplacer ce mot disciple par l'expression que nous venons d'évoquer, parce qu'elle peut vous aider à approfondir votre compréhension, *the inner guru.* Le *guru* intérieur c'est le *guru* qui se lève en nous et le *guru* extérieur a pour fonction de nous conduire peu à peu à ce *guru* intérieur ou, plus précisément, de permettre l'éveil du *guru* intérieur. C'est une idée classiquement admise. Mais suivant l'opinion que vous vous êtes faite du *guru,* suivant les *gurus* que vous avez peut-être approchés en Inde, vous imaginez le *guru* intérieur d'une manière ou d'une autre, sans que cela devienne pour vous, et même loin de là, une expérience concrète. Vous admettez la notion du maître intérieur qui vous permettra un jour d'être à vous-même votre propre lampe mais sans savoir, dans la pratique, en quoi consiste ce maître et quel rôle il peut jouer dès à présent – et non pas dans un futur lointain.

Si je dis le disciple en vous, ce mot a toutes les chances de vous toucher parce que vous concevez le disciple comme un élève, peut-être même comme un enfant confiant dans le guide extérieur, en position de soumission et d'ouverture : je ne connais pas grand-chose et je me rends auprès du maître pour qu'il m'enseigne. Et pourtant, il n'y a aucune différence entre ce personnage du disciple et ce *guru* intérieur. Dès que le disciple a commencé à naître, à entendre l'enseignement, à le reconnaître comme véridique, il devient ce *guru* intérieur. Vous saisirez mieux sa fonction si vous vous souvenez de ce qui définit un *guru* : la compréhension, la connaissance, la possibilité de guider, de « conduire des ténèbres à la lumière » – un des sens étymologiques du mot. C'est cette attitude qu'il s'agit de développer envers vous-mêmes. En vous, le *guru* intérieur est appelé à devenir le maître de tous ces personnages divers et contradictoires. Et si vous ne comprenez pas concrètement, par votre expérience personnelle, l'importance de ce *guru* intérieur, le véritable chemin ne s'ouvrira pas devant vous, vous ne serez que sur un chemin préparatoire consistant à entendre certaines idées et à mieux comprendre certains points de vue sur l'existence. Il n'y a aucun orgueil à reconnaître l'existence de ce *guru* intérieur, mais cela demande, si vous êtes d'accord, si vous êtes convaincus, une mise en pratique qui n'est possible que par la vigilance, une qualité de présence et d'attention bien particulière.

Il est nécessaire, et même impérativement nécessaire car c'est la clé de tout le chemin, que vous soyez capables d'établir une certaine discrimination en vous et j'irai même jusqu'à dire une certaine dissociation, à condition que ce terme ne vous induise pas en erreur du fait qu'il veut dire deux, créer deux, alors que vous m'entendez si souvent employer des expressions comme non-dualité, ne pas créer un second ou même revenir de deux à un. Ne butez pas sur des questions de langage : une contradiction apparente peut vous aider à approfondir des notions indispensables pour progresser sur le chemin.

Ce dédoublement ou cette dissociation est le contraire de ce que Swâmiji comme Gurdjieff *(Fragments d'un enseignement inconnu)* appelaient identification, le fait d'être complètement absorbé par chaque pensée, chaque émotion, chaque situation intérieure. L'essence, le cœur de l'ascèse est là. Il n'y a qu'une vraie question, c'est le scandale de l'identification, le fait d'être entièrement pris, confondus avec nos états d'âme, ces figures mouvantes de notre kaléidoscope intérieur. Ce point est capital car vous n'allez pas changer brusquement, vous n'allez pas du jour au lendemain voir disparaître vos peurs, vos désirs, vos émotions et vous établir de plain-pied dans la sagesse telle que vous l'imaginez, même si vous vous faites une idée relativement juste de cette sagesse. Pendant longtemps, même quand vous avez découvert les vérités de la voie, vous continuez d'être dépendants de toutes sortes de mécanismes qui vous modifient intérieurement sans que vous ayez un réel pouvoir sur eux ; les paroles blessantes continuent à vous peiner, les compliments à vous réjouir, sans parler des états d'âme qui naissent et se remplacent les uns les autres en dehors de causes qui vous soient clairement apparentes : je ne sais pas pourquoi j'étais si en forme ce matin alors que je me sens à présent tellement désemparé. Il y a eu bien sûr une cause extérieure à ce changement mais elle a frappé directement votre inconscient et vous ne l'avez pas notée au passage.

Mais ce qui vous est possible, c'est cette nouvelle manière

de vous situer par rapport à vous-mêmes. Le disciple en vous, le *guru* intérieur voit apparaître et disparaître ces formes de conscience successives ; formes de conscience qui revêtent un aspect physique – je me sens plus ou moins bien dans ma peau –, un aspect émotionnel – je me sens rassuré, heureux, détendu ou au contraire oppressé, angoissé – et un aspect mental – les pensées qui correspondent à ces divers états d'âme, pensées optimistes, pensées pessimistes, idées roses, idées noires. Cette vigilance, cette dissociation ou cette non-identification ne se produira jamais si vous ne vous y exercez pas et vous ne vous y exercerez que si vous êtes convaincus à la fois de sa possibilité et de sa nécessité. Si vous la croyez nécessaire mais impossible, vous ne tenterez rien, ou à peine, de temps en temps ; si vous la croyez possible mais pas vraiment nécessaire, vous ne tenterez rien non plus ; on ne pratique vraiment qu'à partir d'une conviction. Est-ce que vous ressentez ce besoin impérieux d'opérer un certain dégagement ou désengagement par rapport à vos paysages intérieurs pour ne plus être ballottés, sans aucun pouvoir, au gré des circonstances et des états d'âme qu'elles suscitent ? C'est là et nulle part ailleurs que se situe l'essence du chemin. Si ce que vous voulez c'est simplement que vos émotions disparaissent, que les mauvais moments ne reviennent plus, vous n'obtiendrez que des résultats partiels. Vous pourrez peut-être envisager le chemin comme une psychothérapie plus ou moins efficace, mais certainement pas comme la voie au grand sens du mot.

Cette dissociation, j'emploie à dessein ce mot pourtant risqué, permet de considérer tous les aspects de vous-mêmes comme des personnages qui pensent par votre cerveau, s'expriment par votre voix, tremblent par votre corps et avec lesquels pourtant il vous est possible de ne plus vous confondre. Du fait que chacun de ces personnages momentanés utilise le pronom personnel *moi* ou *je,* qu'il regarde par vos yeux, pleure avec vos larmes, se réjouit avec votre cœur et subit les perturbations de vos glandes endocrines, la pente naturelle est d'oublier cette multitude que vous représentez. Je reprends à mon compte la parabole tibétaine, citée par Alexandra David-Neel à la fin de son ouvrage sur le bouddhisme, qui compare l'être humain à un parlement. Nous savons ce qu'est notre Assemblée nationale composée de quelques centaines de députés dont les opinions divergent et qui tantôt s'opposent, tantôt se regroupent selon la teneur des décisions à prendre. Des alliances se font et se défont, certains ténors de la tribune vieillissent et perdent de leur autorité, d'autres plus brillants détiennent par moments la vedette.

Swâmiji m'a dit un jour : « *You are an amorphous crowd* », vous êtes une foule amorphe, non structurée, non cristallisée. C'est vrai. Que vous utilisiez comme point d'appui de votre compréhension cette évocation de personnages divers et contradictoires, que vous considériez chaque émotion, chaque peur, chaque désir, chaque état d'âme comme un de ces personnages, que l'image du kaléidoscope soit éloquente pour vous ou non, la vérité, elle, reste la même. Si vous trouvez vos propres images ou comparaisons, cela n'en sera que mieux pour vous. Mais ce dont vous pouvez être absolument certains, c'est que si vous ne prenez pas conscience d'une façon ou d'une autre de la complexité qui est la vôtre, de la multiplicité qui vous compose, il n'y a pas de chemin possible. Beaucoup de ceux qui m'écoutent depuis des années n'ont pas encore réellement compris ce dont je parle. Intellectuellement ils sont peut-être capables de le répéter à d'autres mais ils n'ont pas concrètement vu les contradictions qui les habitent, ils n'ont pas mesuré l'ampleur de leur division intérieure. Se prendre en flagrant délit de contradiction, c'est assumer avec courage un certain déchirement intérieur, c'est perdre l'illusion d'un « je » et d'une volonté stables que nous ne possédons pas. Seul le disciple, personnage d'un autre ordre, est capable de voir en toute lucidité que vous n'êtes pas un mais multiple et d'être le témoin des formes de conscience qui se succèdent en vous.

De par ma profession, si je puis dire, je suis souvent amené à voir à quel point ceux qui m'approchent sont prisonniers de l'identification. Déjà à la manière dont vous pénétrez dans ma pièce d'entretiens – et là je m'adresse plus particulièrement à ceux que je guide mais bien entendu cela reste valable pour toute personne qui est en contact avec un maître –, je peux sentir si celui qui entre est un des personnages en présence du disciple ou simplement un des personnages sans le disciple. Si vous venez en étant complètement absorbés, confondus, emportés, identifiés, le véritable *vous* est englouti comme un rocher à marée haute. La façon de s'asseoir devant moi, la gesticulation, la mimique, le timbre de voix témoignent la plupart du temps que l'identification est complète et que le disciple n'est nulle part. Vous admettez qu'un de ces personnages momentanés fasse la loi en vous, recouvre complètement le gourou intérieur et que vous – vous, vous-mêmes –, vous n'existiez plus. Une émotion parle, un désir parle, une peur parle, une illusion parle, une fausse vision du monde parle, une manière d'être dans son monde et non pas dans le monde parle, comme tout le monde parle à tout le monde à longueur de journée. On raconte sa vie, on se plaint à un ami, à sa femme, quand ce n'est pas à ses enfants, il n'y a pas besoin de venir dans un ashram pour cela. Et tant que vous tolérez de rester dans ce statut d'esclave qui, il faut bien le dire, est la condition ordinaire de toute l'humanité – cette identification à des personnages, à des états d'âme, à des désirs et à des peurs contradictoires – il n'y a aucune différence entre le disciple que vous prétendez être et les hommes et femmes qui n'ont jamais entendu parler de vie spirituelle, de yoga, de védanta, d'ésotérisme ou de quoi que ce soit dans ce domaine.

A partir de cette identification, la progression ne peut être qu'infime. Bien sûr, même dans cette confusion complète avec l'état d'âme du moment, quelques paroles intelligentes ou de bon sens vous seront sans doute profitables, l'attention bienveillante du *guru* peut vous toucher et faire grandir en vous une certaine confiance mais c'est avancer à l'allure d'un escargot sur une route où il faudrait marcher vite parce que vous n'avez pas cent ans de progression devant vous. Le préalable est oublié. C'est exactement comme si vous vouliez conduire une voiture sans avoir mis la clé de contact. Vous pouvez toujours embrayer, débrayer, changer les vitesses, accélérer, à quoi bon ? Si vous êtes totalement confondus avec votre forme de conscience momentanée, un entretien avec le *guru* extérieur, quelles que soient les tentatives de celui-ci pour vous aider, ne vous mènera pas bien loin. Il faudrait que le personnage du moment entre dans la chambre du maître accompagné par le disciple ou, plus exactement, que le disciple amène au maître tel ou tel aspect de cette incohérence que représente un être humain jusqu'à ce que la *sadhana* l'ait unifié, jusqu'à ce que ce *inner guru* se soit établi en lui.

*

Ce que j'appelle comprendre, c'est avoir une certitude telle qu'on ne puisse plus ne pas mettre en pratique ce qu'on a compris. Comment faire grandir cette conviction ? La présence à soi-même, ou en soi-même, paraît très difficile à tous les disciples même sincères. Mais cette vigilance qui vous semble presque impossible vous deviendra parfaitement possible le jour où vous serez certains que vous ne pouvez pas vivre sans cette qualité de conscience, que c'est trop grave. Or, cette conscience lucide, c'est la première fonction de celui que je préfère aujourd'hui appeler le *guru* intérieur. C'est vous qui êtes le véritable *guru* de ces *vasanas* et de ces *samskaras*, de toutes ces tendances latentes, de tous ces dynamismes qui, de l'inconscient remontent à la surface et de non-manifestés deviennent manifestés. *Inner guru* est un terme précieux. Vous avez le droit de l'entendre, comme une notion qui vous concerne dès aujourd'hui, puisque vous pouvez dès maintenant commencer à être le témoin des divers aspects de vous-mêmes. Mais cette maîtrise ou cette liberté implique une dissociation grâce à laquelle vous n'êtes plus complètement identifiés, à une forme momentanée de la conscience, une peur, un désir et les pensées qui accompagnent cette peur ou ce désir.

Réfléchissez une fois encore, et d'une manière qui ne fasse pas lever de refus en vous, à ce qu'est un *guru* extérieur, puisque c'est à partir du *guru* extérieur que vous aurez accès au *guru* intérieur. Un *guru*, nous l'avons vu, est neutre, objectif, il ne vit plus dans son monde mais dans le monde réel, il ne projette pas, il n'a plus à discipliner un éventuel contre-transfert puisque la possibilité même d'un contre-transfert a été éliminée en lui. Il est donc en face de vous aussi ouvert, réceptif, aussi immuable qu'un miroir réfléchissant toutes les images qu'on peut lui présenter. Jusqu'à présent, vous avez rencontré des êtres humains qui, en face de vous, avaient, tout comme vous, leurs propres mécanismes d'attraction et de répulsion, leurs identifications et, par conséquent, réagissaient à vos réactions. Quand vous êtes charmants, tout le monde vous trouve sympathiques, quand vous êtes – malheureusement pour vous – fermés, tendus, nerveux, cette sympathie se change en son contraire : vos réactions personnelles ont toujours provoqué des réactions chez les autres. Vous avez connu des moments où votre père se montrait aimant et ceux où il vous en voulait, où votre mère était pleine de tendresse et ceux où elle se mettait en colère et vous terrifiait sans même que vous ayez compris pourquoi ; il y eut les jours où pour des raisons professionnelles votre père devenait invivable et vous rabrouait et les jours où pour des raisons intimes de fatigue prémenstruelle ou autre, votre mère était bizarre, changée. Vous portez en vous depuis toujours une seule expérience, c'est que l'autre est un autre et que vous avez toujours été deux : vos parents, votre cousin, votre frère, votre maître d'école, votre enfant... personne, ou si rarement n'a été vraiment « un » avec vous. Et même si votre mère a été parfois en communion totale avec vous, notamment quand vous étiez petit bébé, même cette « fusion » n'était pas stable, elle était entrecoupée de moments où elle était une autre, où vous étiez deux.

Ainsi s'est créé en vous un climat d'insécurité, de peur, de demande dans lequel tous les mécanismes étudiés par la psychologie s'en donnent à cœur joie – ou à cœur peine. Or, le *guru* est un être humain susceptible de s'adapter à chacun, de s'exprimer avec les mots qui correspondent à votre monde, de modifier le son de sa voix si besoin est, de vous regarder avec amour, de vous toucher et en même temps de demeurer neutre, impersonnel, objectif. Non seulement un *guru* ne réagit pas à mes réactions, mais il me donne, ici et maintenant, le droit d'être pleinement ce que je suis. Même s'il m'appelle à ne pas demeurer dans cette peur ou dans cette émotion, il est celui qui m'accueille, qui m'écoute, qui m'entend, qui ne me juge pas. Et même si vous projetez un substitut de l'autorité paternelle ou maternelle sur le *guru*, si vous transférez sur lui des images demeurées vivantes et dynamiques dans votre inconscient, le *guru*, lui, n'est jamais affecté, il ne vous renvoie pas la balle, si j'ose dire. Pour la première fois de votre existence, vous vivez une relation dont un des deux termes est libre : vous ne l'êtes pas encore, mais le *guru* l'est. Que vous soyez pleins d'admiration et de gratitude manifestée pour lui ou tendus, hostiles, pleins de rancune contre lui, vous ne risquez rien ; du moment que votre désir de progresser demeure, que votre sérieux, votre sincérité de candidat-disciple demeure, le *guru* continuera à vous aider. Il n'a pas d'autre but que votre progression et votre propre libération. Le chemin de cette progression et de cette libération n'est pas toujours celui que votre mental rêve ou imagine. Vous êtes la première victime des exigences du mental et le *guru* n'est pas là pour devenir l'allié et encore moins l'esclave de celui-ci. Il arrive donc que le *guru* apparaisse momentanément comme l'ennemi de votre mental, que vous projetiez sur lui votre père ou votre mère et que vous le sentiez comme « un autre », mais en vérité le *guru* n'est jamais un autre. Il est toujours l'ami de votre être réel ou de la Réalité en vous. C'est par amour pour vous et en vous acceptant complètement et totalement tels que vous êtes qu'il montre cette fermeté, qu'il peut même manifester une colère, toujours pour vous aider, uniquement pour vous aider.

Réfléchir à ce qu'est le *guru* extérieur vous aidera à comprendre ce que peut être le *guru* intérieur. Le *guru* est établi dans une stabilité immuable et ses expressions diverses ne sont jamais des réactions mais des réponses aux nécessités de la situation – et avant tout à la nécessité de vous faire progresser vers votre propre éveil. C'est pourquoi il est dit et répété avec tant d'insistance que le *guru* n'est pas un autre que nous, qu'il est un avec nous comme la lumière qui éclaire une pièce est une avec le contenu de cette pièce. Imaginez un grenier en désordre. Vous manœuvrez l'interrupteur, vous allumez la lampe, rien n'est changé au désordre du grenier, il n'y a pas un objet déplacé, pas un grain de poussière supprimé, rien n'est ajouté ou enlevé à ce grenier, il est simplement éclairé ; on peut donc dire que la lumière n'est pas un autre que ce qu'elle illumine. De la même manière, j'ai souvent utilisé l'exemple de l'écran de cinéma : l'écran s'il est vraiment blanc, s'il n'y a pas de taches ou de saletés souillant sa surface, n'est pas un autre que le film, il est entièrement document sur les Indiens d'Amazonie et entièrement western quand on projette un vieux film de John Ford.

Si le *guru* ressentait le moindre refus intérieur de ce que vous êtes ici et maintenant, il n'aurait plus l'être d'un *guru*. Certes, il peut manifester à certains moments un refus mais ce n'est pas lui qui refuse à titre personnel, c'est la nécessité de votre progression, c'est-à-dire vous-mêmes qui demandez ce refus. Le *guru* est au-delà de la morale ordinaire, au-delà de l'opposition du bien et du mal, de même que le médecin n'a pas de jugement moral à porter mais un diagnostic à formuler. Un médecin n'a pas à juger ou à condamner, même pas la bronchite chronique des fumeurs sous prétexte que ceux-ci feraient mieux d'arrêter de s'intoxiquer au lieu de coûter aussi cher à la Sécurité sociale ; ces arguments n'ont pas à intervenir pour un médecin. Un médecin ne juge ni la moralité d'un syphilitique, ni celle d'un alcoolique. Il est un avec la maladie, un avec les radiographies, un avec les examens de laboratoire, et il répond à une demande : tel antibiogramme indique tel antibiotique, prescrit en telle quantité et avec telle fréquence d'absorption.

Le *guru* est un, non pas seulement avec un symptôme mais avec la totalité de vous-mêmes, tels que vous êtes, tels que vous avez été, tels que vous serez, avec la totalité de vous-mêmes physique, émotionnelle, mentale, grossière et subtile. S'il y avait chez le *guru* le moindre élément de déception, d'appréhension ou de condamnation, il ne serait plus un *guru.* S'il n'admettait pas totalement ce qui est, aussi totalement qu'un miroir ou qu'un objectif de caméra envoyant sur la pellicule exactement ce qui se présente devant lui, sans discuter, si le *guru* n'avait pas cette attitude il ne serait plus un *guru.* Le *guru* ne voit plus qu'une chose, c'est votre souffrance. En tout être humain, il voit la Conscience, l'Etre, l'*atman*, le Christ crucifié – et la souffrance. « Je ne te demande ni qui tu es, ni d'où tu viens, je te demande quelle est ta souffrance. »

Le *inner guru*, c'est cette même possibilité, que vous avez tous par droit de naissance, de relation sereine, « non duelle », avec votre vécu intime de chaque instant. Vous avez la capacité de choisir cette attitude par rapport à tous les aspects de vous-mêmes qui se présentent successivement au fil des journées. Il suffit de l'utiliser. Il suffit de la développer. Pourquoi cela ne vous serait-il pas possible ? Si vous arrivez nerveux, tendus, anxieux dans la chambre du *guru*, vous attendez à juste titre de celui-ci qu'il ne réagisse pas, qu'il vous dise ce *yes* que Swâmiji me disait au début de chaque entretien, avant même que j'aie ouvert la bouche. Bien sûr, le maître souhaite, quand vous pénétrez dans sa chambre, que ce soit le disciple qui entre conjointement à l'état d'âme du moment, et pas seulement cet état d'âme sans le disciple, c'est-à-dire l'identification complète. Mais même si vous êtes aussi emportés que si vous n'aviez jamais entendu parler de quoi que ce soit en matière de vigilance, même si vous arrivez totalement identifiés et négatifs, l'accueil du *guru* est inconditionnel : le oui demeure, un oui total, sans réserve, sans réticence. C'est une application particulière de la loi générale : ce qui est est, oui ou non, « et tout le reste vient du Malin ».

Or, du fait que vous avez pris l'habitude de vous considérer, bien à tort, comme une entité permanente, parce que malgré le vieillissement votre corps ne change pas de manière visible de minute en minute, parce que vous conservez le même état civil et le même prénom toute votre vie (sauf si vous choisissez un pseudonyme), vous êtes dupés, complètement dupés par le sens de l'ego. La première illusion, le premier mensonge du mental, la première manière dont ce menteur cache ce qui est pour faire voir ce qui n'est pas, c'est cette conviction de pouvoir toujours dire *moi* ou *je,* comme si vous étiez toujours le même, en oubliant que vous êtes un parlement, une foule amorphe.

Tentez ! Vous aussi, voyez chaque pensée, chaque peur, chaque désir, chaque émotion qui vous trouble tant soit peu, comme si vous étiez votre propre *guru*, c'est-à-dire comme le *guru* vous voit, vous, chaque fois qu'il vous rencontre. Certes, pour commencer, il vous est tout à fait impossible de pratiquer cette dissociation à longueur de journée ; mais au moins quand ça ne va pas, quand vous vous trouvez dans une de ces situations intérieures auxquelles vous voudriez échapper, au lieu de chercher à faire démarrer la voiture sans avoir mis la clé de contact, au lieu de chercher à résoudre votre difficulté sans vous être situés consciemment en vous-mêmes, n'oubliez pas le préalable. Situez-vous en témoin impersonnel, en spectateur, et voyez ce personnage qui est monté à la surface et qui s'exprime pour l'instant. Mais n'entendez pas ces mots « neutre, impersonnel » comme si vous deviez avoir une attitude presque implacable avec vous-mêmes. Souvenez-vous que le maître est toujours bienveillant envers vous et développez cette même bienveillance à votre égard. Et au lieu de dire imperturbablement je ou moi dans toutes ces circonstances contradictoires, essayez de voir lequel des personnages qui vous habitent est venu sur le devant de la scène. Si cela peut vous aider, essayez même d'utiliser, au moins à titre expérimental, le pronom *il* qui va dans le sens de ce détachement : il, l'ambitieux en moi, il, le vaniteux en moi, il, le désespéré en moi, il, l'amoureux en moi.

Mais puisqu'il s'agit du *guru* intérieur, votre attitude par rapport à ces différents aspects de vous-mêmes doit être celle d'un sage. Cessez donc de vous confondre avec ces facettes de vous-mêmes, cessez de croire qu'elles représentent « la vérité », qu'il n'existe rien d'autre que ces états changeants, cessez de les juger, cessez d'en avoir peur et cessez, quand parle l'un ou l'autre d'entre eux, de considérer que c'est la totalité de vous-mêmes qui s'exprime. Cette *vasana*, cette peur particulière, ce fantasme particulier, cette obsession particulière ne sont pas *moi*. Tout jusqu'à aujourd'hui vous a poussés à vous identifier : chaque fois que vous avez été la proie d'une de ces manifestations passagères, on vous a parlé comme si vous étiez entièrement en cause : « Comment as-*tu* osé faire ça ? Comment as-*tu* pu dire ça ? *Tu* me fais de la peine. » A force de vous entendre depuis la petite enfance traiter comme un être unifié, vous avez fini par le croire, mais il vous est possible maintenant d'échapper à cette illusion. C'est en cela que consiste votre exercice, en cela que consiste votre méditation dans l'action.

Au début, bien sûr, le disciple en vous ou le *guru* intérieur n'est pas encore très affermi mais peu à peu il va croître et devenir plus solide. Ce qui n'est d'abord qu'une petite graine devient un jour un arbre si grand que tous les oiseaux du ciel peuvent y faire leur nid – comparaison tirée des Evangiles. Ce *guru* intérieur grandit, et il grandit jusqu'à ce que tous les aspects de vous-mêmes soient contenus en lui. Cessez de vous identifier et comprenez que, même si les apparences vous entraînent vers cette identification, ce ne sont que des apparences. Il est certain que ces personnages palpitent à travers vos battements de cœur, transpirent à travers votre sueur, claquent des dents avec votre mâchoire, s'enfuient avec vos jambes et s'expriment d'une façon générale à travers vous, et pourtant ils ne sont pas *vous-mêmes,* ce ne sont que des formes intermittentes de la conscience. Apprenez donc à les admettre, à les reconnaître, à ne pas les condamner, à ne jamais en avoir peur, à les entendre, à les écouter. De même que le *guru* est un avec vous, avec chacune de vos humeurs et chacun de vos états d'âme, vous êtes un avec ces phénomènes intérieurs – un, pas deux. Il y a dissociation, j'ose même employer le mot dédoublement, mais il n'y a pas dualité, en ce sens que le *guru* intérieur doit être aussi objectif et impartial que l'est le *guru* extérieur. Il voit. Il constate. « *See and recognize* », c'est ce qui lui est demandé.

*

Si chaque fois qu'une émotion nouvelle se lève en vous, vous croyez que c'est « moi », vous ne comprendrez jamais rien à ce que vous êtes. La clé de la compréhension c'est d'admettre que vous êtes un parlement, une foule, un vaste et imposant nombre de *vasanas,* de peurs, de demandes, de désirs en tous genres, dont certains sont même contraires à la morale et aux bonnes mœurs, selon l'expression consacrée. Si vous pouvez considérer ces aspects de vous-mêmes comme n'étant pas *vous,* au sens complet du mot, mais des dynamismes, des réalités manifestées qui sont confiées à votre lucidité, la situation est tout autre. Pourquoi ne pourriez-vous pas entrer en amitié avec tous ces aspects de vous-mêmes et les accueillir avec l'intelligence et la bienveillance dont ferait preuve un *guru* en face de vous ?

Si vous faites l'erreur – que vous faites tous – de ne pas comprendre que c'est uniquement une voix qui a besoin de s'exprimer, jamais vous ne laisserez certaines voix s'exprimer parce que c'est trop menaçant de se rendre compte, par exemple, qu'on s'est mis soi-même dans une situation critique ou qu'on est habité par des désirs en apparence incompatibles avec la vie que l'on mène. Si vous faites l'erreur de parler de vous au singulier, il n'y a pas d'autre issue que la fuite ou la répression à outrance. « Ça » veut s'exprimer, **je** réprime, toute mon énergie est immobilisée dans ce conflit, dans ce déni de réalité. Voilà l'enfer, « là où il y a des pleurs et des grincements de dents », voilà *maya.* Tant que vous vous considérez comme déjà unifiés, vous risquez l'enfer. N'étant pas réunifiés et croyant que vous l'êtes, vous êtes incompréhensibles à vous-mêmes, bien des pulsions deviennent effrayantes, vous êtes obligés de les censurer et de vous mentir. Comment pourriez-vous échapper à la souffrance dans ces conditions ? Et ces personnages, ne l'oubliez jamais, sont contradictoires. Qui va parler ? Le personnage qui a la haine de votre propre épouse, donnez-lui la parole, sans vous inquiéter, ce n'est qu'un personnage : « Elle ne m'a jamais aimé, elle ne m'a jamais compris, elle se laisse aller, elle ne sait pas faire l'amour, elle m'emprisonne, elle me brime, elle me frustre. » Bien, maintenant, un autre aspect de vous veut-il parler ? « Je n'ai jamais su rendre ma femme heureuse, je suis un égoïste, elle a tout fait pour moi »... Le contraire s'exprime, comme si vous aviez tourné le disque de face, et vous ruisselez de larmes. Laissez parler sans peur ces différentes tendances et tout devient plus facile. Vous êtes enfin vous-mêmes, réunifiés avec la totalité de ce qui vous compose. Vous commencez enfin à exister.

Comprenez bien qu'il s'agit toujours d'un personnage parmi d'autres, même si on n'entend plus que lui tant il parle fort, et qu'aucun de ces personnages, aucune de ces propensions ne vous engage entièrement. Cela vous permettra de cesser de vous juger sans relâche car si vous pensez « c'est moi » chaque fois qu'une part de vous se manifeste et que vous êtes en même temps imprégnés d'une morale – que je ne jette pas par-dessus bord mais que pour l'instant je vous demande de mettre de côté de manière à ce qu'elle ne brouille pas votre vision –, certaines tendances en vous vont vous paraître inacceptables. Vous tournerez le dos à la vérité en refusant de les voir en face parce qu'elles dérangent l'image que vous avez de vous-mêmes. Si vous êtes identifiés, vous jugerez ce qui monte en vous : c'est troublant, c'est perturbant, c'est inadmissible – et le mécanisme de la censure intervient immédiatement.

Swâmi Prajnanpad m'avait raconté qu'il avait posé cette question préalable à quelqu'un qui souhaitait devenir son disciple : « Etes-vous prêt à voir en vous le meilleur du meilleur et le pire du pire ? » La personne en question n'avait pas pu supporter cette éventualité et était partie. Ne soyez pas comme cet aspirant-disciple. Sachez à l'avance que le meilleur du meilleur du meilleur existe en vous et que le pire du pire existe aussi en vous. Ne vous condamnez pas. Même la Vierge Marie, incarnation de la pureté suprême, si elle représente la Mère universelle, celle qui intercède pour nous, la patronne des disciples, ne peut pas juger, condamner, manquer de compassion. Si un enfant montre à sa maman un énorme furoncle plein de pus, quelle est la mère digne de ce nom qui reculerait avec horreur ? Immédiatement elle regarde avec amour ce furoncle et elle le soigne. Pourquoi s'imaginer tout de suite rejeté, condamné par Dieu lui-même ? Dieu est amour et, comme je le dis souvent, accordons-lui d'être aussi un peu intelligent et un peu psychologue !

Vous pouvez aussi utiliser une autre image, celle d'un père ou d'une mère de famille parfaits, d'une mère comme vous en rêveriez, d'un père idéal et qui auraient de nombreux enfants de sexes, d'âges et de tempéraments différents, qu'ils doivent écouter, aimer, éduquer à égalité sans avoir de préférence. Même si un enfant par moments devient un peu difficile, un père ou une mère dignes de ce nom ne le rejettent pas. Et ces enfants qui vous entourent ont leurs peurs et leurs demandes et tous crient : moi, moi, moi, occupe-toi de moi, écoute ce que je vais te raconter, donne-moi ceci, fais cela pour moi. Il faut tenir compte de tous et en même temps ne vous laisser tyranniser par aucun car il ne s'agit pas, bien sûr, que l'un d'entre eux réussisse à imposer sa loi au détriment de tous les autres. Est-ce que vous pouvez de la même façon être une mère ou un père de famille parfaits pour tout ce qui se lève en vous comme si, chaque fois, c'était un enfant qui s'adressait à vous ou comme si, chaque fois, c'était un disciple qui vous apportait sa difficulté, à vous son *guru*. Si vous êtes le *inner guru*, vous portez en vous-mêmes un bon nombre de disciples avec leurs propres problèmes et vous vous intéressez à chacun d'eux. Pour l'un son problème c'est avant tout la vanité, pour un autre ses fantasmes sexuels, pour un autre encore la peur qui imprègne son existence ou l'agressivité qu'il manifeste dans ses relations avec autrui.

Une *vasana* tout d'un coup est montée à la surface et je la vois, je la constate mais ce – ou cela – qui voit sans juger est toujours libre. Puissiez-vous être convaincus qu'aucun de ces aspects momentanés, même s'ils sont revenus très souvent dans le passé, n'engage la totalité de vous-mêmes. Ce qui est vraiment vous-mêmes, c'est uniquement ce spectateur ou ce témoin que j'appelle aujourd'hui le *guru* intérieur. Si vous parvenez à vous établir dans cette position, d'abord vous êtes enfin dans la vérité, et ensuite c'est toute votre existence qui change parce que l'identification va vraiment diminuer. Vous relativiserez toutes vos émotions, vous situerez chaque événement dans une vision plus vaste et surtout vous cesserez d'être divisés et conflictuels.

Il ne faut pas se contenter de dire que le *guru* intérieur c'est l'*atman* lui-même qui, du centre de l'être, nous appelle à la résorption dans le non-manifesté. Il faut cesser d'attribuer à cette expression une signification lointaine, nébuleuse ou irréelle qui ne vous aide en rien, et lui redonner un sens immédiatement efficace. Ce sens concret, accessible à tous moments, est simple : est-ce que vous allez vous laisser happer, fasciner, absorber, engloutir par les situations et les circonstances ou est-ce que vous allez assumer ce rôle de *guru* par rapport à tous les phénomènes qui se produisent en vous minute après minute ? Est-ce que ce *inner guru* s'est éveillé, est-ce qu'il peut remplir sa fonction ?

La règle générale des existences c'est cette identification massive et, si vous n'en êtes pas sérieusement convaincus, il n'y a aucune raison pour que vous échappiez à cette identification. Tout ce qui monte à la surface dit moi, dit je – c'est devenu une habitude profondément enracinée – comme si cette petite partie parlait au nom du tout. Dès qu'un personnage ou un groupe de personnages en vous prétend parler au nom de la totalité de vous-mêmes – ce qui est d'ailleurs toujours le cas tant que vous n'avez pas entrepris une démarche consciente – vous n'êtes plus dans la vérité et vous ne pouvez plus rien comprendre à vous-mêmes. Moi, je – non : l'ambitieux en moi, le vaniteux en moi, l'obsédé sexuel en moi, telle *vasana*, telle demande particulière. Si vous vous confondez avec des aspects de vous-mêmes qu'on vous a appris à juger honteux, méprisables, coupables, comment voulez-vous ne pas mener une vie d'enfer ? Mais si vous comprenez que fondamentalement vous avez une liberté, que vous n'êtes pas obligés de vous confondre avec ces phénomènes intérieurs, regardez à quel point tout est déjà changé, aussi changé que si vous réussissez à éclairer une pièce obscure. Cela fait des années que vous tâtonnez dans l'obscurité, que vous vous heurtez et blessez partout et vous apprenez qu'il y a un interrupteur électrique dans la pièce. Vous allumez, rien d'abord n'est changé, la pièce est toujours dans un désordre indicible mais au moins vous y voyez clair, vous avez une vue d'ensemble. C'est ce *guru* intérieur qui est l'aube, le précurseur de l'*atman*, du Soi ou de l'Esprit par rapport à l'âme, au psychisme.

Maintenant, encore un point doit être précisé par rapport à ce que je dis aujourd'hui : les situations extérieures n'ont d'autre réalité pour vous que la perception que vous en avez, la conscience que vous en avez. Tout se ramène à des modifications de votre conscience, à des formes de conscience successives. Si vous êtes dans une situation que vous considérez comme douloureuse et que momentanément vous l'oubliez, elle ne vous fait plus souffrir. Tout ce que nous appelons la réalité n'a d'autre réalité pour nous que la perception que nous en avons et la conception que nous nous en faisons.

Par conséquent, si nous parlons en toute rigueur, votre vie n'est faite que des moments successifs de votre conscience et c'est de ces moments de conscience successifs que vous êtes le *guru*, puisque chacun de ces moments vient dire à tour de rôle : j'aime, je veux, je me réjouis, j'ai peur, je souffre. Au lieu de vous confondre avec eux, reconnaissez qu'ils prennent chaque fois la forme, en effet, d'une entité définie, laquelle dit *je* : *j*'ai peur, *je* suis condamné à soixante-dix mille francs d'amende fiscale ou bien *je* suis obsédé par des images homosexuelles ou bien *je* ressens une haine contre ma femme. *Je, je, je,* ce sont autant de formes limitées différentes dont vous êtes responsables. Conduisez-vous avec ces différents aspects de vous-mêmes comme un vrai *guru* et écoutez-les, laissez-les parler s'ils ont quelque chose à dire. Lequel de mes disciples au-dedans de moi, c'est-à-dire de tous les personnages de la foule que je représente, lequel veut prendre la parole ? Bien, moi *guru* intérieur je lui donne la parole en étant un avec lui, je l'écoute, je l'encourage même à parler. Laissez ce personnage, quel qu'il soit, s'exprimer jusqu'au bout. Tant que vous parlerez de vous au singulier, vous ne comprendrez jamais ce que vous êtes. N'a le droit de parler au singulier que le Soi ou la conscience-témoin ou, à la rigueur, le disciple en vous et surtout ce *guru* intérieur. Mais pour le reste, parlez de vous au pluriel. Vous êtes un parlement, vous êtes une foule.

Une des armes les plus puissantes que vous ayez pour détruire le mental, c'est la compréhension que votre vraie réalité, c'est le *guru* en vous. Le *guru* extérieur a pour fonction de vous montrer comment vous y prendre avec vous-mêmes. Etant libre, il est vraiment vous-mêmes, il peut donner la parole à une *vasana* en sachant qu'il ne s'agit jamais que d'une forme de l'attraction et de la répulsion même si celle-ci occupe toute la place. De même, le *inner guru* peut parler en nous au personnage en question : « Bien, tu as pu t'exprimer, dire tout ce que tu avais à dire. D'accord, on va faire quelque chose pour toi, c'est promis, mais maintenant vois ce qu'il en est, vois bien l'ensemble de la situation » – alors que le mental n'a jamais qu'une vue tout à fait partielle

– et finalement c'est la voix de votre propre profondeur qui décidera l'action juste en tenant compte de tous les paramètres non pas comme un dictateur mettant en prison « l'opposition » mais comme un sage plein d'amour. La naissance du maître intérieur en vous c'est votre véritable naissance, la deuxième naissance, la régénération. Enfin vous êtes vraiment nés, *vous.* Vous n'êtes pas encore libérés mais vous êtes sauvés. Jusque-là vous ne pouviez pas être sauvés, vous demeuriez trop conflictuels, trop incompréhensibles à vous-mêmes, vous ne pouviez que survivre avec des expédients dérisoires consistant à mentir, à vous aveugler, à fuir, à prendre peur, à nier. Quelle tragédie ! Il n'y a pas de paroles qui contiennent réellement une plus grande espérance, une plus précieuse certitude que celle-ci : Je ne suis pas tous ces personnages ! Fondamentalement, essentiellement, vous n'êtes pas ce morcellement, cette instabilité. Vous n'êtes pas l'esclave de vos fonctions et de vos fonctionnements, vous êtes leur maître. Seul un tel maître peut devenir le serviteur de Dieu, de la Sagesse ou de la Vérité.

*

La voie consistant avant tout à passer peu à peu du monde de l'avoir au monde de l'être, on comprendra qu'il y a déjà une différence d'approche essentielle entre avoir un maître ou être un disciple. Etre un disciple est préalable à la rencontre avec le guide ; c'est éprouver en soi une soif, une demande, qui ne s'effacera qu'avec l'accomplissement ultime. Une fois encore, les termes pourront varier pour désigner cette aspiration fondamentale mais l'essence en est toujours la même : avoir l'expérience personnelle de la Réalité Ultime telle que la présente la tradition à laquelle on se rattache.

Au grand sens du mot être, nous sommes la réalité indestructible, le Soi, la Nature-de-Bouddha, le Non-né. Certes, seul un pianiste peut jouer du piano, seul un nageur peut nager. Mais est-il rigoureusement juste de dire « je suis un pianiste », « je suis un nageur » ? Il est évident qu'un accident à la main endommageant définitivement les doigts détruirait par là même le pianiste, comme une paralysie détruirait le nageur. Et pourtant, la conscience demeurerait intacte. Ne serait-il pas plus juste alors de dire « je peux jouer du piano parce que j'ai l'être d'un pianiste, je peux nager parce que j'ai l'être d'un nageur », en admettant que l'être, à ce niveau-là, puisse encore m'être enlevé ? De même, si l'enfant meurt dans un accident, la mère ne peut plus être une mère puisqu'elle n'a plus un enfant à aimer et à éduquer ou, si l'épouse l'abandonne, le mari ne peut plus être un époux puisqu'il n'a plus une femme auprès de qui jouer ce rôle. A ce niveau, la seule réalité d'être parfaitement indestructible en nous est celle du disciple car rien, ni l'accident, ni l'abandon, ni la trahison, ni l'échec, ne peut avoir raison de lui. Tout, toutes les vicissitudes, tous les drames, toutes les tragédies, peuvent servir de point d'appui pour notre progression vers la Libération.

Vous pouvez être un disciple à l'âge de vingt ans, ce sera vrai encore si l'existence vous conduit jusqu'à l'âge de quatre-vingts ans. Mais bien sûr, cet être va évoluer, se transformer, croître en maturité, en sagesse, en capacité à aimer inconditionnellement, au-delà de l'égocentrisme. La perfection de l'être s'accomplit dans l'effacement de l'ego individualisé et séparé. Comme le disent les musulmans : « Heureux celui qui sera déjà mort à lui-même lorsque la mort le surprendra. »

Souvenez-vous que si bien des événements, bien des situations, peuvent vous empêcher d'être ceci ou cela en particulier, rien, jamais rien, ne peut vous empêcher d'être un disciple. Les circonstances peuvent faire obstacle à un séjour auprès du maître mais jamais obstacle à votre mise en pratique intime et personnelle. Si nous cessons de lui tourner le dos et de nous identifier à toutes les pensées, émotions, craintes et désirs qui se succèdent au long d'une existence, la grande réalité à la source de notre conscience, au cœur de notre être, ne cesse de nous appeler, de nous attendre, prête à se révéler à nous.

TABLE DES MATIÈRES

Cet ouvrage a été réalisé par la
SOCIÉTÉ NOUVELLE FIRMIN-DIDOT
Mesnil-sur-L'Estrée
pour le compte de La Table Ronde
en mai 1996

Imprimé en France
Dépôt légal : mai 1996
N° d'édition : 2874 – N° d'impression : 34690